HIGH TOP
하이탑
과학 고수들의 필독서

자연계를 선택할 학생이라면, 단연 하이탑!!

High Top

1권

화학 Ⅱ

Structure

이 책의 구성과 특징

지금껏 선생님들과 학생들로부터 고등 과학의 바이블로 명성을 이어온 하이탑의 자랑거리는 바로,

- 기초부터 심화까지 이어지는 튼실한 내용 체계
- 백과사전처럼 자세하고 빈틈없는 개념 설명
- 내용의 이해를 돕기 위한 풍부한 자료
- 과학적 사고를 훈련시키는 논리정연한 문장

이었습니다. 이러한 전통과 장점을 이 책에 이어 담았습니다.

1 개념과 원리를 익히는 단계

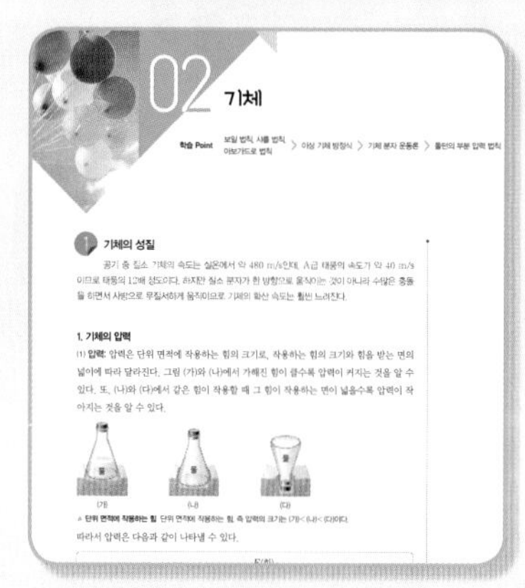

● 개념 정리

여러 출판사의 교과서에서 다루는 개념들을 체계적으로 다시 정리하여 구성하였습니다.

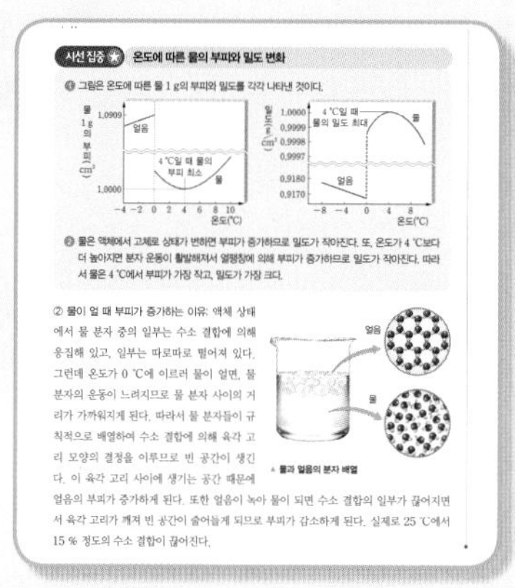

● 시선 집중

중요한 자료를 더 자세히 분석하거나 개념을 더 잘 이해할 수 있도록 추가로 설명하였습니다.

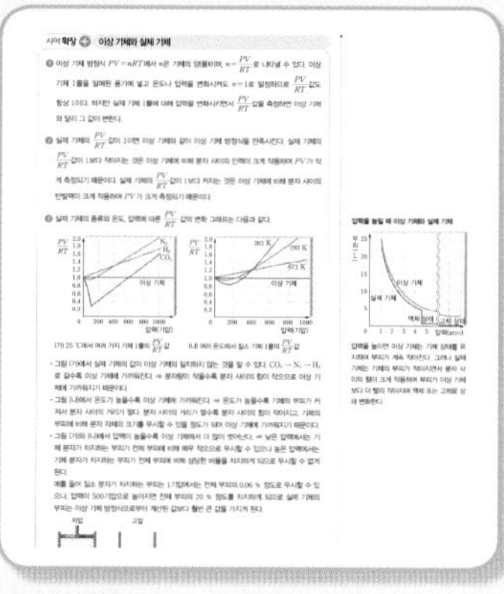

● 시야 확장

심도 깊은 내용을 이해하기 쉽도록 원리나 개념을 자세히 설명하였습니다.

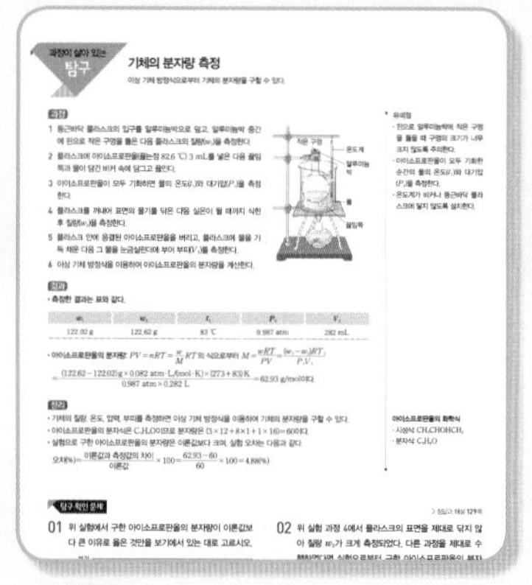

● 탐구

교과서에서 다루는 탐구 활동 중에서 가장 중요한 주제를 선별하여 수록하고, 과정과 결과를 철저히 분석하였습니다.

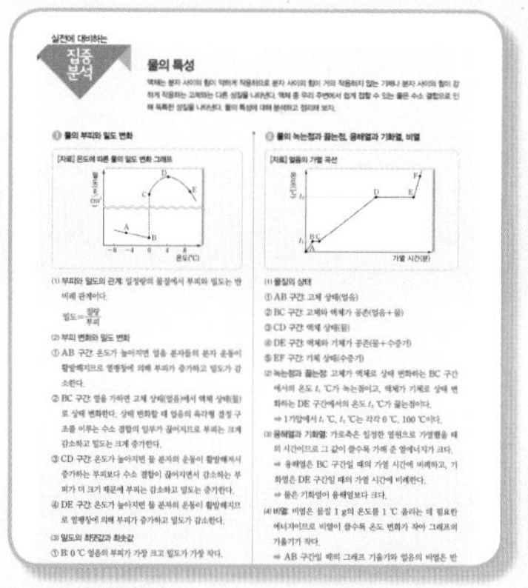

● 집중 분석

출제 빈도가 높은 주요 주제를 집중적으로 분석하고, 유제를 통해 실제 시험에 대비할 수 있도록 하였습니다.

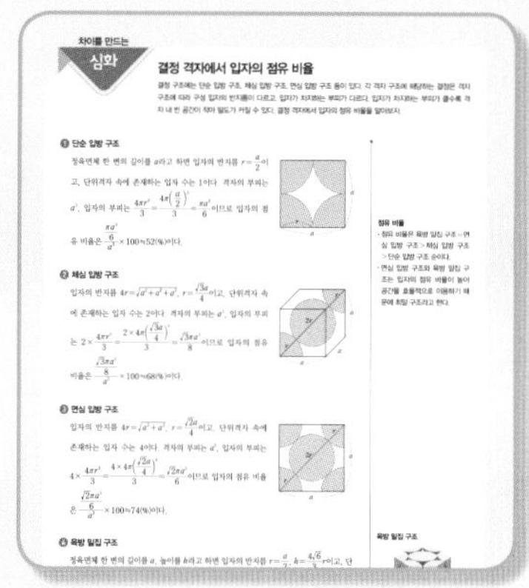

● 심화

깊이 있게 이해할 필요가 있는 개념은 따로 발췌하여 심화 학습할 수 있도록 자세히 설명하고 분석하였습니다.

2 다양한 유형과 수준별 문제로 실력을 확인하는 단계

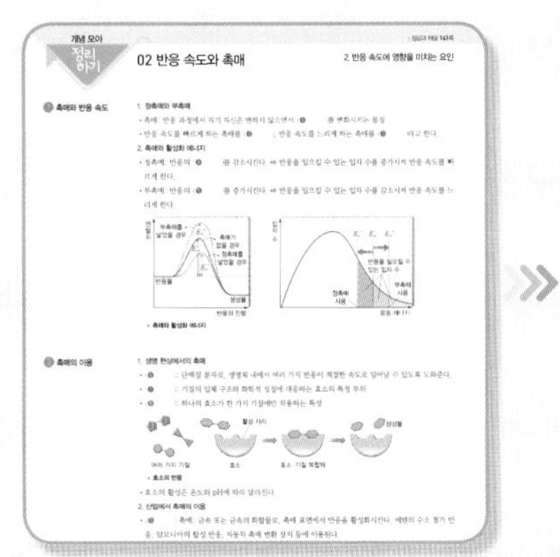

●개념 모아 정리하기
각 단원에서 배운 핵심 내용을 빈칸에 채워 나가면서 스스로 정리하는 코너입니다.

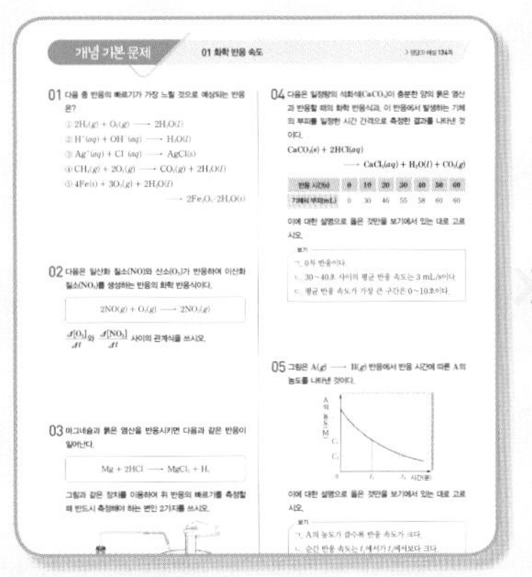

●개념 기본 문제
각 단원의 기본적이고 핵심적인 내용의 이해 여부를 평가하기 위한 코너입니다.

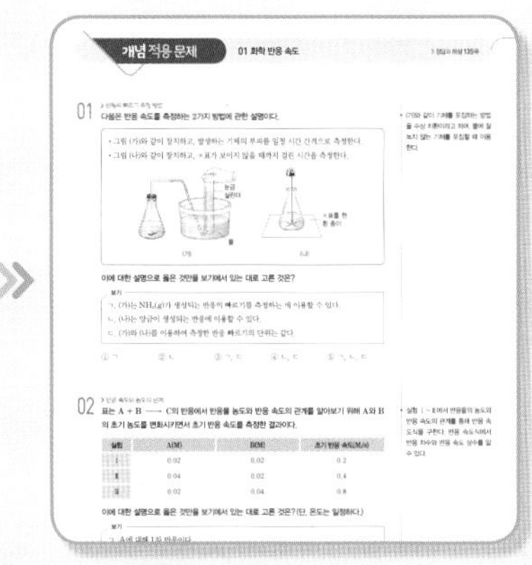

●개념 적용 문제
기출 문제 유형의 문제들로 구성된 코너입니다. '고난도 문제'도 수록하였습니다.

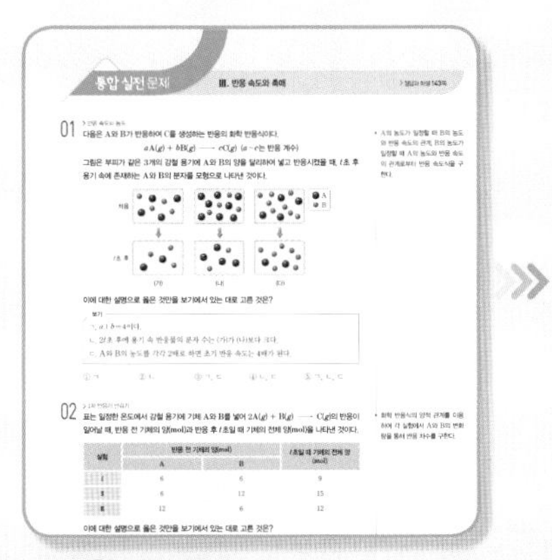

●통합 실전 문제
대단원별로 통합된 개념의 이해 여부를 확인함으로써 실전을 대비할 수 있도록 구성하였습니다.

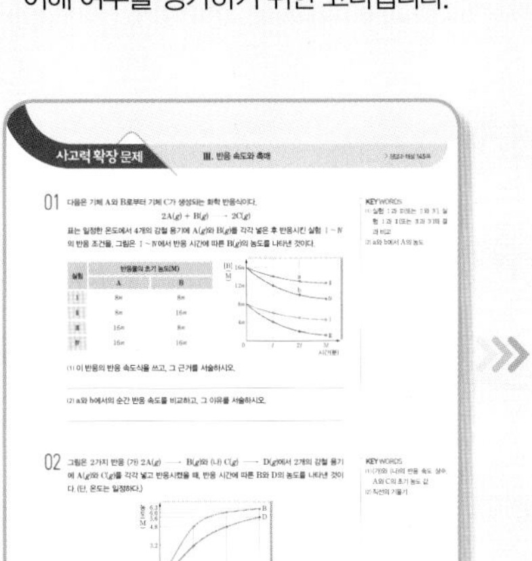

●사고력 확장 문제
창의력, 문제 해결력 등 한층 높은 수준의 사고력을 요하는 서술형 문제들로 구성하였습니다.

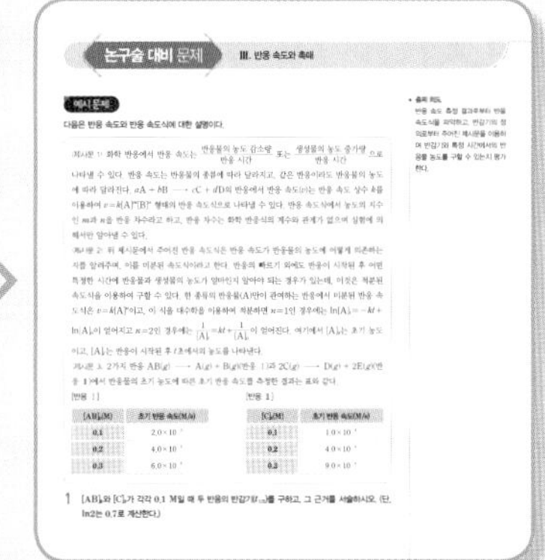

●논구술 대비 문제
논구술 시험에 출제되었거나, 출제 가능성이 높은 예상 문제로서, 답변 요령 및 예시 답안과 함께 제시하였습니다.

●정답과 해설
정답과 오답의 이유를 쉽게 이해할 수 있도록 자세하고 친절한 해설을 담았습니다.

"
하이탑은
과학에 대한 열정을 지닌 독자님의
실력이 더욱 향상되길 기원합니다.
"

Contents

이 책의 차례 - 화학

"자세하고 짜임새 있는 설명과 수준 높은 문제로 실력의 차이를 만드는 High Top"

1권

I

물질의 세 가지 상태와 용액

II

반응 엔탈피와 화학 평형

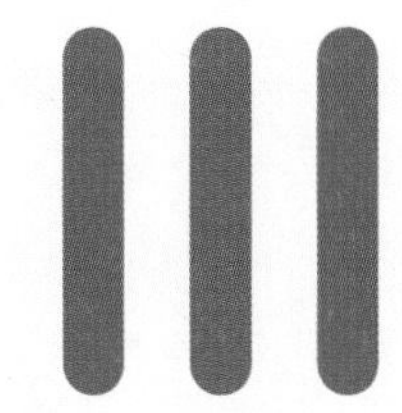

반응 속도와 촉매

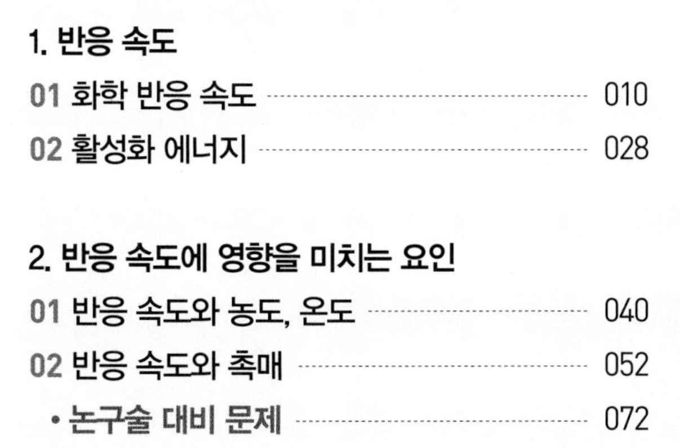

전기 화학과 이용

I 물질의 세 가지 상태와 용액

1
물질의 세 가지 상태

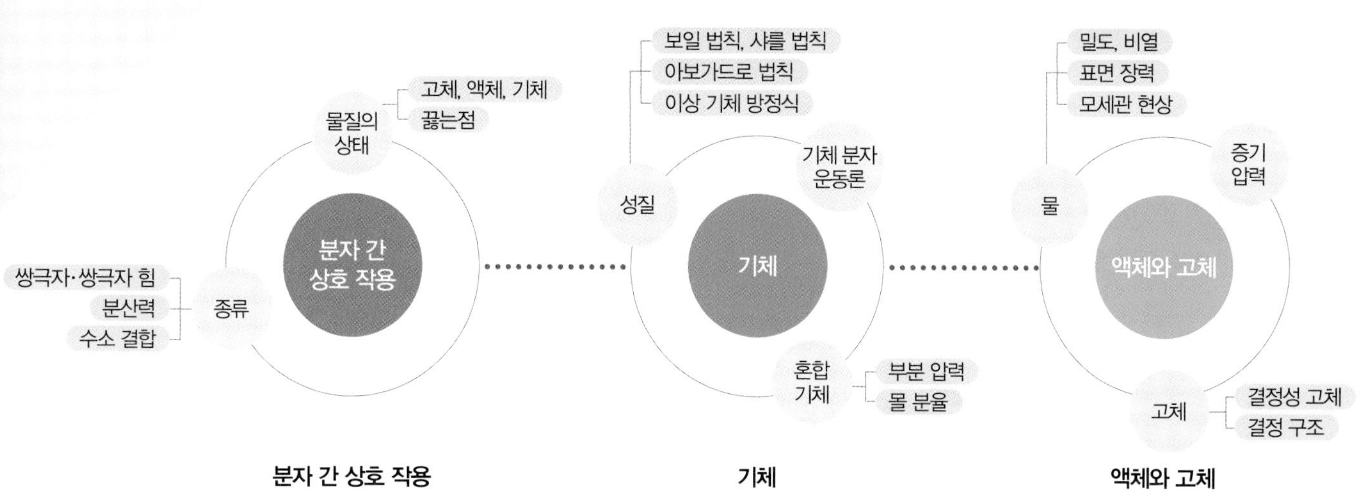

분자 간 상호 작용

기체

액체와 고체

01 분자 간 상호 작용

학습 Point 분자 간 상호 작용과 물질의 상태 〉 쌍극자·쌍극자 힘 〉 분산력 〉 수소 결합

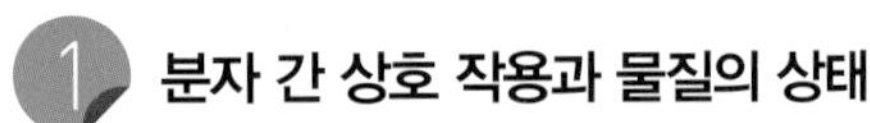

1 분자 간 상호 작용과 물질의 상태

할로젠 원소에 속하는 염소(Cl_2), 브로민(Br_2), 아이오딘(I_2)은 모두 원자 2개가 결합하여 만들어진 이원자 분자이다. 그러나 이들은 분자 간 상호 작용의 세기가 달라 25 ℃, 1기압에서 염소는 기체(황록색), 브로민은 액체(적갈색), 아이오딘은 고체(흑자색) 상태로 존재한다.

1. 기체, 액체, 고체와 분자 간 상호 작용

(1) **기체:** 기체 상태에서 분자들은 무질서한 방향으로 매우 불규칙적이고 빠르게 열운동을 하고 있으므로 분자와 분자 사이의 거리가 멀어 분자 간 상호 작용이 거의 없으며, 큰 운동 에너지를 가진다. 따라서 기체는 일정한 모양이 없이 담는 그릇을 가득 채우므로 부피가 일정하지 않다.

(2) **액체:** 기체를 냉각하면 분자의 열운동이 약해지면서 분자들 사이의 거리가 가까워지고, 분자 간 인력이 작용하여 서로 끌리면서 액체 상태가 된다. 액체 상태에서는 분자 간 상호 작용에 의해 분자들이 기체 상태보다 자유롭게 움직이지 못하고 액체 내부에서만 비교적 자유롭게 움직인다. 따라서 액체는 유동성이 있으며, 일정한 모양을 가지지 못하고 담는 그릇의 형태에 맞게 채워진다. 또, 기체는 온도나 압력 변화에 따라 부피가 크게 변하지만, 액체는 가열하거나 압력을 가해도 분자 사이의 거리가 거의 변하지 않으므로 거의 일정한 부피를 나타낸다.

(3) **고체:** 액체를 냉각하면 분자들의 운동이 점점 느려지다가 일정한 온도에 이르면 규칙적인 배열을 이루어 고정된 위치에서 진동 운동만 하는 고체 상태가 된다. 고체 상태에서는 분자들이 매우 규칙적으로 배열되어 분자들 사이의 거리가 매우 가깝고, 분자 간 상호 작용도 매우 강하여 분자 사이의 거리가 일정하게 유지되므로 고체는 일정한 부피와 모양을 갖는다.

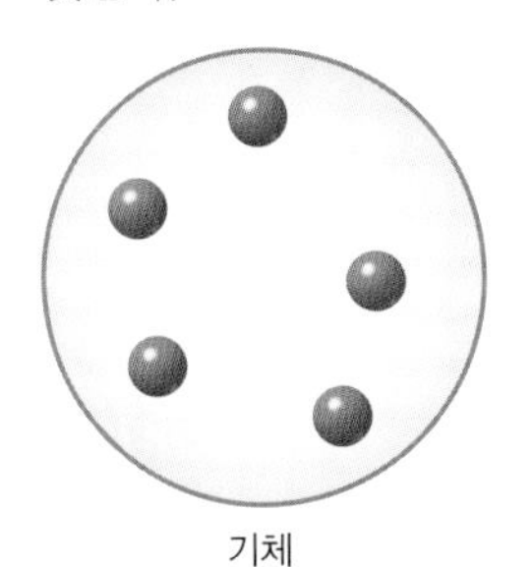
기체

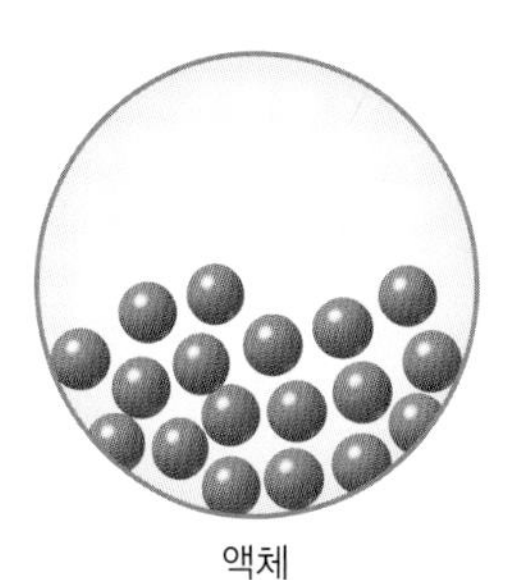
액체

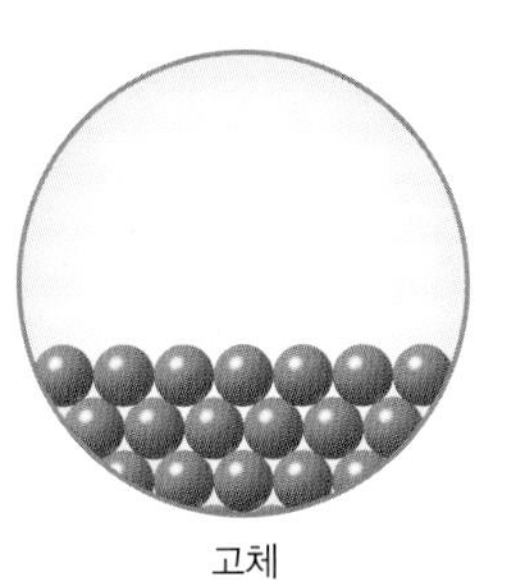
고체

▲ 기체, 액체, 고체 상태에서 분자의 배열 모습

얼음, 물, 수증기
우리 주변에서 흔히 볼 수 있는 물은 자연 상태에서 얼음(고체), 물(액체), 수증기(기체)의 3가지 상태로 존재한다. 얼음은 담는 그릇에 따라 모양과 부피가 변하지 않으며, 물은 담는 그릇에 따라 모양은 변하지만 부피는 변하지 않는다. 수증기는 담는 그릇에 따라 모양과 부피가 변한다.

2. 분자 간 상호 작용과 끓는점

⑴ **끓는점:** 온도가 높아지면 액체의 증발 속도가 빨라지므로 액체의 증기 압력이 점점 커지게 된다. 액체의 증기 압력이 표면을 누르고 있는 외부 압력과 같아지면 액체 내부에서 형성된 기포가 깨지지 않고 점점 자라서 액체 사이를 통과해 올라오게 되는데, 이와 같은 현상을 끓음이라 하며, 이때의 온도를 끓는점이라고 한다. 물질의 끓는점을 결정하는 요인은 분자 간 상호 작용과 외부의 압력 조건이다.

분자 사이의 인력과 끓는점
액체 분자들 사이에 작용하는 인력이 강할수록 분자 사이의 인력을 끊고 기체로 변화시키기 위해 외부에서 가해 주어야 할 열에너지의 양이 많아진다. 따라서 분자들 사이에 작용하는 인력이 강할수록 끓는점이 높아진다.

시야 확장 ⊕ 증발과 끓음의 비교

액체가 끓기 전에도 증발은 일어난다. 증발과 끓음의 차이점은 증발은 액체 표면에서 물 분자가 기화되는 현상이고, 끓음은 액체 내부에서도 기화가 일어나 기포가 만들어지는 현상이라는 것이다.
온도가 낮아 액체의 증기 압력이 외부 압력보다 작을 때에는 액체 내부에서 기포가 생성되어도 올라오지 못하고 깨지므로 액체가 끓지 않는다.

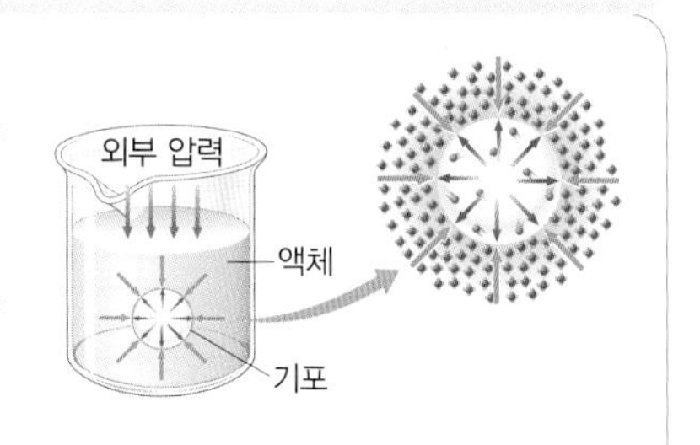

⑵ **분자 간 상호 작용에 따른 끓는점 변화:** 물은 물 분자 간 상호 작용이 강하기 때문에 실온에서 액체 상태이며, 100 ℃에서 끓어서 기체 상태로 변한다. 반면에 산소는 매우 낮은 온도인 −183 ℃에서 끓는데, 이것은 산소 분자 간 상호 작용이 매우 약하기 때문이다. 이와 같이 분자 간 상호 작용의 세기는 끓는점을 통해 쉽게 파악할 수 있다.

기준 끓는점
물질은 압력에 따라 끓는점이 달라지는데, 1기압에서의 끓는점을 기준 끓는점이라고 한다.

물질	기준 끓는점(℃)	실온에서의 상태	분자 간 상호 작용
산소	−183	기체	약함
물	100	액체	강함

▲ 산소와 물의 기준 끓는점과 실온에서의 상태

⑶ **외부의 압력 조건에 따른 끓는점 변화:** 끓는점은 대기압과 액체 물질의 증기 압력이 같아지는 온도이므로 대기압이 변하면 물질의 끓는점도 변한다.

온도(℃)	증기 압력(mmHg)	온도(℃)	증기 압력(mmHg)
0	4.58	**60**	149.4
10	9.21	**70**	233.7
20	17.5	**80**	355.1
30	31.8	**90**	525.9
40	55.3	**100**	760.0
50	92.5	**110**	1074.6

▲ 온도에 따른 물의 증기 압력

대기압이 1기압(=760 mmHg)일 때 액체의 끓는점을 기준 끓는점이라고 한다. 물은 대기압이 1기압일 때는 100 ℃에서 끓지만, 대기압이 낮은 산에서는 100 ℃보다 낮은 온도에서 끓으므로 산 위에서 밥을 하면 쌀이 설익기도 한다. 실제로 에베레스트 정상에서의 대기압은 250 mmHg 정도로 물이 약 71 ℃에서 끓는다. 반대로 압력이 높아진 압력솥에서는 100 ℃보다 더 높은 온도에서 물이 끓기 때문에 쌀이 빨리 익는다.

압력솥
압력솥은 내부 압력이 2기압 정도로 유지되므로 물의 온도가 122 ℃까지 올라가게 되어 쌀이 빨리 익는다.

2 분자 간 상호 작용의 종류

물의 끓는점은 100 ℃이고, 에탄올의 끓는점은 78 ℃이다. 이처럼 물질마다 끓는점이 다른 이유는 물질을 구성하는 분자 간 상호 작용의 종류와 크기가 다르기 때문이다. 분자 간 상호 작용에는 쌍극자·쌍극자 힘, 분산력, 수소 결합 등이 있다.

1. 쌍극자·쌍극자 힘

(1) **쌍극자 모멘트:** 분자 내에서 크기가 같고 부호가 다른 두 전하가 분리되어 있는 것을 쌍극자라 하며, 쌍극자에서 분리된 전하량과 두 전하 사이의 거리를 곱한 벡터량을 쌍극자 모멘트라고 한다.

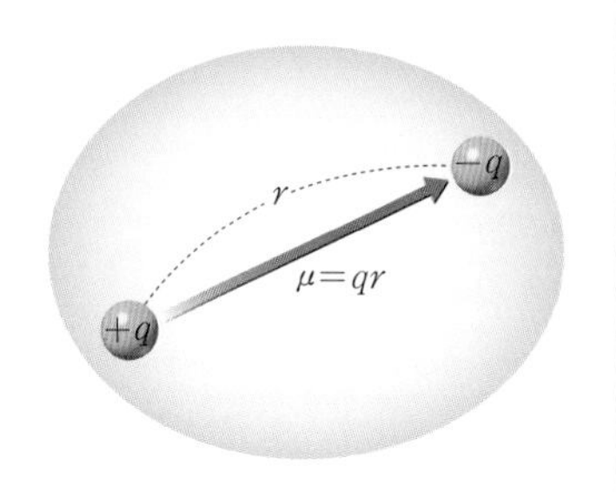

분자를 이루고 있는 원자의 전하가 각각 $+q$, $-q$이고 두 전하 사이의 거리가 r일 때, 쌍극자 모멘트(μ)는 다음과 같다.

$$\mu=q\times r$$

① 쌍극자 모멘트는 분리된 전하량(q)이 클수록, 두 전하 사이의 거리(r)가 멀수록 커진다.
② 쌍극자 모멘트는 (+)전하에서 (−)전하로 향하는 방향을 가지는 벡터량이다.
③ 쌍극자 모멘트가 클수록 결합의 극성이나 이온성이 크다.
④ 무극성 분자의 쌍극자 모멘트는 0이고, 극성 분자의 쌍극자 모멘트는 0보다 크다.

분자	쌍극자 모멘트 ($\times10^{-30}$ C·m)	분자	쌍극자 모멘트 ($\times10^{-30}$ C·m)	분자	쌍극자 모멘트 ($\times10^{-30}$ C·m)
H_2	0	HF	6.37	H_2O	6.17
CO_2	0	HCl	3.60	NH_3	4.90
BCl_3	0	HBr	2.67	CH_3Cl	6.24
CH_4	0	HI	1.40	C_2H_5OH	5.64

▲ 여러 가지 분자의 쌍극자 모멘트

(2) **쌍극자 모멘트와 분자의 극성**

① **이원자 분자의 극성:** 같은 원자 2개가 결합하여 이루어진 이원자 분자는 두 원자 사이의 결합이 무극성 공유 결합이므로 무극성 분자이고 쌍극자 모멘트가 0이다. 다른 원자 2개가 결합하여 이루어진 이원자 분자는 두 원자 사이의 결합이 극성 공유 결합이므로 극성 분자이고 쌍극자 모멘트가 0보다 크다. 무극성 분자인 이원자 분자는 H_2, O_2, N_2, Cl_2 등이 있고, 극성 분자인 이원자 분자는 HCl, HF, HBr, HI, CO, NO 등이 있다.

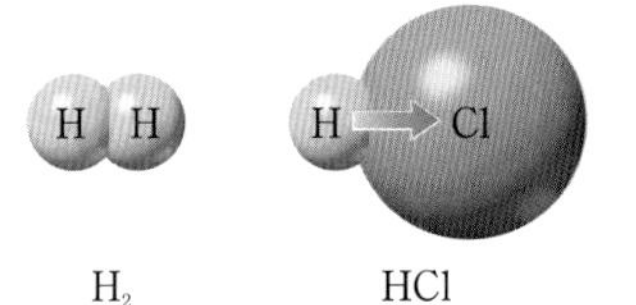

▲ 무극성 분자 ▲ 극성 분자

② **다원자 분자의 극성:** 이원자 분자의 경우에는 두 원자 사이의 결합이 극성 공유 결합일 경우 극성 분자이다. 그러나 3개 이상의 원자들이 결합한 경우에는 원자 사이의 결합이 극성 공유 결합이더라도 분자의 구조에 따라 극성 분자가 될 수도 있고, 무극성 분자가 될 수도 있다.

물리량
모든 물리량은 벡터량과 스칼라량으로 구분한다. 스칼라량은 질량, 길이와 같이 크기만 갖는 물리량이고, 벡터량은 속도, 힘과 같이 크기와 방향을 갖는 물리량이다.

쌍극자
크기가 같고 부호가 반대인 두 전하가 분리되어 있는 것을 쌍극자라고 한다. 분자 내에서 부분적인 양전하(δ^+)와 부분적인 음전하(δ^-)를 띠고 있을 때 쌍극자를 가진다고 한다.

쌍극자 모멘트
- 쌍극자 모멘트의 SI 단위는 C·m이지만, 단위의 크기가 너무 커서 디바이(debye, D)라는 단위를 주로 사용한다. 두 단위의 관계를 나타내면 다음과 같다.
  1 D$=3.34\times10^{-30}$ C·m
- 표시: 전기 음성도가 작은 원자에서 전기 음성도가 큰 원자 쪽으로 화살표의 머리 부분이 향하도록 그린다.

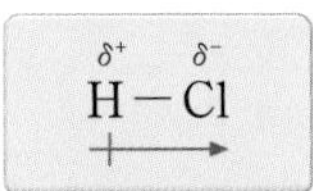

극성 공유 결합과 무극성 공유 결합
- 극성 공유 결합: 전기 음성도가 서로 다른 원자들이 전자쌍을 공유하여 형성한 결합이다.
- 무극성 공유 결합: 전기 음성도가 서로 같은 원자들이 전자쌍을 공유하여 형성한 결합이다.

- 분자가 대칭 구조인 경우: 분자의 3차원 구조가 대칭 구조를 이루는 경우에는 극성 공유 결합의 쌍극자 모멘트가 서로 상쇄되어 분자 전체의 쌍극자 모멘트가 0이 되므로 무극성 분자이다.

  예를 들어 선형 구조인 CO_2 분자는 극성 공유 결합의 쌍극자 모멘트가 서로 상쇄되어 쌍극자 모멘트의 벡터 합이 0이 되므로 무극성 분자이다. 또, 평면 삼각형 구조를 이루는 BCl_3 분자와 정사면체 구조를 이루는 CH_4 분자도 극성 공유 결합의 쌍극자 모멘트가 서로 상쇄되어 쌍극자 모멘트의 벡터 합이 0이 되므로 무극성 분자이다. 이와 같은 대칭 구조인 무극성 분자의 예로는 CO_2, BCl_3, CH_4, CCl_4, C_6H_6, SO_3, C_2H_2, C_2H_4 등이 있다.

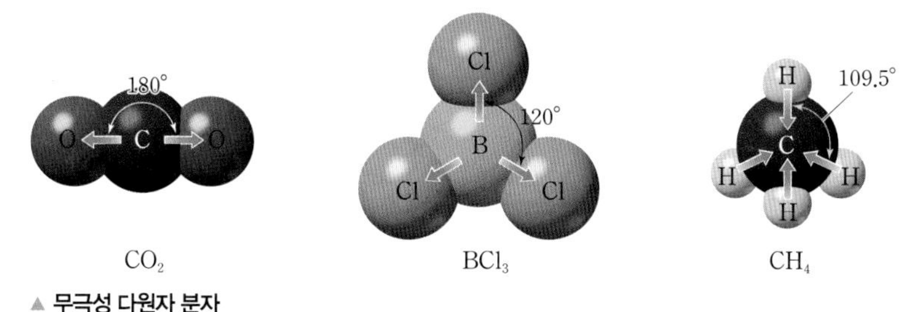

▲ 무극성 다원자 분자

대칭 구조를 가지는 분자의 극성

중심 원자에 5개나 6개의 원자가 결합되어 삼각쌍뿔과 정팔면체의 대칭 구조를 가지는 분자는 쌍극자 모멘트가 서로 상쇄되어 쌍극자 모멘트의 벡터 합이 0이 되므로 무극성 분자이다.

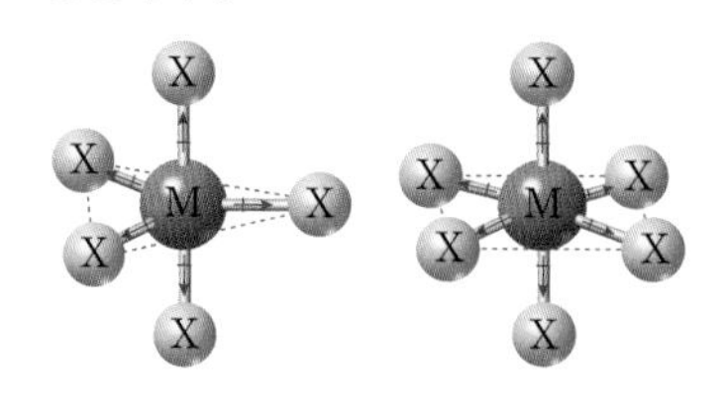

시야 확장 + 쌍극자 모멘트의 벡터 합

① 2개의 벡터를 평행사변형의 변으로 하여 평행사변형을 그렸을 때 2개의 벡터의 합은 두 벡터의 출발점에서 평행사변형의 반대편 대각선 꼭짓점까지 그려주면 된다.

② 또 다른 방법으로는 한 벡터의 화살표에 다른 벡터의 출발점을 연결시키고 처음 벡터의 출발점과 다른 벡터의 화살표까지 화살표를 그려주면 된다.

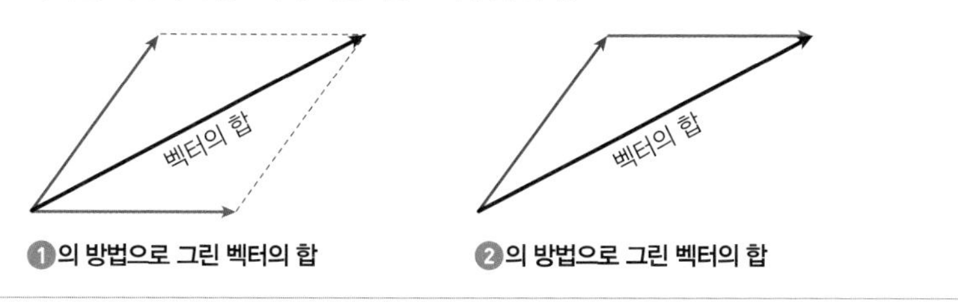

전기 음성도

- 전기 음성도: 공유 결합을 하고 있는 원자들이 공유 전자쌍을 끌어당기는 능력을 상대적인 수치로 나타낸 값
- 1932년 폴링(Pauling, L. C., 1901~1994)은 공유 전자쌍을 끌어당기는 힘이 가장 큰 플루오린(F)의 전기 음성도를 4.0으로 정하고, 이를 기준으로 다른 원자들의 상대적인 전기 음성도 값을 정하였다.

- 분자가 비대칭 구조인 경우: 중심 원자에 결합된 원자들이 모두 같은 종류가 아니거나 중심 원자에 비공유 전자쌍이 존재하여 비대칭 구조인 경우에는 극성 분자이다.

  예를 들어 $CHCl_3$ 분자는 중심 원자에 결합된 원자들 중 한 원자가 다른 종류이다. 이때 C−H 결합은 C−Cl 결합보다 극성이 작으므로 쌍극자 모멘트가 서로 상쇄되지 않는다. 이와 같이 비대칭 구조를 가지는 분자는 쌍극자 모멘트의 벡터 합이 0이 되지 않아 극성 분자이다.

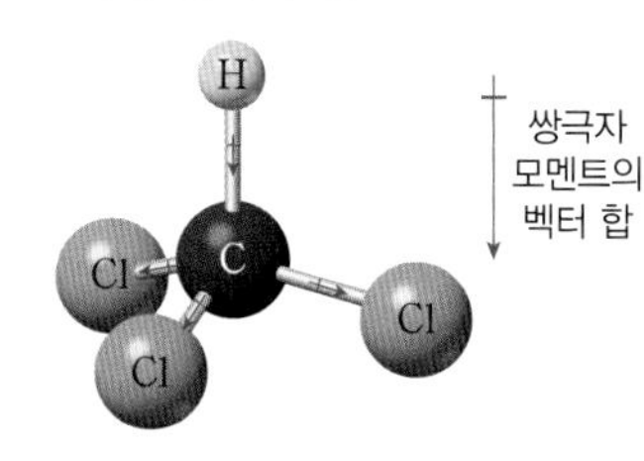

◀ **극성 다원자 분자 $CHCl_3$의 쌍극자 모멘트의 벡터 합** 전기 음성도 차에 의해 C−H 결합 쌍극자 모멘트는 탄소 원자를 향하고, C−Cl 결합 쌍극자 모멘트는 염소 원자를 향한다. 이 쌍극자 모멘트의 벡터 합이 0이 아니므로 $CHCl_3$은 극성 분자이다.

전기 음성도에 따른 쌍극자 모멘트의 방향

전기 음성도는 탄소(C)가 2.5, 수소(H)가 2.1, 염소(Cl)가 3.0이므로 C−H 결합에서 쌍극자 모멘트의 방향은 전기 음성도가 큰 C 쪽이고, C−Cl 결합에서 쌍극자 모멘트의 방향은 전기 음성도가 큰 Cl 쪽이다.

또, H_2O 분자와 NH_3 분자는 중심 원자에 비공유 전자쌍이 존재하고, 각각 굽은 형과 삼각뿔의 비대칭 분자 구조를 가지고 있다. H_2O 분자의 경우에는 쌍극자 모멘트가 산소 원자를 향하고, NH_3 분자의 경우에는 쌍극자 모멘트가 질소 원자를 향하고 있으며, 이때 쌍극자 모멘트는 상쇄되지 않는다. 따라서 쌍극자 모멘트의 벡터 합이 0이 아니므로 H_2O 분자와 NH_3 분자는 극성 분자이다. 이와 같은 비대칭 구조인 극성 분자의 예로는 SO_2, CH_3Cl, NH_3, H_2O, CH_2Cl_2, H_2S, O_3, CH_3OH 등이 있다.

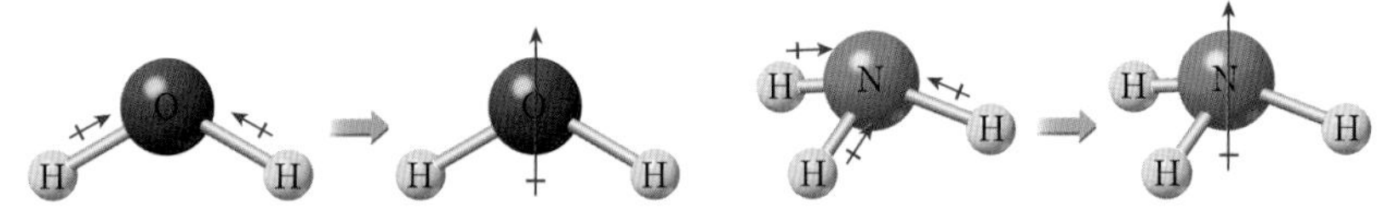

▲ 극성 다원자 분자 H_2O, NH_3의 쌍극자 모멘트의 벡터 합

③ **극성 분자의 성질:** 뷰렛에 물(H_2O)을 넣고 꼭지를 열어 물줄기가 가늘게 흘러내리도록 한 다음, (－)전하로 대전된 에보나이트 막대를 가까이 가져가면 극성인 물 분자에서 부분적인 양전하(δ^+)를 띤 수소 원자가 대전체 쪽으로 끌리면서 물줄기가 대전체 쪽으로 끌려간다. 또, 기체 상태의 극성 분자를 대전된 평행판 사이의 전기장 속에 넣으면 부분적인 양전하(δ^+)를 띤 부분은 (－)극 쪽을 향하고 부분적인 음전하(δ^-)를 띤 부분은 (＋)극 쪽을 향하여 배열한다. 하지만 무극성 분자의 경우에는 전기장의 영향을 받지 않고 무질서하게 배열한다.

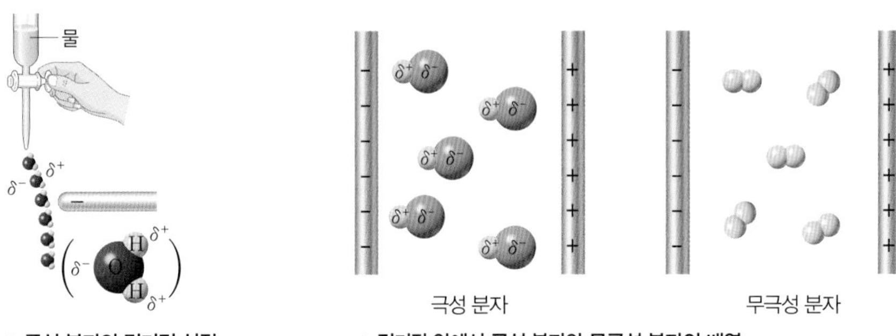

▲ 극성 분자의 전기적 성질 ▲ 전기장 안에서 극성 분자와 무극성 분자의 배열

물질의 용해성

극성 용매인 물과 무극성 용매인 사염화 탄소가 들어 있는 시험관에 이온성 물질인 황산 구리(Ⅱ)($CuSO_4$)와 무극성 물질인 아이오딘(I_2)을 각각 넣으면 $CuSO_4$는 물에만 녹아 파란색을 띠고, I_2은 사염화 탄소에만 녹아 보라색을 띤다.

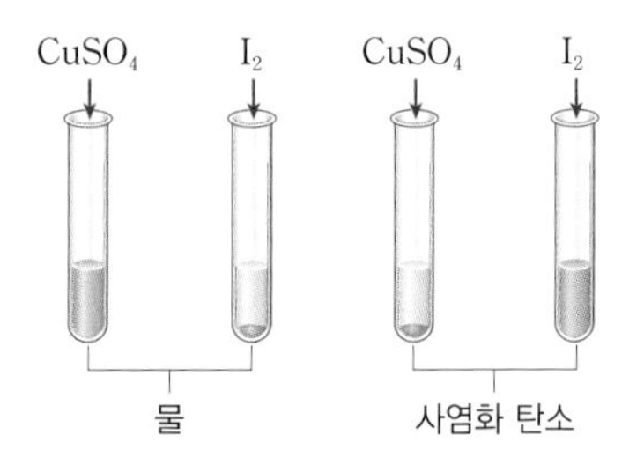

(3) **쌍극자·쌍극자 힘:** 극성 분자들이 접근하면 한 분자의 부분적인 양전하(δ^+)를 띤 부분과 다른 분자의 부분적인 음전하(δ^-)를 띤 부분 사이에 정전기적 인력이 작용하는데, 이러한 분자 사이의 힘을 쌍극자·쌍극자 힘이라고 한다. 온도가 낮을 때 분자들은 이러한 쌍극자·쌍극자 힘에 의해 가까이 접근하여 규칙적인 배열을 이룬다. 그 결과 물질은 액체나 고체 상태로 존재할 수 있게 된다. 그러나 온도가 높아지면 분자 운동이 활발해져 쌍극자·쌍극자 힘이 효과적으로 작용하지 않으므로 분자들의 배열이 불규칙해진다.

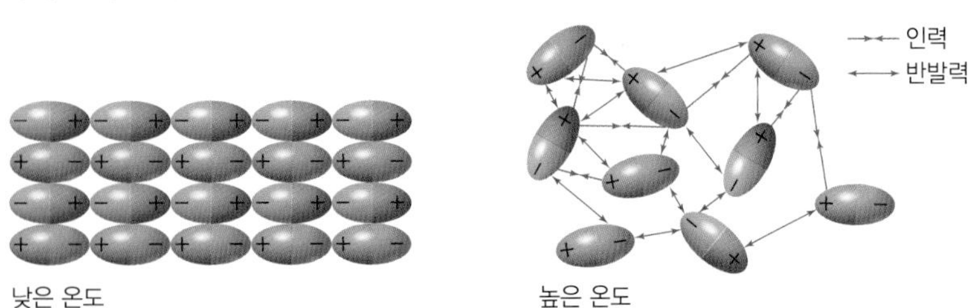

▲ 극성 분자 사이의 힘과 배열 모형

(4) **쌍극자·쌍극자 힘의 크기:** 쌍극자 사이에 작용하는 힘은 분자의 쌍극자 모멘트의 크기에 영향을 받는다. 분자의 극성이 클수록, 즉 쌍극자 모멘트가 클수록 그 쌍극자 사이에 작용하는 힘은 더 커진다. 표는 분자량이 비슷하지만 쌍극자 모멘트가 다른 물질들의 끓는점을 나타낸 것으로, 쌍극자 모멘트와 끓는점 사이에 상관 관계가 있음을 알 수 있다. 쌍극자 모멘트가 클수록 물질이 끓을 때 극복해야 하는 분자 사이의 힘이 커지므로 끓는점이 높아진다.

물질	분자량	쌍극자 모멘트(D)	끓는점(K)
$CH_3CH_2CH_3$	44	0.1	231
CH_3OCH_3	46	1.3	248
CH_3Cl	50.5	1.9	249
CH_3CN	41	3.9	355

▲ **쌍극자 모멘트와 끓는점의 관계** 분자량이 비슷한 물질의 경우 쌍극자 모멘트가 클수록 끓는점이 높다.

쌍극자 사이의 힘

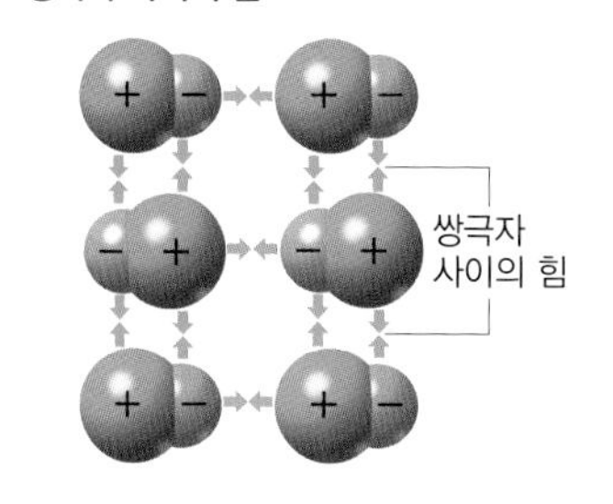

(5) **쌍극자·유발 쌍극자 힘:** 어떤 분자가 극성 분자에 접근하면 그 분자의 전자들은 극성 분자의 (+)전하를 띠는 부분 쪽으로 치우치는 편극 현상이 나타난다. 이때 편극된 분자를 유발 쌍극자라 하고, 극성 분자에 의해 생긴 유발 쌍극자와 쌍극자 사이에 작용하는 힘을 쌍극자·유발 쌍극자 힘이라고 한다.

편극
분자 내 전자 분포가 한쪽으로 치우치는 현상이다. 편극이 일어나면 분자 내 부분적인 양전하(δ^+)와 부분적인 음전하(δ^-)가 생긴다.

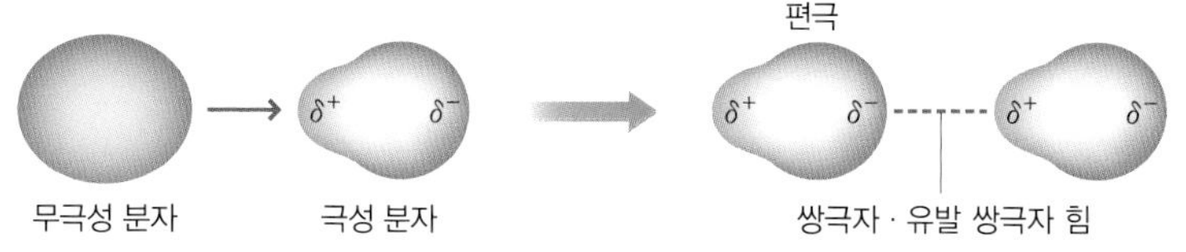

▲ **극성 분자에 의해 유도된 유발 쌍극자**

2. 분산력

심화 021쪽

이산화 탄소 기체를 냉각하여 분자 사이의 거리가 매우 가까워지면 분자 간 힘이 작용하여 드라이아이스가 된다. 이처럼 분자 내 쌍극자·쌍극자 힘이 존재하지 않는 무극성 분자 사이에도 분자 간 힘이 존재하는데, 무극성 분자 사이에는 분산력이 작용한다.

(1) **분산력:** 전자들은 끊임없이 운동하고 있기 때문에 무극성 분자들도 어느 순간에는 전자들이 한쪽으로 치우쳐 짧은 시간 동안 쌍극자 모멘트를 가지게 되는데, 이것을 순간 쌍극자라고 한다. 반면에 HCl와 같은 극성 분자들은 영구 쌍극자를 가지고 있다.

한 분자 내 순간 쌍극자가 형성되었을 때 다른 분자들이 접근하게 되면 그림과 같이 정전기 유도 현상에 의해 일시적인 쌍극자가 형성되는 편극이 일어나 유발 쌍극자가 생성된다. 분산력은 순간 쌍극자와 유발 쌍극자 사이에 작용하는 힘을 의미한다.

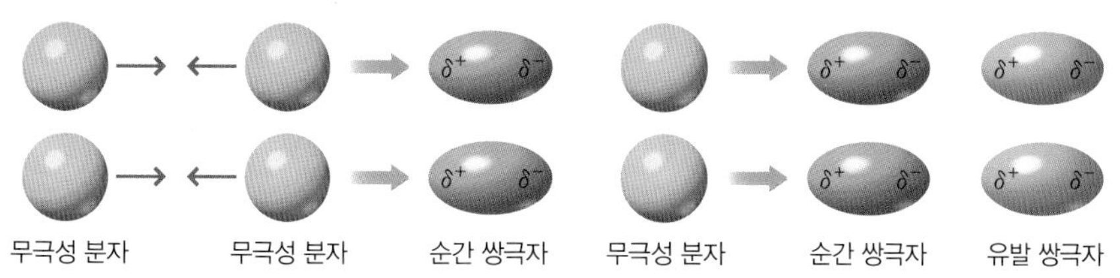

▲ **유발 쌍극자가 형성되는 과정**

(2) **분산력의 크기:** 분산력의 크기는 한 분자의 전자 구름이 다른 분자에 의해 끌려오는 정도에 의해 결정된다. 따라서 분산력은 전자 수가 많을수록, 분자의 크기가 클수록 커진다. 분자의 크기가 크고, 전자 수가 많을수록 분자량이 커지므로 분자량이 커질수록 분산력이 커지는 경향을 보인다. 예를 들면 할로젠 원소 중에서 분자량이 작은 F_2은 분산력이 작아 실온에서 기체 상태로 존재하지만, 분자량이 큰 I_2은 분산력이 커 실온에서 고체 상태로 존재한다.

할로젠 원소	분자량	녹는점(°C)	끓는점(°C)	실온에서의 상태
F_2	38	−219.6	−188.0	기체
Cl_2	71	−101.5	−34.1	기체
Br_2	160	−7.9	58.8	액체
I_2	254	113.6	184.4	고체

시선 집중 ★ 비활성 기체와 할로젠 원소의 분산력

그림은 무극성 물질의 분자량에 따른 끓는점과 녹는점의 변화를 나타낸 것이다.

❶ 비활성 기체(He, Ne, Ar, Kr, Xe, Rn)는 무극성 분자이다.
➡ 주기가 클수록 분자량이 크다.
➡ 분자량이 클수록 녹는점과 끓는점이 높다.
➡ 분자량이 큰 비활성 기체일수록 분산력이 크다.

❷ 할로젠 원소(F_2, Cl_2, Br_2, I_2)는 무극성 분자이다.
➡ 주기가 클수록 분자량이 크다.
➡ 분자량이 클수록 녹는점과 끓는점이 높다.
➡ 분자량이 큰 할로젠 원소일수록 분산력이 크다.

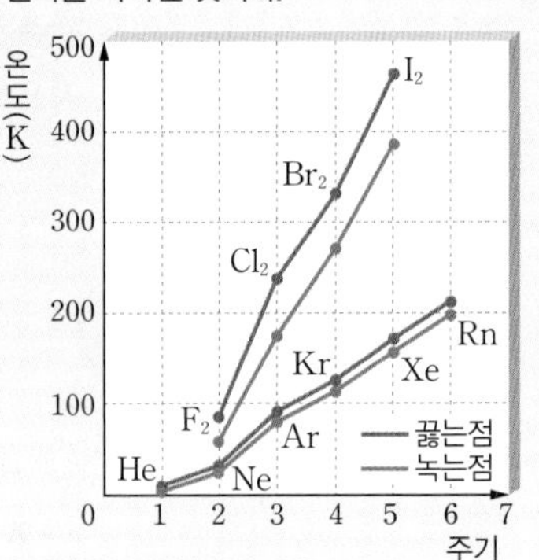

▲ 비활성 기체와 할로젠 원소의 분자량에 따른 끓는점과 녹는점

탄화수소의 분자량과 녹는점, 끓는점

알케인	분자량	녹는점(°C)	끓는점(°C)	실온에서 상태
CH_4	16	−182	−164	기체
C_2H_6	30	−172	−89	기체
C_3H_8	44	−188	−42	기체
C_4H_{10}	58	−138	−0.6	기체
C_5H_{12}	72	−130	36	액체
C_6H_{14}	86	−95	69	액체
C_7H_{16}	100	−91	98	액체
C_8H_{18}	114	−57	126	액체
C_9H_{20}	128	−51	151	액체
$C_{10}H_{22}$	142	−30	174	액체

탄화수소의 분자량이 커질수록 분산력이 커지므로 녹는점과 끓는점이 대체로 높아진다.

분자량이 비슷한 경우에는 표면적이 클수록 분산력이 크고 끓는점이 높아진다.

분자	모양	분자량	표면적	끓는점(°C)
SF_6	대칭적이고 촘촘히 모임	146	작음	−64(승화)
$C_{10}H_{22}$	긴 원통형	142	큼	174

표면적에 따른 분산력과 끓는점

• SF_6

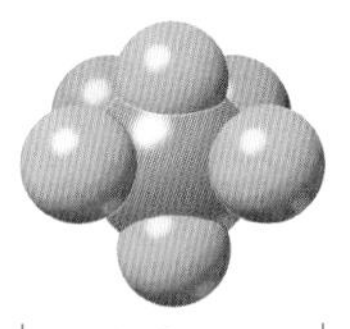

0.56 nm

• $C_{10}H_{22}$

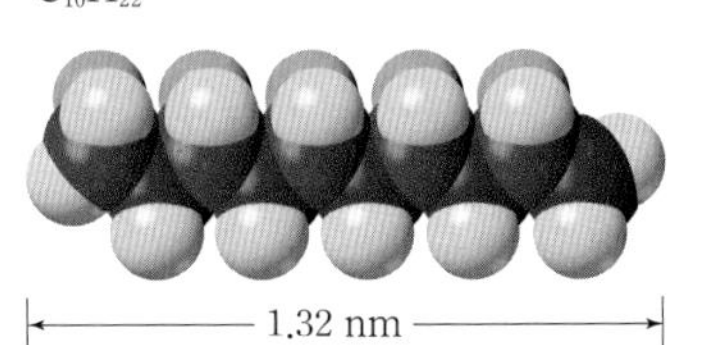

1.32 nm

분자량이 비슷한 SF_6과 $C_{10}H_{22}$에서 구형에 가까운(표면적이 작은) SF_6은 다른 분자들과의 접촉 면적이 작아 선형인 $C_{10}H_{22}$보다 분산력이 작으므로 끓는점이 낮다.

(3) **극성 물질과 무극성 물질의 끓는점:** 분산력은 전자의 편극 현상에 의해 나타나는 힘으로, 모든 분자에서 존재하는 힘이다. 극성 분자는 분산력과 쌍극자·쌍극자 힘이 존재하고, 무극성 분자는 분산력만 존재한다. 따라서 분자량이 비슷한 분자의 경우 분산력의 크기가 비슷하므로 극성 물질의 끓는점이 무극성 물질의 끓는점보다 높다.

화학식	분자량	끓는점(°C)
CO	28	−191.5
PH_3	34	−85.0
ICl	162	97.0

▲ 극성 물질의 끓는점

화학식	분자량	끓는점(°C)
N_2	28	−196.0
SiH_4	32	−112.0
Br_2	160	58.8

▲ 무극성 물질의 끓는점

3. 수소 결합

(1) **수소 결합:** 전기 음성도가 큰 원소인 F, O, N 원자에 직접 결합된 H 원자와 이웃한 분자의 F, O, N 원자 사이에는 강한 정전기적 인력이 작용하는데, 이 힘을 수소 결합이라고 한다.

H_2O, NH_3, HF 분자에서 H 원자는 부분적인 양전하(δ^+)를 띠고, 전기 음성도가 큰 다른 원자들은 부분적인 음전하(δ^-)를 띠며, 두 원자의 전기 음성도 차가 커서 결합의 극성이 매우 크다. 또, H 원자는 원자핵을 가려줄 수 있는 핵심부 전자들이 없고, 그 크기도 작기 때문에 비공유 전자쌍에 가까이 접근할 수 있다. 따라서 F, O, N 원자와 부분적인 양전하를 띠는 H 원자 사이에 특별히 강한 분자 사이의 힘이 작용하게 된다.

(2) **수소 결합의 세기:** 수소 결합의 세기는 15~40 kJ/mol 정도의 값을 가지는데, 이는 공유 결합력의 $\frac{1}{20}$~$\frac{1}{10}$ 정도에 해당하지만 분산력이나 쌍극자·쌍극자 힘보다는 훨씬 강한 힘이다. 표는 분자 간 힘의 크기를 비교한 것이다.

힘	세기(kJ/mol)	특징
쌍극자·쌍극자 힘	1~3 정도	극성 분자들 사이에 작용한다.
분산력	0.5~10 정도	모든 분자들 사이에 작용한다.
수소 결합	15~40 정도	O−H, N−H, F−H 등의 결합을 가진 분자들 사이에 작용한다.

수소 결합의 세기를 결정하는 요인에는 여러 가지가 있는데, 가장 중요한 요인은 수소에 결합된 원자의 전기 음성도 크기이다. 전기 음성도가 클수록 수소의 원자핵이 노출되어 강한 수소 결합을 형성할 수 있다. 표는 몇 가지 분자 내 수소 결합을 나타낸 것이다.

분자	HF	H_2O	NH_3
수소 결합의 종류	F−H···F	O−H···O	N−H···N
수소 결합의 세기(kJ/mol)	29	24	16
끓는점(°C)	19	100	−33

일반적으로 수소 결합이 강할수록 끓는점이 높아지므로 HF의 끓는점은 NH_3보다 높다. 그런데 물의 경우는 각 H_2O 분자가 2개의 H 원자와 2개의 비공유 전자쌍을 가지고 있어 3차원 구조의 수소 결합을 형성할 수 있으므로 끓는점이 특별히 더 높다. 반면에 HF는 1개의 H 원자만 존재하고, NH_3의 경우는 1개의 비공유 전자쌍만 존재하므로 H_2O과 같은 결합 구조를 형성하지 못하기 때문에 물보다 끓는점이 낮다.

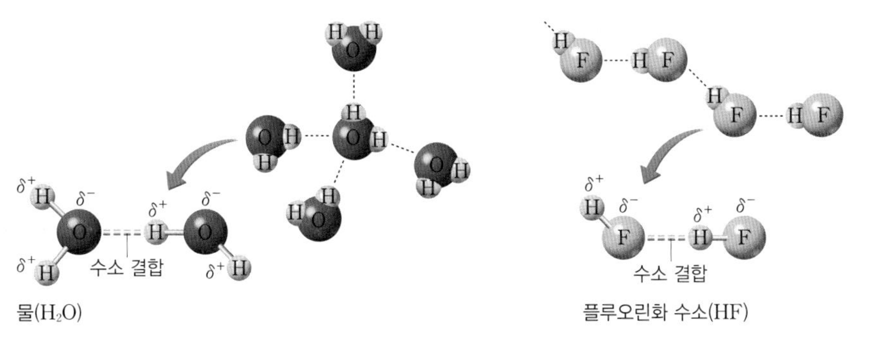

▲ **수소 결합의 형성** 물 분자 1개는 최대 4개의 수소 결합이 가능하다. 수소 결합은 두 분자 사이에서 형성되므로 물 분자 1개는 평균적으로 2개의 수소 결합을 하고, 플루오린화 수소 분자 1개는 평균적으로 1개의 수소 결합을 한다.

수소 결합
분자 사이의 힘은 공유 결합과 같은 화학 결합보다 훨씬 약하다. 그런데 어떤 분자들 사이에는 특별히 강한 분자 사이의 힘이 작용하여 결합이라는 이름으로 불린다. 수소 결합이 바로 이 특별한 분자 사이의 힘이다.

H_2O과 H_2S의 비교

물질	분자량	녹는점(°C)	끓는점(°C)
H_2O	18	0	100
H_2S	34	−85.5	−60.3

물(H_2O)은 황화 수소(H_2S)보다 분자량이 작지만 녹는점과 끓는점은 훨씬 더 높다. 이것은 물 분자가 분자 사이에 수소 결합을 형성하기 때문이다.

수소 결합의 표시
수소 결합은 분자 사이의 힘으로서는 매우 강하지만 보통 공유 결합보다는 매우 약하므로 '실선'이 아닌 '점선'을 사용하여 나타낸다.

수소 결합을 형성하는 분자
물(H_2O), 암모니아(NH_3), 플루오린화 수소(HF), 아세트산(CH_3COOH), 메탄올(CH_3OH), 녹말, 단백질 등은 분자 내에 수소 결합을 형성한다.

(3) **이합체의 형성:** 수소 결합을 하는 물질 중 아세트산(CH_3COOH)이나 플루오린화 수소(HF)와 같이 두 분자가 수소 결합을 이루어 한 분자처럼 행동하는 것을 이합체라고 한다. 아세트산을 벤젠에 녹이면 수소 결합에 의해 그림과 같은 이합체가 생성된다.

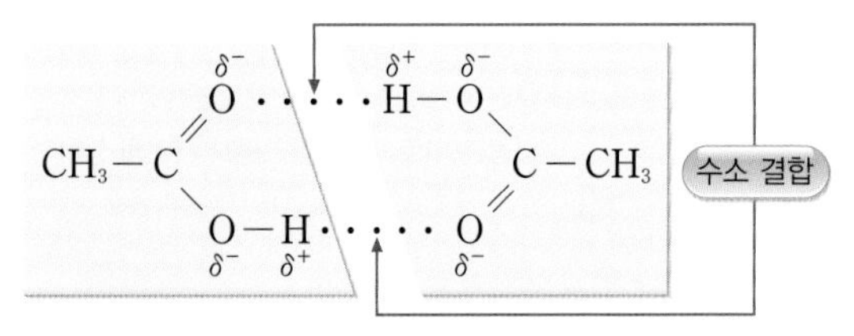

▲ 아세트산의 이합체

아세트산의 이합체는 강한 결합을 이루어 쉽게 끊어지지 않으므로 벤젠 용액에 아세트산을 녹여 분자량을 측정해 보면 아세트산의 분자량이 60의 2배인 120으로 얻어진다.

(4) **수소 결합과 DNA:** 생명체 내에서 중요한 역할을 하는 DNA의 이중 나선 구조는 수소 결합에 의해 만들어진다. DNA가 이중 나선 구조를 이룰 때 인산－당－염기의 결합뿐만 아니라 염기 사이의 수소 결합도 매우 중요한데, 항상 아데닌은 타이민과 2개의 수소 결합을 하고 구아닌은 사이토신과 3개의 수소 결합을 형성한다.

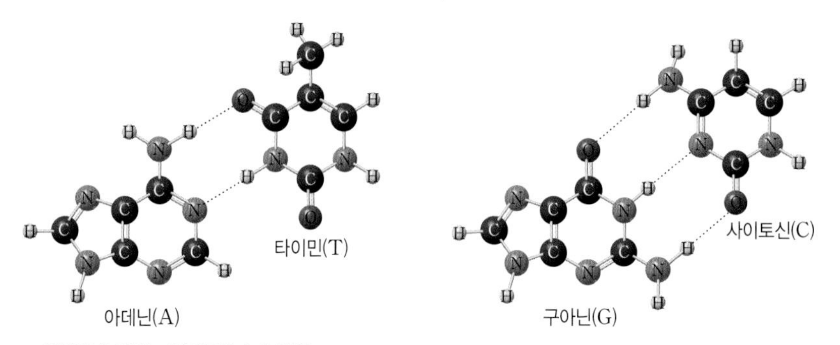

▲ DNA를 이루는 염기들의 수소 결합

(5) **수소 결합과 단백질:** 생명체의 중요한 구성 성분일 뿐 아니라 생명 활동에 필수적인 반응에서 중요한 역할을 하는 단백질도 수소 결합에 의해 나선 구조를 이룬다.

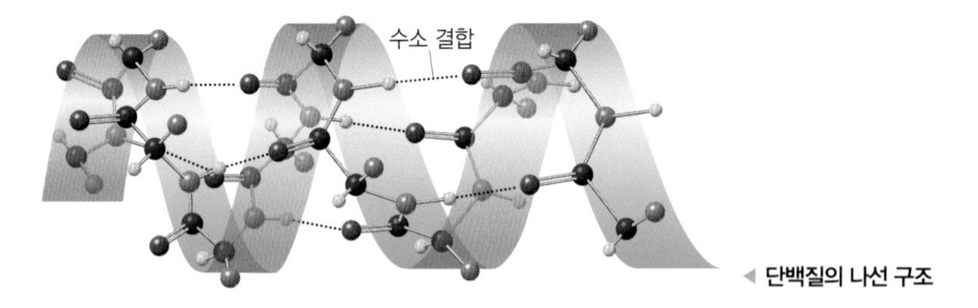

◀ 단백질의 나선 구조

DNA의 이중 나선 구조와 수소 결합

아데닌(A)－타이민(T) 염기쌍과 구아닌(G)－사이토신(C) 염기쌍이 형성되면 전체적인 결합 길이가 동일하기 때문에 이중 나선이 일정한 간격을 유지하면서 뒤틀리지 않는 구조를 유지할 수 있다. 생명체의 모든 유전 정보는 DNA에 들어 있는 4종류의 염기 배열 순서에 저장되어 있으며, 종에 따라 염기의 배열 순서가 다르다.

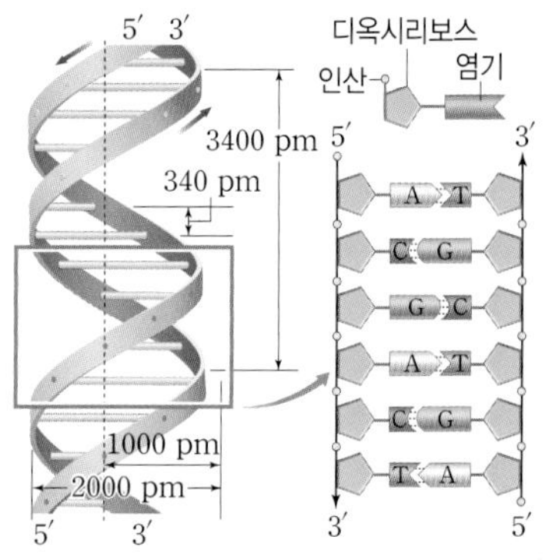

▲ DNA의 이중 나선 구조 모형도

4. 분자 간 상호 작용의 종류에 따른 물질의 끓는점

집중 분석 020쪽

(1) 무극성 물질과 극성 물질의 끓는점

① 분자량이 비슷한 경우: 분자 간 상호 작용의 크기를 비교하면 수소 결합＞쌍극자·쌍극자 힘＞분산력이므로 분산력만 존재하는 무극성 물질보다 쌍극자·쌍극자 힘이 존재하는 극성 물질의 끓는점이 더 높으며, 특히 수소 결합 물질의 끓는점이 가장 높다.

② 쌍극자 모멘트가 비슷한 경우: 분자량이 큰 물질일수록 분산력이 커서 끓는점이 높다.

(2) **14~17족 원소의 수소 화합물의 녹는점과 끓는점**

① 14족 원소의 수소 화합물: 무극성 물질이므로 주기가 커질수록 분산력이 커져 끓는점이 높아진다.

② 15~17족 원소의 수소 화합물: 분자량이 작은 NH_3, H_2O, HF의 끓는점이 가장 높은데, 이는 이들 분자가 수소 결합을 형성하기 때문이다. 또, 같은 족 원소의 경우 주기가 커질수록 전기 음성도가 작아지므로 NH_3, H_2O, HF를 제외한 15~17족 원소의 수소 화합물은 주기가 커질수록 쌍극자·쌍극자 힘이 작아진다. 그런데 주기가 커질수록 끓는점이 높아지는 것은 분산력이 커지기 때문이다.

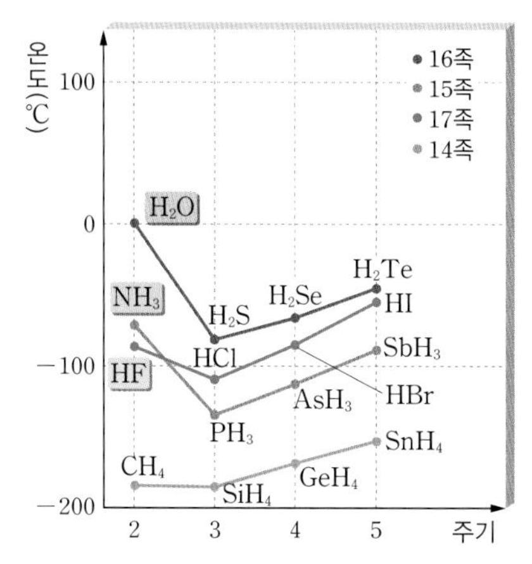

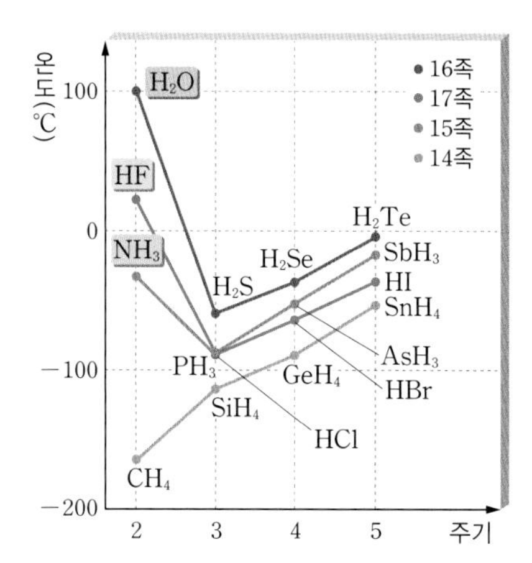

▲ 14~17족 원소의 수소 화합물의 녹는점(왼쪽)과 끓는점(오른쪽)

시선 집중 ★ 분자 간 상호 작용과 끓는점의 관계

표는 몇 가지 물질의 분자 간 힘과 관련된 자료와 끓는점을 나타낸 것이다.

물질	구조식	쌍극자 모멘트(D)	분자량	끓는점(℃)
질소	N≡N	0	28	−196
산소	O=O	0	32	−183
뷰테인	$CH_3-CH_2-CH_2-CH_3$	0	58	−0.6
암모니아	H | H−N−H	1.47	17	−33
포스핀	H | H−P−H	0.57	34	−88
아세톤	O ‖ CH_3-C-CH_3	2.88	58	56

❶ **무극성 물질의 분자량과 끓는점:** 분자량이 클수록 물질의 끓는점이 높아진다.
➡ 질소, 산소, 뷰테인에서 분자량이 클수록 분산력이 크므로 끓는점이 높다.

❷ **분자량이 비슷한 무극성 물질과 극성 물질의 끓는점:** 극성 물질의 끓는점이 더 높다.
➡ 포스핀과 산소, 아세톤과 뷰테인을 각각 비교하면 분자량이 비슷한 경우 극성 물질은 분산력과 함께 쌍극자·쌍극자 힘이 작용하므로 극성 물질의 끓는점이 무극성 물질보다 더 높다.

❸ **암모니아와 포스핀의 끓는점:** 암모니아가 포스핀보다 분자량이 작아 분산력은 작지만 수소 결합을 하므로 끓는점이 더 높다.

실전에 대비하는

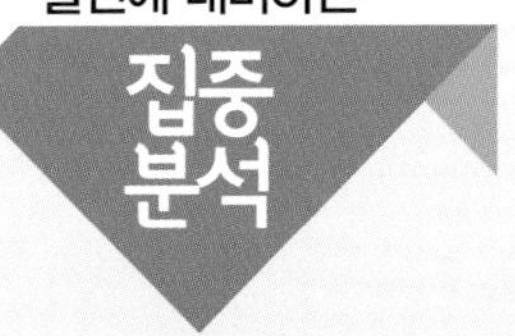

분자 간 상호 작용

분자 간 상호 작용에 의해 분자 사이의 힘이 달라지고 끓는점이 달라진다. 따라서 분자 사이의 힘에 영향을 주는 요소를 파악하면 분자의 성질을 알 수 있다. 분자 사이의 힘에 영향을 주는 분자 간 상호 작용에 대해 정리해 보자.

❶ 분산력에 영향을 주는 분자량

- 전자가 많을수록, 분자의 크기가 클수록 편극이 잘 일어나므로 분산력이 크다.
- 분자량이 클수록 전자가 많고 분자의 크기가 크므로 분산력이 크다. ➡ 무극성 물질의 분자량이 클수록 분산력이 커서 끓는점이 높다.

❷ 분산력에 영향을 주는 표면적

- 분자량이 비슷한 경우 표면적이 클수록 힘이 작용하는 부분이 넓으므로 분산력이 크다. ➡ 구형일수록 표면적이 작으므로 분자의 구조가 선형일수록 표면적이 커서 분산력이 크다.
- 분자식은 같고 구조가 다른 물질의 경우 표면적이 클수록 분산력이 커서 끓는점이 높다.

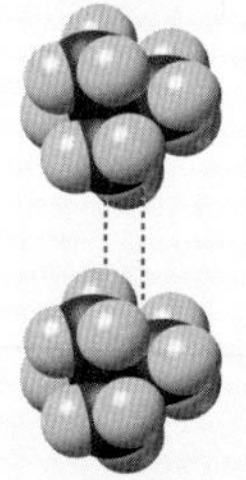
네오펜테인

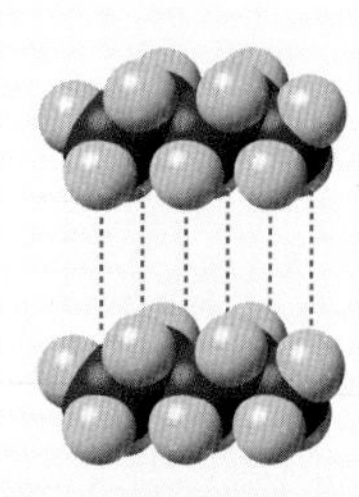
노말펜테인

네오펜테인(C_5H_{12})
- 분자량: 72
- 끓는점: 10 ℃

노말펜테인(C_5H_{12})
- 분자량: 72
- 끓는점: 36 ℃

❸ 쌍극자·쌍극자 힘이 작용하는 분자

- 극성 분자는 쌍극자·쌍극자 힘이 작용하므로 분자량이 비슷한 무극성 분자에 비해 분자 사이의 힘이 크고 끓는점이 높다.
- 14~17족 원소의 수소 화합물에서 무극성 분자인 14족의 SiH_4, GeH_4, SnH_4은 극성 분자인 같은 주기의 15~17족 원소의 수소 화합물에 비해 분자 사이의 힘이 가장 작아 끓는점이 가장 낮다.

❹ 수소 결합을 하는 분자

- 수소 결합은 전기 음성도가 큰 F, O, N 원자에 결합한 H 원자와 이웃한 F, O, N 원자 사이에서 형성된다. 다음과 같은 경우에만 수소 결합이 가능하다.

F−H···F	F−H···O	F−H···N
O−H···F	O−H···O	O−H···N
N−H···F	N−H···O	N−H···N

- C, S, P 등과 결합한 H와 F, O, N 사이에서는 수소 결합이 형성되지 않는다.

(수소 결합 아님: H−C(=O)−H 의 O ··· H−C(=O)−H)

- 분자량이 비슷한 경우 수소 결합을 하는 물질의 분자 사이의 힘이 더 크다.

> 정답과 해설 128쪽

유제

그림은 14족, 15족 원소의 수소 화합물의 주기에 따른 끓는점을 나타낸 것이다.

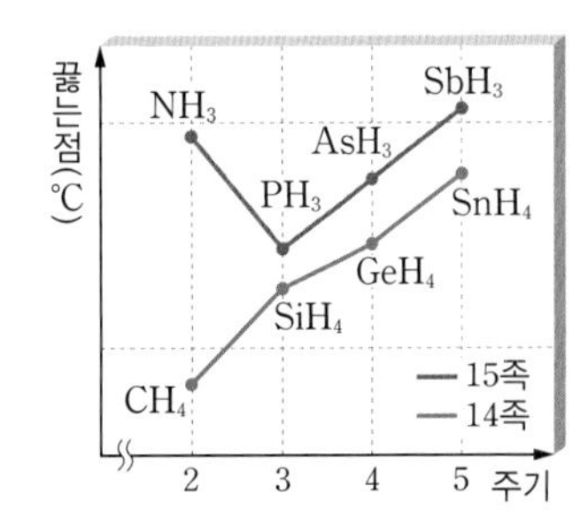

이에 대한 설명으로 옳은 것만을 보기에서 있는 대로 고른 것은?

보기
ㄱ. NH_3는 수소 결합을 한다.
ㄴ. 쌍극자·쌍극자 힘은 SnH_4이 PH_3보다 크다.
ㄷ. 분산력은 SbH_3가 GeH_4보다 크다.

① ㄱ ② ㄴ ③ ㄱ, ㄴ
④ ㄱ, ㄷ ⑤ ㄴ, ㄷ

극성 물질과 무극성 물질의 끓는점 비교

일반적으로 극성 분자 사이에는 쌍극자·쌍극자 힘과 분산력이 작용하고, 무극성 분자 사이에는 분산력만 작용하므로 극성 물질의 끓는점이 무극성 물질의 끓는점보다 항상 높다고 생각하기 쉬우나 이는 모든 경우에 적용되는 것은 아니다. 심화된 자료를 통해 이와 관련된 내용을 살펴보자.

❶ 극성 물질과 무극성 물질에 작용하는 힘과 끓는점

극성 물질인 HCl는 실온에서 기체 상태로 존재하지만 무극성 물질인 Br_2은 액체 상태로 존재한다. 이것은 HCl 분자 사이의 힘보다 Br_2 분자 사이의 힘이 더 크기 때문에 나타나는 현상이다.

분자	분자 간 상호 작용	끓는점(℃)	실온에서의 상태
HCl	쌍극자·쌍극자 힘, 분산력	−84.9	기체
Br_2	분산력	58.8	액체

HCl에 작용하는 분자 간 상호 작용은 쌍극자·쌍극자 힘과 분산력이고 Br_2에 작용하는 분자 간 상호 작용은 분산력이다. 끓는점으로 보아 HCl와 Br_2의 경우에는 Br_2의 분산력이 HCl의 쌍극자·쌍극자 힘과 분산력의 합보다 크다. 일반적으로 분산력의 크기는 0.5~10 kJ/mol 정도이고, 쌍극자·쌍극자 힘의 크기는 1~3 kJ/mol 정도이므로 분자량이 큰 분자에서는 분산력이 쌍극자·쌍극자 힘을 상쇄할 정도로 커서 물질의 끓는점에 더 큰 영향을 주기도 한다. 따라서 극성 분자와 무극성 분자의 끓는점을 단순히 비교하기 위해서는 반드시 분자량이 비슷하다는 전제가 필요하다. 예를 들어 분자량이 28인 CO와 N_2의 경우 극성 분자인 CO의 끓는점(−191.5 ℃)은 무극성 분자인 N_2의 끓는점(−196.0 ℃)보다 높다.

극성 분자와 무극성 분자
극성 분자는 부분적인 양전하(δ^+)와 부분적인 음전하(δ^-)를 띠고 있는 쌍극자이므로 극성 분자에 작용하는 분자 간 상호 작용은 쌍극자·쌍극자 힘과 분산력이다. 무극성 분자는 편극에 의해 분자 사이의 힘이 작용하므로 무극성 분자에 작용하는 분자 간 상호 작용은 분산력이다.

❷ 분자 내에서 쌍극자·쌍극자 힘과 분산력의 기여 정도와 끓는점

표는 몇 가지 분자들의 분산력과 쌍극자·쌍극자 힘의 관계를 나타낸 것이다. 표에 있는 분자들에 존재하는 힘은 분산력과 쌍극자·쌍극자 힘이며, 분산력(%)과 쌍극자·쌍극자 힘(%)은 각 분자에 작용하는 분자 사이의 힘에 대한 기여 정도를 나타낸 것이다. 예를 들어 HCl의 경우 HCl에 작용하는 분자 사이의 힘 중 81.4 %가 분산력이고, 18.6 %가 쌍극자·쌍극자 힘이다.

분자	분자량	쌍극자 모멘트 ($\times 10^{-30}$ C·m)	분산력 (%)	쌍극자·쌍극자 힘(%)	기화열 (kJ/mol)	끓는점 (℃)
F_2	38.0	0	100	0	6.9	−188.0
HCl	36.5	3.60	81.4	18.6	16.2	−84.9
HBr	80.9	2.67	94.5	5.5	17.6	−67.0
HI	127.9	1.40	99.5	0.5	19.8	−35.4

표에서와 같이 F_2보다 HCl의 끓는점이 더 높은 것은 HCl가 극성 분자이기 때문이다. 그러나 HCl보다 HBr의 끓는점이 더 높은 것은 HCl의 분산력보다 HBr의 분산력이 더 크기 때문이다. 쌍극자·쌍극자 힘의 기여는 HCl의 경우가 HBr보다 더 크지만 분산력은 HCl보다 HBr이 훨씬 크기 때문에 끓는점이 더 높아진다.

정답과 해설 128쪽

01 분자 간 상호 작용

1 분자 간 상호 작용과 물질의 상태

1. 물질의 상태

기체	액체	고체
분자들이 무질서한 방향으로 매우 불규칙적이고 빠르게 운동하고 있으므로 분자와 분자 사이의 거리가 멀어 분자 간 상호 작용이 거의 없다.	분자 간 상호 작용에 의해 분자들이 (❶) 상태보다 자유롭게 움직이지 못하고, 액체 내부에서만 비교적 자유롭게 움직인다.	분자들이 매우 규칙적으로 배열되어 있으므로 분자 사이의 거리가 매우 가깝고 분자 간 상호 작용도 매우 강하여 고정된 위치에서 (❷) 운동만 한다.

2. 분자 간 상호 작용과 끓는점 액체 내부에서 기포가 형성되어 액체 사이를 통과해 올라오는 현상을 끓음이라 하며, 이때의 온도를 (❸)이라고 한다. ➡ 분자 간 상호 작용이 강할수록, 외부 압력이 높을수록 끓는점이 높아진다.

2 분자 간 상호 작용의 종류

1. 쌍극자·쌍극자 힘

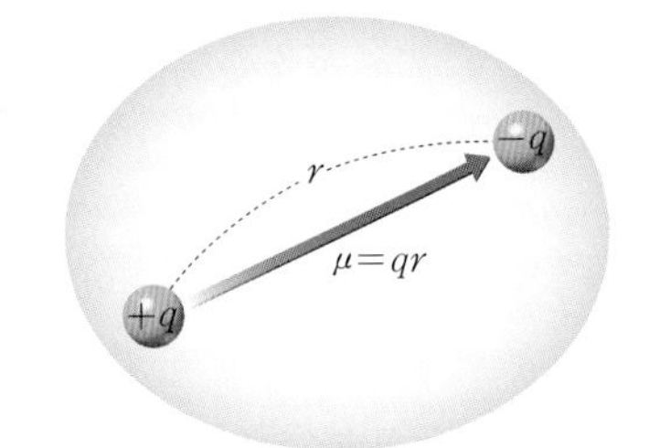

- 쌍극자 모멘트: 분자를 이루고 있는 원자의 전하가 각각 $+q$, $-q$이고 두 전하 사이의 거리가 r일 때 쌍극자 모멘트 $\mu=$(❹)이다. ➡ 쌍극자 모멘트 값이 클수록 결합의 극성이나 이온성이 커지며, 무극성 분자의 쌍극자 모멘트 값은 0이다.
- 극성 분자: 쌍극자 모멘트의 벡터 합이 0이 아닌 비대칭 분자이다.
- 쌍극자·쌍극자 힘: 쌍극자 사이에 작용하는 힘으로, 분자량이 비슷할 때 쌍극자 모멘트가 클수록 분자 사이의 힘이 커지고 끓는점이 높아진다.

2. 분산력 순간 쌍극자와 (❺) 쌍극자 사이에 작용하는 힘을 의미한다.

- 분산력: 분자 내 전자 분포가 한쪽으로 치우치는 현상을 (❻)이라 하며, 이때 생성된 순간 쌍극자에 유발 쌍극자가 형성되어 두 쌍극자 사이에 분자 사이의 힘이 작용하는데 이 힘이 분산력이다.
- 분산력의 크기: 분산력은 전자 수가 많을수록, 분자의 크기가 클수록 증가한다. 일반적으로 분자량이 커질수록 분산력이 (❼)지는 경향을 보인다.

3. 수소 결합 (❽)가 큰 원소인 F, O, N에 직접 결합된 H와 다른 분자의 F, O, N 사이에 작용하는 분자 간 상호 작용이다.

- 수소 결합의 세기: 수소 결합의 세기는 공유 결합력보다는 약하지만 분산력이나 쌍극자·쌍극자 힘보다는 훨씬 강하다.
- 수소 화합물의 끓는점: H_2O, HF, NH_3는 같은 족의 다른 수소 화합물에 비해 분자량이 작기 때문에 (❾)은 가장 작지만 (❿)을 형성하기 때문에 끓는점은 가장 높다.

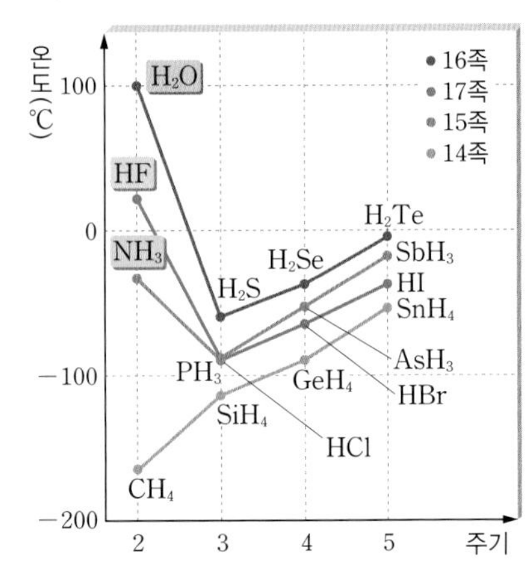

▲ 14~17족 원소의 수소 화합물의 끓는점

01 다음에서 설명하는 물질의 상태를 쓰시오.

> • 분자 간 상호 작용이 매우 강하다.
> • 분자들이 매우 규칙적으로 배열되어 있다.
> • 분자들이 고정된 위치에서 진동 운동만 한다.

02 쌍극자 모멘트에 대한 설명으로 옳은 것만을 보기에서 있는 대로 고르시오.

보기
ㄱ. 방향을 가지는 벡터량이다.
ㄴ. 크기가 작을수록 결합의 극성이 크다.
ㄷ. 극성 분자의 쌍극자 모멘트는 0보다 크다.

03 그림은 HCl와 Cl_2 분자를 모형으로 나타낸 것이다. 원자량은 Cl가 H보다 크다.

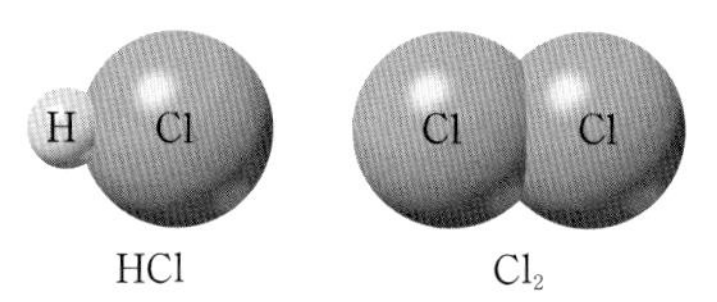

HCl Cl_2

HCl가 Cl_2보다 큰 것만을 보기에서 있는 대로 고르시오.

보기
ㄱ. 분산력
ㄴ. 분자의 극성
ㄷ. 쌍극자·쌍극자 힘

04 그림은 X_2Y 분자를 모형으로 나타낸 것이다.
원자의 전기 음성도가 Y > X일 때,
분자의 쌍극자 모멘트의 벡터 합을 화살표로 그리시오. (단, X와 Y는 임의의 원소 기호이다.)

05 표는 25 °C에서 X_2, Y_2, Z_2의 상태를 나타낸 것이다. (단, X~Z는 임의의 할로젠 원소를 나타내는 기호이다.)

분자	25 °C에서의 상태
X_2	기체
Y_2	액체
Z_2	고체

(1) X_2~Z_2의 끓는점을 비교하시오.
(2) X~Z의 원자량의 크기를 비교하시오.

06 그림은 분자량이 비슷한 무극성 분자 (가)와 (나)의 모형을 나타낸 것이다. 분자량에 의한 분산력은 (가)와 (나)가 같다고 가정한다.

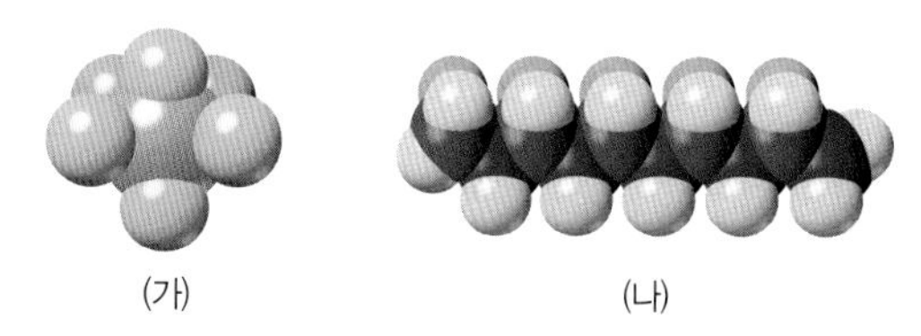
(가) (나)

이에 대한 설명으로 옳은 것만을 보기에서 있는 대로 고르시오.

보기
ㄱ. (나)는 쌍극자·쌍극자 힘이 작용한다.
ㄴ. 표면적은 (나)가 (가)보다 크다.
ㄷ. 분자 사이의 힘은 (가)가 (나)보다 크다.

07 수소 결합에 대한 설명으로 옳은 것만을 보기에서 있는 대로 고르시오.

보기
ㄱ. 공유 결합보다 강한 힘이다.
ㄴ. 단백질이 나선 구조를 가지게 한다.
ㄷ. DNA에서 상보적 염기 사이에 작용한다.

01

> 분자 간 상호 작용

표는 물질 A~C에 대한 자료이다.

물질	분자량	분자의 쌍극자 모멘트(D)	수소 결합의 유무
A	18	1.85	○
B	28	0	×
C	28	0.12	×

이에 대한 설명으로 옳은 것만을 보기에서 있는 대로 고른 것은?

보기

ㄱ. A에는 H 원자가 포함되어 있다.
ㄴ. B는 무극성 물질이다.
ㄷ. 같은 압력에서 끓는점은 B가 C보다 높다.

① ㄱ ② ㄷ ③ ㄱ, ㄴ ④ ㄴ, ㄷ ⑤ ㄱ, ㄴ, ㄷ

• 무극성 분자는 쌍극자 모멘트가 0이고, 극성 분자는 쌍극자 모멘트가 0보다 크다.

02

> 쌍극자·쌍극자 힘과 분산력

표는 분자량이 같은 탄소 화합물 (가)~(다)의 구조식과 끓는점을 나타낸 것이다. (가)와 (나)는 무극성 분자이고, (다)는 극성 분자이다.

탄소 화합물	(가)	(나)	(다)
구조식	$CH_3-CH_2-CH_2-CH_3$ (H H H H / H−C−C−C−C−H / H H H H)	H / H−C−H / H │ H / H−C−C−C−H / H H H	H O H / H−C−C(=O)−C−H / H H
기준 끓는점(°C)	㉠	−12	56

이에 대한 설명으로 옳은 것만을 보기에서 있는 대로 고른 것은?

보기

ㄱ. (가)~(다) 중 분산력이 작용하는 분자는 2가지이다.
ㄴ. 표면적은 (나)가 (가)보다 크다.
ㄷ. ㉠은 −12보다 크고 56보다 작다.

① ㄱ ② ㄴ ③ ㄷ ④ ㄱ, ㄷ ⑤ ㄴ, ㄷ

• 극성 분자와 무극성 분자 모두 분산력이 작용하고, 분자량이 비슷할 때 분자 구조가 구형일수록 표면적이 작아 분산력이 작다.

고난도

03

> 수소 화합물의 분자량과 기준 끓는점

그림은 2~4주기 14족 원소와 15족 원소의 수소 화합물의 기준 끓는점을 족에 따라 나타낸 것이다. (가)와 (나)는 각각 14족, 15족 중 하나이고, 수소 화합물은 해당 원소 1개와 H(수소)로 이루어진다.

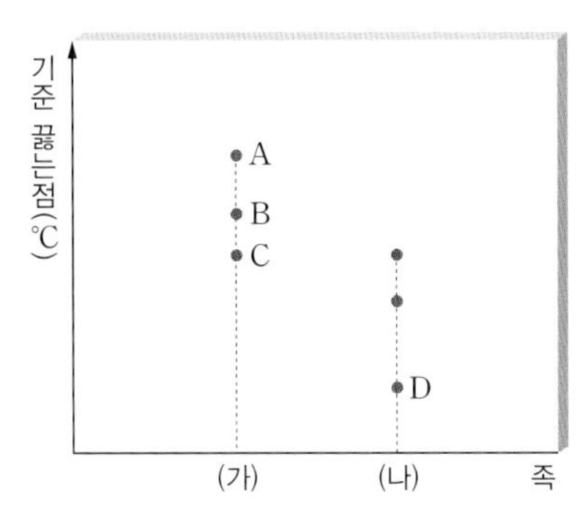

이에 대한 설명으로 옳은 것만을 보기에서 있는 대로 고른 것은?

보기

ㄱ. (가)는 14족이다.
ㄴ. 중심 원자의 주기는 A와 D가 같다.
ㄷ. 분자량은 C가 B보다 크다.

① ㄱ ② ㄴ ③ ㄱ, ㄷ ④ ㄴ, ㄷ ⑤ ㄱ, ㄴ, ㄷ

• 14족 원소 중 2주기 원소는 C, 3주기 원소는 Si, 4주기 원소는 Ge이다. 15족 원소 중 2주기 원소는 N, 3주기 원소는 P, 4주기 원소는 As이다. 14족 원소의 수소 화합물 CH_4, SiH_4, GeH_4는 무극성 분자이고, 15족 원소의 수소 화합물 NH_3, PH_3, AsH_3는 극성 분자이다.

04

> 분자량과 기준 끓는점

그림은 HX, HY, X_2, Y_2의 분자량과 기준 끓는점을 나타낸 것이다. X와 Y는 할로젠 원소이고, ㉠과 ㉡은 각각 X_2, HY 중 하나이다.

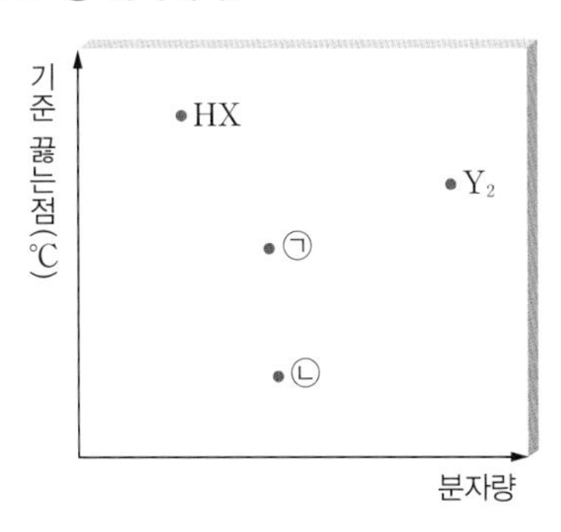

이에 대한 설명으로 옳은 것만을 보기에서 있는 대로 고른 것은? (단, X와 Y는 임의의 원소 기호이다.)

보기

ㄱ. ㉠은 HY이다.
ㄴ. HX는 수소 결합을 한다.
ㄷ. 원자량은 Y가 X보다 크다.

① ㄱ ② ㄷ ③ ㄱ, ㄴ ④ ㄴ, ㄷ ⑤ ㄱ, ㄴ, ㄷ

• 분자량이 비슷할 때 극성 물질은 무극성 물질보다 끓는점이 높다. 또, 수소 결합을 하는 물질은 끓는점이 매우 높다.

02 기체

학습 Point: 보일 법칙, 샤를 법칙, 아보가드로 법칙 > 이상 기체 방정식 > 기체 분자 운동론 > 돌턴의 부분 압력 법칙

1 기체의 성질

공기 중 질소 기체의 속도는 실온에서 약 480 m/s인데, A급 태풍의 속도가 약 40 m/s이므로 태풍의 12배 정도이다. 하지만 질소 분자가 한 방향으로 움직이는 것이 아니라 수많은 충돌을 하면서 사방으로 무질서하게 움직이므로 기체의 확산 속도는 훨씬 느려진다.

1. 기체의 압력

(1) **압력:** 단위 면적에 작용하는 힘의 크기로, 작용하는 힘의 크기와 힘을 받는 면의 넓이에 따라 달라진다. 그림 (가)와 (나)에서 가해진 힘이 클수록 압력이 커지는 것을 알 수 있다. 또, (나)와 (다)에서 같은 힘이 작용할 때 그 힘이 작용하는 면이 넓을수록 압력이 작아지는 것을 알 수 있다.

(가)

(나)

(다)

▲ **단위 면적에 작용하는 힘** 단위 면적에 작용하는 힘, 즉 압력의 크기는 (가)<(나)<(다)이다.

따라서 압력은 다음과 같이 나타낼 수 있다.

$$P(\text{압력}) = \frac{F(\text{힘})}{S(\text{힘이 작용한 면적})}$$

(2) **기체의 압력:** 기체 분자가 단위 면적에 가하는 힘을 말하며, 기체의 압력은 기체 분자들이 끊임없이 운동하면서 용기의 벽면에 충돌하여 힘을 가하기 때문에 나타난다. 기체의 압력은 용기의 모든 방향에 같은 크기로 작용하며, 단위 시간 동안 용기 벽면에 충돌하는 횟수가 많을수록, 강하게 충돌할수록 커진다.

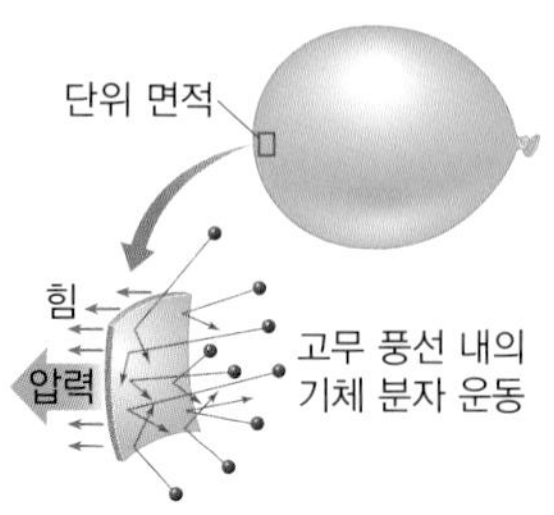

▲ **기체의 압력**

(3) **대기압:** 대기를 이루는 질소와 산소 등의 기체 분자가 끊임없이 운동하면서 다른 물체에 충돌하여 나타내는 압력을 대기압이라고 한다.

① 대기압의 측정: 대기압은 1643년 토리첼리에 의해 측정되었다. 그림 (가)와 같이 끝이 열려 있는 유리관을 수은이 담긴 용기에 세우면 유리관 내부와 외부의 수은 높이가 같지만, 그림 (나)와 같이 끝이 막혀 있는 유리관에 수은을 가득 넣은 다음 수은이 담긴 용기에 세우면 760 mm 높이에서 수은 기둥이 정지한다. 대기압과 수은 기둥의 압력이 같아질 때 수은 기둥이 정지하므로 대기압은 수은의 높이가 760 mm인 수은 기둥이 누르는 압력과 같다는 것을 알 수 있다. 이때의 압력을 1기압으로 한다.

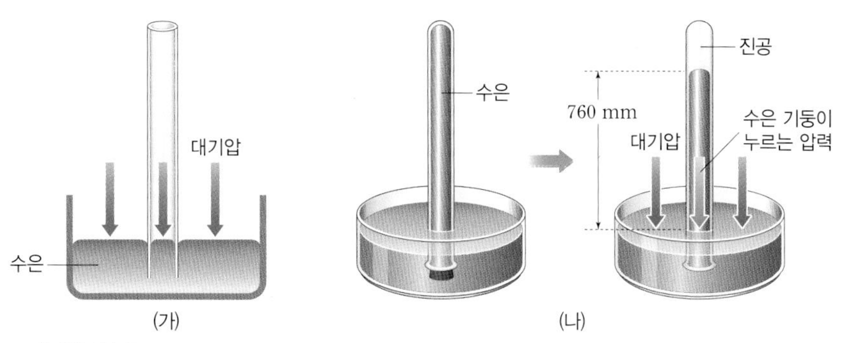

▲ 대기압의 측정

② 압력의 단위: 국제 단위계(SI)에서 압력은 파스칼(Pa)로 나타내는데, 1 Pa은 1 m^2의 면적에 1 N의 힘이 작용할 때의 압력을 의미한다(1 Pa=1 N/m^2).
화학의 측정 단위로 파스칼(Pa)은 사용하기 불편하므로 기체의 압력은 기압(atm)이라는 단위를 주로 사용하는데, 1기압은 0 ℃ 해수면상에서 760 mm 높이의 수은 기둥이 누르는 압력(760 mmHg)과 같다. 압력 단위의 상호 관계는 다음과 같다.

1 atm=0 ℃일 때 수은 기둥 760 mm가 누르는 압력
=760 mmHg=760 torr
=101325 Pa=1013.25 hPa

시선 집중 ★ 기체의 압력 측정

용기 속에 들어 있는 기체의 압력은 기체의 압력 측정계를 이용하여 측정한다. 그림과 같이 수은으로 채워진 U자관의 한쪽 끝에 기체가 들어 있는 용기를 연결하고, 다른 쪽 끝은 대기와 접촉시키면 기체와 대기의 압력 차는 양쪽 관의 수은의 높이 차와 같아진다. P_{h_1}과 P_{h_2}는 각각 수은 기둥 h_1에 해당하는 압력과 수은 기둥 h_2에 해당하는 압력이다.

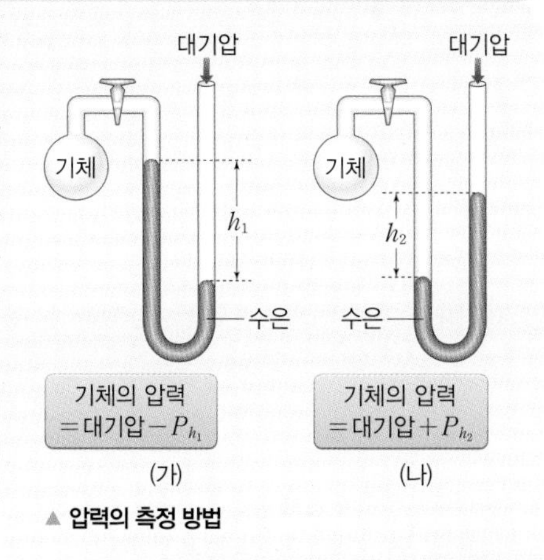

▲ 압력의 측정 방법

❶ 그림 (가)에서 수은 액면의 높이가 용기에 연결된 관 쪽이 더 높은 것으로부터 기체의 압력이 대기압보다 더 낮은 것을 알 수 있다. ➡ 기체의 압력=대기압−P_{h_1}

❷ 그림 (나)에서 수은 액면의 높이가 대기압 쪽의 열린 관 쪽이 더 높은 것으로부터 기체의 압력이 대기압보다 더 높은 것을 알 수 있다. ➡ 기체의 압력=대기압+P_{h_2}

압력을 측정할 때 수은 대신 물을 사용할 경우
물의 밀도는 수은의 $\frac{1}{13.6}$ 정도이므로 1기압에서 물은 76 cm×13.6=1033.6 cm 정도 올라간다. 즉, 1기압은 약 10 m의 물 기둥이 누르는 압력에 해당한다.

대기압의 평균값
대기압은 시간과 장소에 따라 변하지만, 평균값은 1기압이다.

hPa(헥토파스칼)
압력의 단위로, 1 Pa의 100배이다. 국제 단위계(SI)에서는 압력의 단위로 Pa이 사용되지만, Pa은 크기가 너무 작아 일상에서 이용하기에는 매우 불편하므로 기상학에서는 그 100배인 hPa을 쓰고 있다.

torr(토르)
토리첼리를 기념하기 위해 사용되는 압력의 단위이다. 0 ℃일 때 수은 기둥 1 mm가 누르는 압력으로, 1 torr=1 mmHg이다.

2. 보일 법칙

(1) **보일 법칙:** 1662년 영국의 화학자 보일은 J자관 실험 결과로부터 "일정한 온도에서 일정량의 기체의 부피는 압력에 반비례한다."는 보일 법칙을 발표하였다.

그림에서 기체의 압력이 2배가 되면 기체의 부피는 $\frac{1}{2}$로 줄어들고, 압력이 4배가 되면 부피는 $\frac{1}{4}$로 줄어든다는 것을 알 수 있다. 즉, 기체의 온도와 양이 일정할 때 기체의 압력과 부피를 곱한 값은 일정하고, 기체의 압력과 부피는 반비례 관계에 있다.

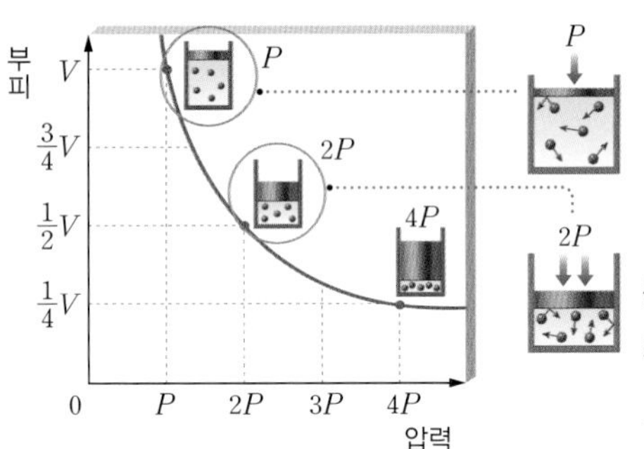

◀ **기체의 압력과 부피** 기체의 압력이 P일 때 부피는 V이므로 압력×부피는 PV이다. 압력이 $2P$가 되면 부피는 $\frac{1}{2}V$가 되고, 압력이 $4P$가 되면 부피는 $\frac{1}{4}V$가 되므로 압력×부피는 PV로 일정하다.

이를 식으로 정리하면 다음과 같이 나타낼 수 있다.

$$압력(P)\times 부피(V)=일정(k)\ (k는\ 상수),\ P_1V_1=P_2V_2,\ V\propto\frac{1}{P}$$

(2) **보일 법칙과 그래프:** 온도(T)가 일정할 때 일정량의 기체의 부피(V)와 압력(P)은 반비례 관계이다. 즉, 부피와 압력의 곱은 항상 일정하다.

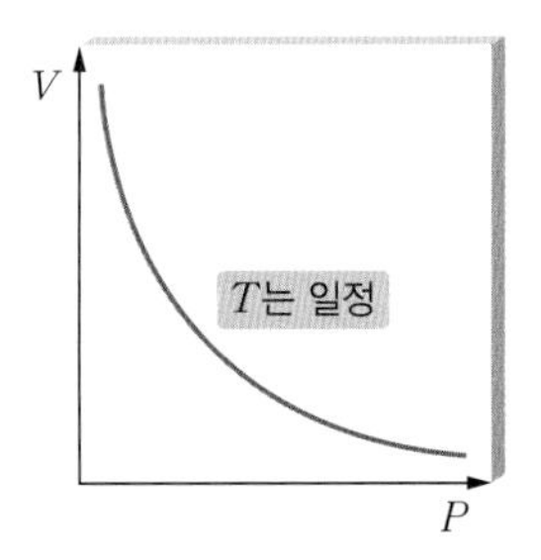

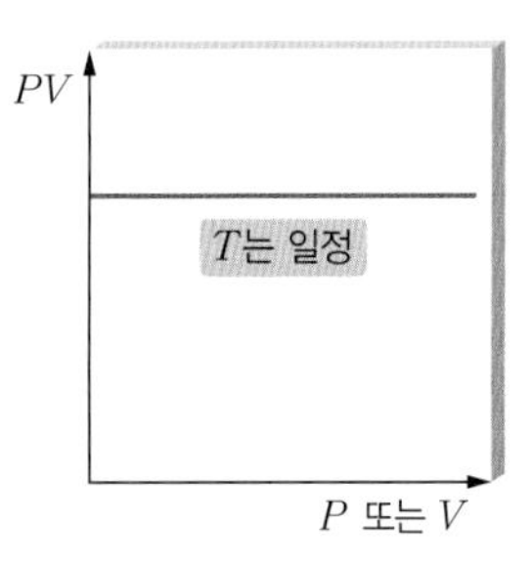

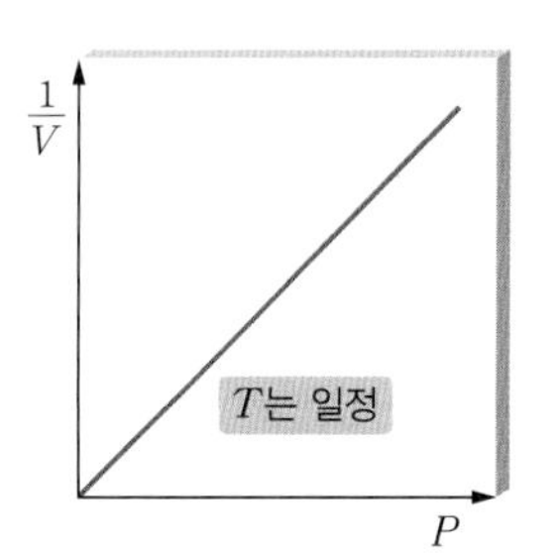

▲ **보일 법칙을 나타내는 그래프**

(3) **보일 법칙과 관련된 현상**

- 풍선이 하늘 높이 올라갈수록 점점 커지다가 터진다.
- 잠수부가 호흡할 때 내뿜는 기포의 크기는 수면으로 올라갈수록 커진다.
- 농구화 밑창에 들어 있는 공기 주머니는 압력에 따라 부피가 변하면서 발에 가해지는 충격을 줄여 준다.

예제

1기압, 20 ℃에서 주사기에 100 mL의 공기가 들어 있다. 주사기 끝을 막고 피스톤을 눌러 공기의 부피를 25 mL로 만들었을 때 주사기 속 공기의 압력을 구하시오. (단, 온도는 일정하다.)

해설 보일 법칙에 의해 $P_1V_1=P_2V_2$이므로 1기압×100 mL$=x\times$25 mL, $x=$4기압이다.

정답 4기압

J자관 실험

보일은 일정한 온도에서 한쪽 끝이 막힌 J자관에 수은을 넣으면서 압력에 따른 기체의 부피 변화를 측정하였다.

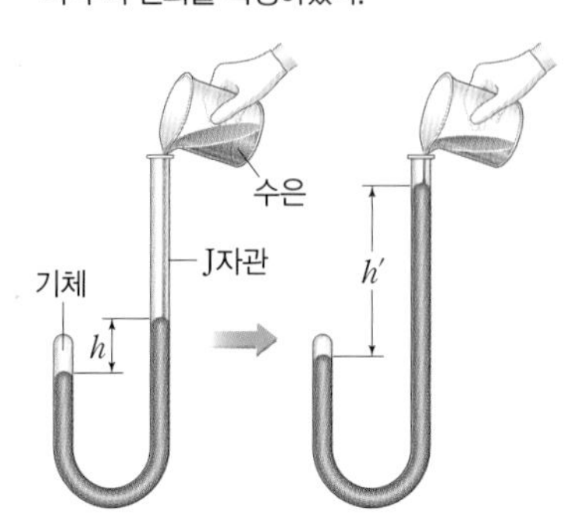

'기체의 압력=대기압+수은 기둥의 높이 차(h, h')에 해당하는 압력'이므로 수은을 넣을수록 압력이 커진다. 압력이 커질수록 기체의 부피가 감소한다.

보일 법칙

기체의 압력과 부피의 곱은 항상 일정하므로 기체의 압력과 부피는 반비례 관계에 있다.

물속에서의 기포 크기

물에서는 수압이 작용하며 물속 아래로 내려갈수록 수압이 커진다. 반대로 물속에서 수면으로 올라갈수록 수압이 작아지므로 물속에서 발생한 기포는 수면으로 올라갈수록 부피가 커진다.

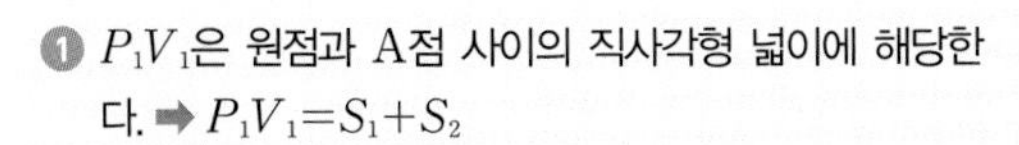

시선 집중 ★ 보일 법칙 그래프

그림은 일정한 온도에서 일정량의 기체의 부피(V)와 압력(P)의 관계를 나타낸 것이다.

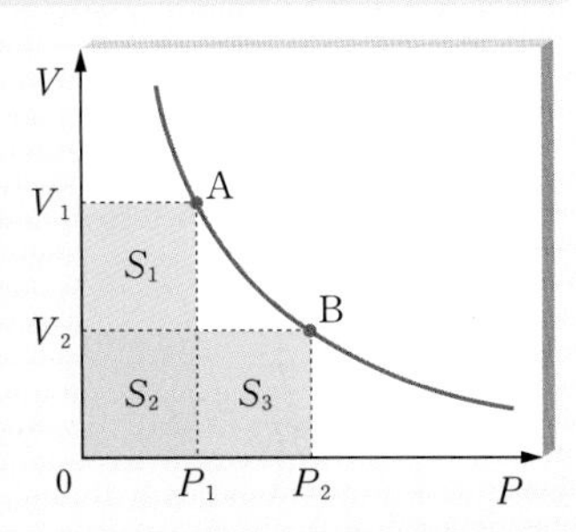

❶ P_1V_1은 원점과 A점 사이의 직사각형 넓이에 해당한다. ➡ $P_1V_1=S_1+S_2$

❷ P_2V_2는 원점과 B점 사이의 직사각형 넓이에 해당한다. ➡ $P_2V_2=S_2+S_3$

❸ 보일 법칙에 의해 $P_1V_1=P_2V_2$이다.
➡ $S_1+S_2=S_2+S_3$이므로 $S_1=S_3$이다.

3. 샤를 법칙

(1) 여러 가지 온도

① **섭씨온도:** 1기압에서 순수한 물의 어는점(0 ℃)과 끓는점(100 ℃)을 정점으로 하여 그 사이를 100등분한 것이 1 ℃이다. 스웨덴의 물리학자인 셀시우스가 정했으며, 일상생활에서 주로 사용되고 있다.

② **절대 온도:** 열역학 제2법칙에 따라 정해진 온도로, 켈빈 온도 또는 열역학적 온도라고도 한다. −273 ℃를 0으로 정한 온도로, 단위는 K(Kelvin)으로 나타낸다. 절대 온도(T)와 섭씨온도(t) 사이에는 다음과 같은 관계식이 성립한다.

$$T(\text{K})=t(℃)+273$$

③ **화씨온도:** 물의 어는점 32 ℉, 끓는점 212 ℉를 정점으로 하여 그 사이를 180등분한 것이 1 ℉이다. 독일의 물리학자 파렌하이트가 제안하였으며, 화씨온도(T_f)와 섭씨온도(t) 사이에는 다음과 같은 관계식이 성립한다.

$$T_f(℉)=\frac{9}{5}t(℃)+32$$

(2) **샤를 법칙:** 1787년 프랑스의 과학자 샤를은 압력이 일정할 때 일정량의 기체의 부피는 온도가 1 ℃ 오를 때마다 0 ℃ 때 부피의 $\frac{1}{273}$씩 증가함을 알아내고 "일정한 압력에서 일정량의 기체의 부피는 절대 온도에 비례한다."는 샤를 법칙을 발표하였다.

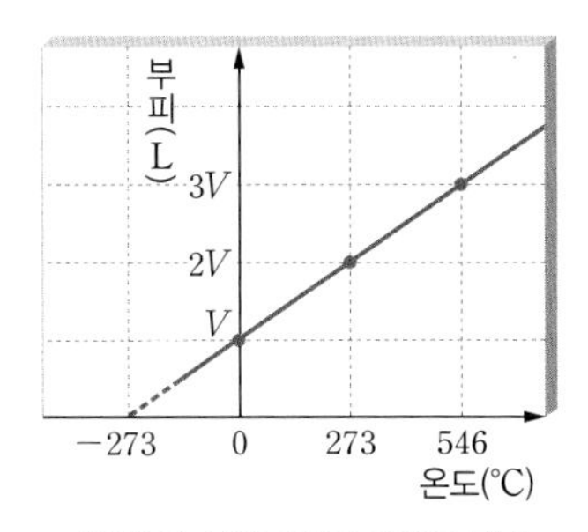

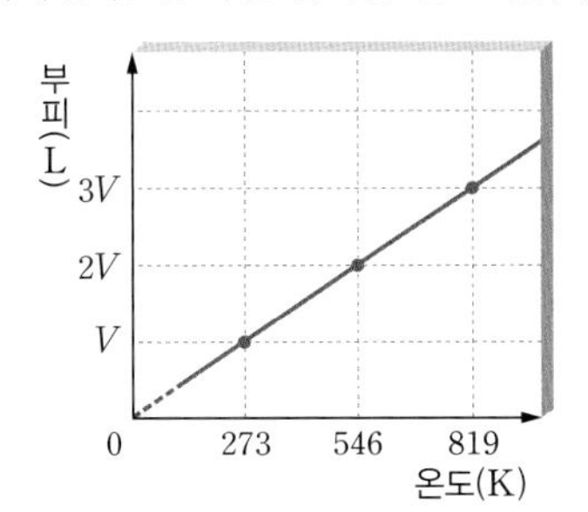

▲ 섭씨온도, 절대 온도와 기체의 부피

열역학 제2법칙
고립계에서 총 엔트로피(무질서도)의 변화는 항상 증가하거나 일정하며 감소하지 않는다는 내용으로, 에너지 전달에 대한 방향성을 의미하는 법칙이다.

절대 영도
열역학적으로 생각할 수 있는 최저 온도로, 기체의 부피가 0이 되는 온도를 절대 영도 0 K(−273.15 ℃)이라고 한다. 실제로는 0 K이 되기 전에 모든 기체가 액화되며, 액체에는 샤를 법칙이 적용되지 않는다.

화씨, 섭씨, 절대 온도 사이의 관계

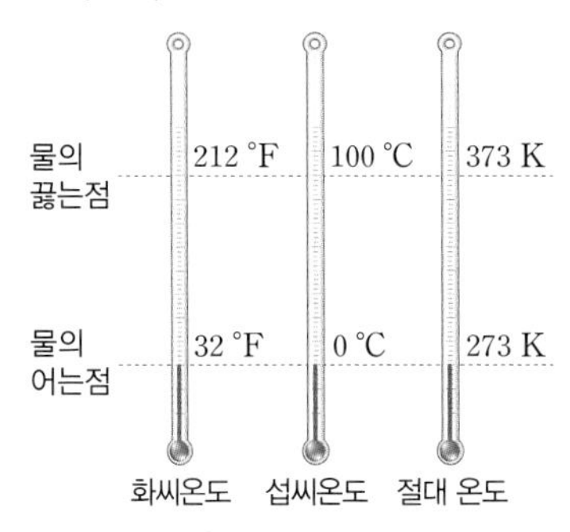

섭씨온도(t)와 절대 온도(T)의 관계를 이용하여 기체의 온도와 부피 사이의 관계를 나타내면 다음과 같다.

$$V_t = V_0 + V_0 \times \frac{t}{273} = V_0\left(1 + \frac{t}{273}\right) = V_0\left(\frac{273+t}{273}\right)$$

(V_t: t ℃ 때 기체의 부피, V_0: 0 ℃ 때 기체의 부피)

위 식에서 $273+t$를 절대 온도 T로 나타내면 $V_t = V_0 \times \frac{T}{273}$이다. 이때 $\frac{V_0}{273}$는 일정한 상수값이므로 k로 나타내면 $V = kT$(k는 상수)이다.

기체의 압력과 양이 일정할 경우 기체의 온도가 T_1일 때 기체의 부피를 V_1, 기체의 온도가 T_2일 때 기체의 부피를 V_2라고 하면, 다음과 같은 관계식이 성립한다.

$$V = kT, \ \frac{V_1}{T_1} = \frac{V_2}{T_2} = k, \ V \propto T$$

(3) **샤를 법칙과 그래프:** 압력(P)이 일정할 때 일정량의 기체의 부피(V)와 절대 온도(T)는 비례 관계이다. 즉, 부피를 절대 온도로 나눈 값은 항상 일정하다.

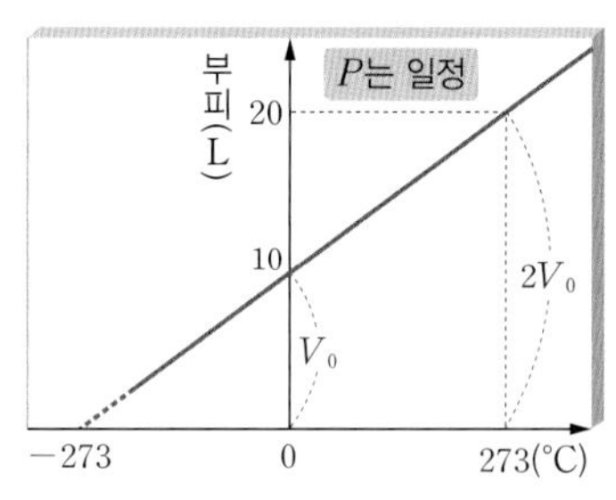

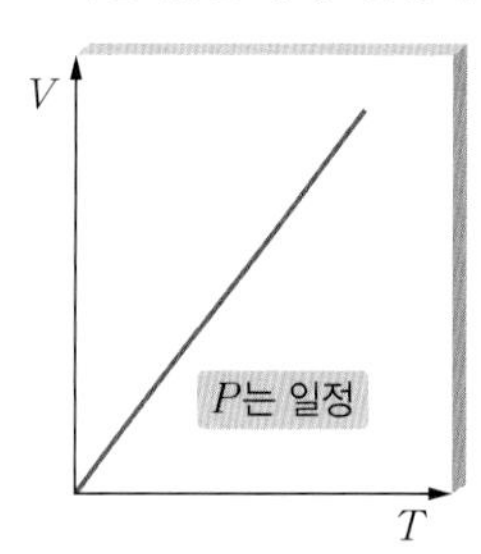

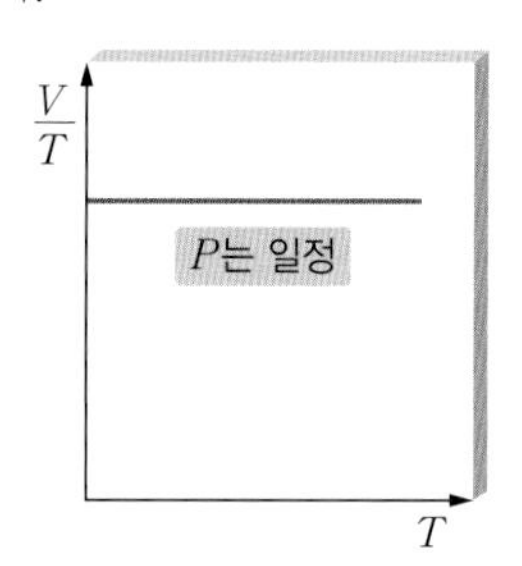

▲ 샤를 법칙을 나타내는 그래프

(4) **샤를 법칙과 관련된 현상**

- 더운 여름철에 과자 봉지가 부풀어 오른다.
- 열기구 속의 공기를 가열하면 열기구가 위로 뜬다.
- 풍선을 액체 질소에 넣으면 풍선의 크기가 작아진다.
- 찌그러진 탁구공을 끓는 물에 넣으면 탁구공이 다시 펴진다.
- 여름철에는 겨울철에 비하여 자전거 바퀴에 공기를 약간 적게 넣는다.
- 동전을 빈병 입구에 놓고 따뜻한 손으로 빈병을 감싸 쥐면 동전이 움직인다.
- 독수리를 높이 날아오르게 하는 상승 기류는 지표면이 가열되어 공기가 팽창하고 밀도가 낮아져 발생한다.

27 ℃, 1기압에서 8.2 L의 실린더에 기체를 넣은 후 냉각하였더니 기체의 부피가 4.1 L로 변하였다. 이때의 온도(K)를 구하시오.

해설 샤를 법칙에 의해 $\frac{V_1}{T_1} = \frac{V_2}{T_2}$이므로 $\frac{8.2\text{ L}}{(273+27)\text{K}} = \frac{4.1\text{ L}}{T}$, $T = 150(\text{K})$이다.

정답 150 K

풍선을 액체 질소에 넣기

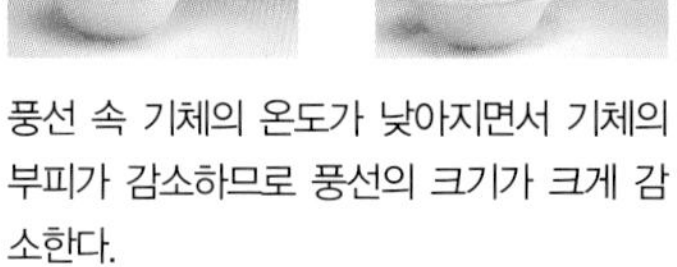

풍선 속 기체의 온도가 낮아지면서 기체의 부피가 감소하므로 풍선의 크기가 크게 감소한다.

찌그러진 탁구공 펴기

찌그러진 탁구공을 뜨거운 물속에 넣으면 탁구공 속 기체의 분자 운동이 활발해지므로 기체의 부피가 팽창하여 탁구공이 펴진다.

4. 보일·샤를 법칙

(1) **보일·샤를 법칙:** 일정량의 기체에 대해 온도가 일정할 때 압력에 따른 기체의 부피 변화는 보일 법칙으로 알 수 있고, 압력이 일정할 때 온도에 따른 기체의 부피 변화는 샤를 법칙으로 알 수 있다. 즉, 일정량의 기체에 대해 온도와 압력이 동시에 변할 때 보일 법칙과 샤를 법칙을 종합해 보면 일정량의 기체의 부피는 압력에 반비례하고 절대 온도에 비례한다는 것을 알 수 있다. 이를 식으로 표현하면 다음과 같다.

- 보일 법칙: $V \propto \frac{1}{P}$
- 샤를 법칙: $V \propto T$
- 보일·샤를 법칙: $V \propto \frac{T}{P}$

➡ $\frac{PV}{T} = k$ (k는 상수), $\frac{P_1V_1}{T_1} = \frac{P_2V_2}{T_2} = k$

보일·샤를 법칙
- 보일 법칙: 일정한 온도에서 일정량의 기체의 부피는 압력에 반비례한다.
- 샤를 법칙: 압력이 일정할 때 일정량의 기체의 부피는 절대 온도에 비례한다.
- 보일·샤를 법칙: 일정량의 기체의 부피는 절대 온도에 비례하고 압력에 반비례한다.

(2) **보일·샤를 법칙과 그래프:** 일정량의 기체의 부피(V)는 절대 온도(T)에 비례하고 압력(P)에 반비례한다.

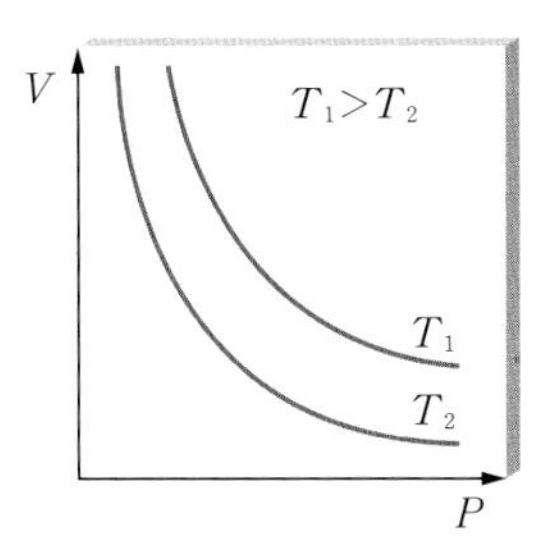

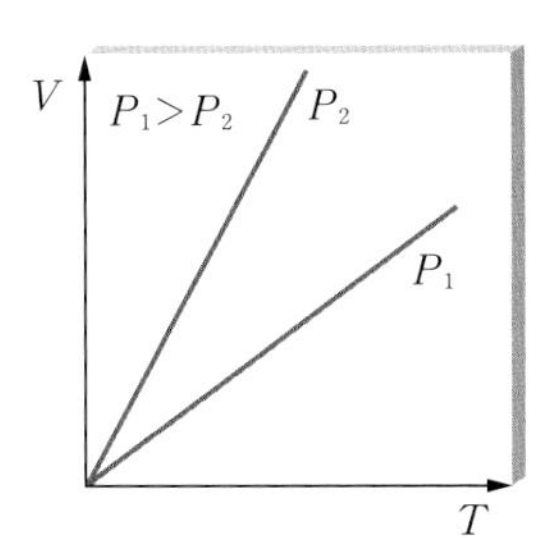

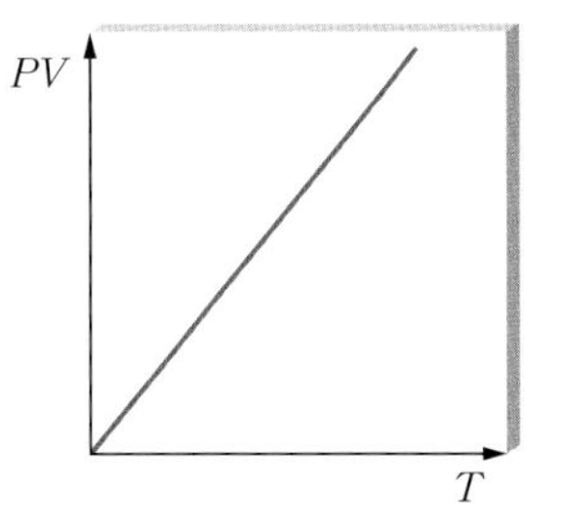

▲ 보일·샤를 법칙을 나타내는 그래프

5. 아보가드로 법칙

1811년 이탈리아의 과학자 아보가드로는 "온도와 압력이 같을 때, 기체의 종류에 관계없이 같은 부피의 기체는 같은 수의 입자를 갖는다."는 가설을 발표하였다. 오랜 시간을 통해 이 가설은 실험으로 증명되었고, "일정한 온도와 압력에서 기체의 부피는 양(mol)에 비례한다."는 아보가드로 법칙으로 정립되었다. 즉, 기체의 양(mol)이 2배가 되면 부피도 2배가 되며, 이를 식으로 표현하면 다음과 같다.

$$V \propto n \ (T, P\text{가 일정할 때})$$

아보가드로 법칙의 예
- 풍선에 바람을 불어 넣으면 풍선의 크기가 커진다.
- 바람이 빠진 자전거 바퀴에 바람을 불어 넣으면 바퀴의 부피가 커진다.

0 ℃, 1기압에서 기체의 양에 따른 부피
0 ℃, 1기압에서 기체 1몰의 부피는 기체의 종류에 관계없이 22.4 L이다.

1기압 / V=22.4 L, 273 ℃ / 1 mol → 부피 증가 → 1기압 / V=44.8 L, 273 ℃ / 2 mol

▲ 아보가드로 법칙

부피(L): V, $2V$, $3V$ / 양(mol): 0, n, $2n$, $3n$

▲ 기체의 양(mol)과 부피

6. 이상 기체 방정식

탐구 039쪽 집중 분석 040~041쪽

보일·샤를 법칙과 아보가드로 법칙에 의해 기체의 부피는 다음과 같이 일반화하여 나타낼 수 있다.

- 보일·샤를 법칙: $V \propto \frac{T}{P}$
- 아보가드로 법칙: $V \propto n$

→ $V \propto \frac{nT}{P}$, $V = \frac{knT}{P}$ (k: 비례 상수)

즉, $V = \frac{knT}{P}$로부터 기체의 부피(V)는 기체의 양(n)과 절대 온도(T)에 비례하고, 압력(P)에 반비례한다.

(1) **기체 상수(R)**: $V = \frac{knT}{P}$에서 $k = \frac{PV}{nT}$이고, 모든 기체는 0 ℃, 1기압에서 1몰의 부피가 22.4 L이므로 이 값을 이용하면 k 값을 구할 수 있다.

$$k = \frac{PV}{nT} = \frac{1\ \text{atm} \times 22.4\ \text{L}}{1\ \text{mol} \times 273\ \text{K}} ≒ 0.082\ \text{atm} \cdot \text{L/(mol} \cdot \text{K)}$$

이 값은 기체의 종류에 관계없이 일정하며, 이 값을 기체 상수라 하고 R로 나타낸다. 열역학적 계산을 할 때는 기체 상수(R)의 값을 SI 단위로 환산해 주어야 하는데, 기체 상수(R)의 값은 SI 단위로 8.31 J/(mol·K)이다.

$$R = \frac{PV}{nT} = \frac{1.013 \times 10^5\ \text{Pa} \times 22.4 \times 10^{-3}\ \text{m}^3}{1\ \text{mol} \times 273\ \text{K}} ≒ 8.31\ \text{J/(mol} \cdot \text{K)}$$

단위에 따른 기체 상수(R)의 값
- 0.082 atm·L/(mol·K)
- 8.31 J/(mol·K)

(2) **이상 기체 방정식**: 보일·샤를 법칙은 1몰의 기체에 대해 $\frac{PV}{T} = R$, $PV = RT$와 같이 나타낼 수 있다. 일반적으로 n몰의 기체에 대해 다음과 같은 관계식이 성립하며, 이 식을 이상 기체 방정식이라고 한다.

$$PV = nRT$$

(P: 기체의 압력(atm), V: 기체의 부피(L), n: 기체의 양(mol)
R: 기체 상수(0.082 atm·L/(mol·K)), T: 절대 온도(K))

기체의 양(mol)

양(mol) $= \frac{\text{분자 수(개)}}{6.02 \times 10^{23}}$
$= \frac{\text{질량(g)}}{\text{분자량}}$
$= \frac{\text{부피(L)}}{22.4}$ (0 ℃, 1기압)

(3) **이상 기체 방정식의 변형**

① 기체의 분자량 구하기: 기체의 분자량을 M, 질량을 w라고 하면 기체의 양(mol)은 $n = \frac{w}{M}$이므로 $PV = nRT = \frac{w}{M}RT$이고, 이 식을 변형하면 $M = \frac{wRT}{PV}$이다.

② 기체의 밀도 구하기: 기체의 밀도를 d라고 하면 기체의 밀도는 $d = \frac{w}{V}$이므로 $PV = \frac{w}{M}RT$의 식을 변형하면 $d = \frac{PM}{RT}$이다.

$$M = \frac{wRT}{PV} \qquad d = \frac{PM}{RT}$$

기체의 밀도

밀도 $= \frac{\text{질량}}{\text{부피}}$으로 구할 수 있다.

2 기체 분자 운동론

증발과 확산은 우리 주변에서 쉽게 볼 수 있는 기체 분자 운동의 증거이다. 기체 분자들은 스스로 자유롭게 운동하며 에너지가 변하므로 기체 분자의 운동으로 기체의 성질을 설명할 수 있다.

1. 기체 분자 운동론

심화 042쪽

기체 분자들은 기체의 종류에 관계없이 빈 공간을 빠른 속도로 자유롭게 운동하며 열에 의해 그 분자의 운동 에너지가 변한다. 이와 같은 기체 분자의 자유로운 열운동을 토대로 기체의 성질을 설명하는 이론을 기체 분자 운동론이라고 한다.

2. 기체 분자 운동론의 가정

기체 분자 운동론은 다음과 같은 가정을 바탕에 두고 있다.

- 기체 분자들은 다양한 속력 분포를 가지고 무질서한 방향으로 끊임없이 불규칙적인 운동을 하고 있다.
- 기체 분자 사이에는 인력이나 반발력이 작용하지 않는다.
- 기체 분자는 완전 탄성체로, 충돌에 의하여 기체의 운동 에너지가 변하지 않는다.
- 기체 분자 자체의 크기는 기체가 차지하는 전체 부피에 비하여 무시할 수 있을 정도로 작다.
- 기체 분자의 평균 운동 에너지는 절대 온도에만 비례하며, 분자의 크기, 모양, 종류에는 영향을 받지 않는다.

➡ $E_k = \frac{3}{2}kT$ (k: 볼츠만 상수, T: 절대 온도)

시야 확장 ⊕ 확산

❶ **확산:** 물질을 이루는 분자들이 끊임없이 분자 운동을 하여 다른 기체나 액체 속으로 스스로 퍼져 나가는 현상을 확산이라고 한다.

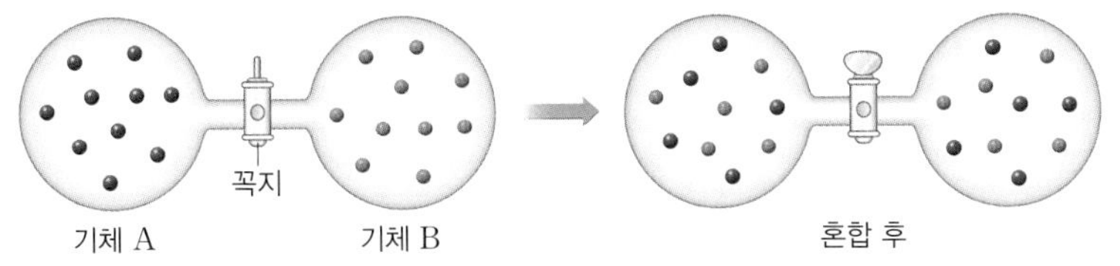

▲ **기체의 확산** 각각 기체 A와 B가 들어 있는 유리구가 연결된 관의 꼭지를 열면 기체 A와 B가 확산되어 고르게 섞인다.

❷ **확산 속도에 영향을 주는 요인**

- 온도: 온도가 높을수록 분자 운동이 활발해지므로 확산 속도가 빠르다.
- 분자량: 분자량이 작을수록 분자 운동 속도가 빠르므로 확산 속도가 빠르다.
- 매질의 종류: 확산을 방해하는 입자 수가 적을수록 확산 속도가 빠르므로 매질의 종류가 진공 > 기체 > 액체 순으로 확산 속도가 빠르다.
- 물질의 상태: 분자 운동이 활발할수록 확산 속도가 빠르므로 확산되는 입자가 기체 > 액체 > 고체 상태 순으로 확산 속도가 빠르다.

기체 분자 운동론
다수의 분자로 이루어진 기체 분자 각각의 역학적 운동으로 기체의 여러 가지 성질을 설명하는 이론 체계이다. 이 개념은 그리스 시대의 원자론에서 출발하였으며, 클라우지우스를 거쳐 맥스웰, 볼츠만 등에 의해 고전적인 이론으로 완성되었다. 맥스웰은 이것으로부터 속도 분포 법칙을 유도해 냈으며, 볼츠만은 열역학과의 일반적인 관계를 밝히고 그 수학적 형식을 확립하였다.

기체의 분자량과 평균 운동 속도
임의의 두 기체 A와 B의 운동 에너지는 $E_A = \frac{1}{2}m_A v_A^2$, $E_B = \frac{1}{2}m_B v_B^2$이고, 일정한 온도에서 모든 분자의 평균 운동 에너지는 같은 값을 가지므로 $\frac{1}{2}m_A v_A^2 = \frac{1}{2}m_B v_B^2$의 관계가 성립한다. 따라서 분자량이 작을수록 운동 속도가 빠르다.

매질
파동을 전달해 주는 매체가 되는 물질이다. 물에서 발생하는 수면파의 경우 매질은 물이고, 공기 중에서 발생하는 음파의 경우 매질은 공기이다.

3. 기체 분자 운동론과 기체의 성질

(1) **기체 분자 운동론과 보일 법칙:** 일정한 온도에서 일정량의 기체의 부피가 반으로 감소하면 그림과 같이 단위 부피당 들어 있는 분자 수가 2배가 되어 용기의 벽면에 충돌하는 기체 분자 수도 2배가 된다. 따라서 벽면에 미치는 힘의 크기도 2배가 되므로 기체의 압력이 2배가 된다. 이와 같이 온도가 일정할 때 기체의 부피는 압력에 반비례한다.

▲ 기체 분자 운동론에 의한 기체의 부피와 압력의 관계

다음은 기체 분자 운동론으로 보일 법칙을 설명한 것이다.

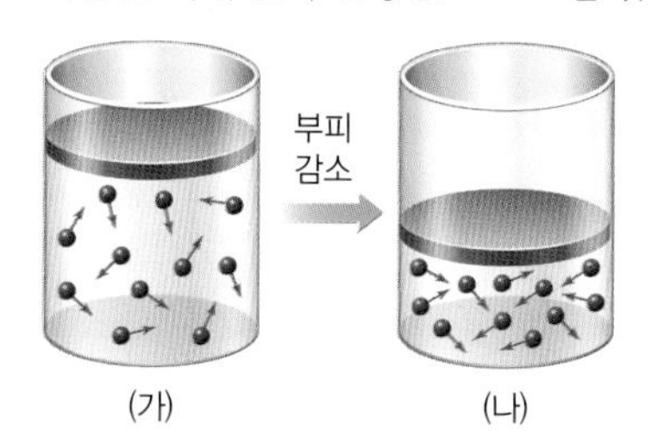

온도, 분자 수	(가)=(나)
부피	(가)>(나)
충돌 횟수	(가)<(나)
운동 속도	(가)=(나)
압력	(가)<(나)

보일 법칙
일정량의 기체의 부피 감소 → 단위 부피당 충돌하는 기체 분자 수 증가 → 압력 증가

(2) **기체 분자 운동론과 샤를 법칙:** 일정한 압력에서 일정량의 기체의 온도를 높이면 기체 분자 운동론에 의해 기체 분자의 평균 운동 에너지가 증가한다. 따라서 기체 분자들의 평균 운동 속도가 커지므로 그림과 같이 기체 분자가 용기의 안쪽 벽면에 충돌하는 횟수와 세기가 증가하여 용기 안쪽의 압력이 커진다. 용기 안쪽의 압력이 커지면 용기 안쪽 압력과 밖의 압력이 같아질 때까지 피스톤을 밀어 부피가 커진다. 용기 밖의 압력은 일정하므로 기체가 팽창한 후 기체의 압력은 팽창 전 기체의 압력과 같아진다. 이와 같이 기체 분자 운동론에 의해 압력이 일정할 때 일정량의 기체의 부피는 절대 온도에 비례한다.

일정량의 기체가 들어 있는 강철 용기의 온도를 높일 때의 변화
온도가 높아지면 기체 분자들의 평균 운동 속도가 커지므로 기체 분자가 용기의 안쪽 벽면에 충돌하는 횟수와 세기가 증가한다. 이때 용기의 부피가 고정되어 있으므로 압력이 증가한다.

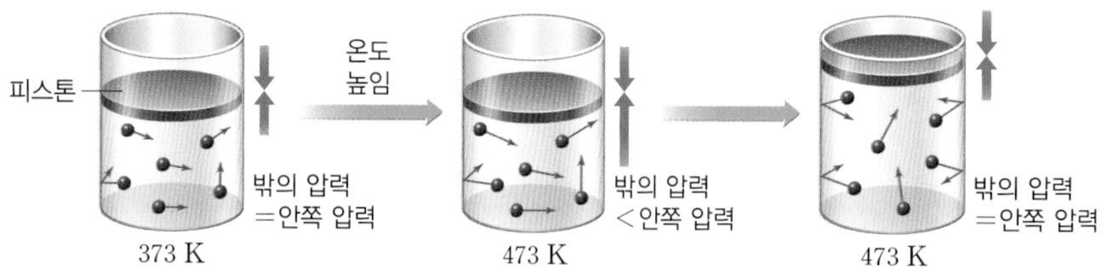

▲ 기체 분자 운동론에 의한 기체의 부피와 온도의 관계

샤를 법칙
일정량의 기체의 온도 증가 → 기체 분자의 충돌 횟수와 세기 증가 → 용기 안쪽 압력 증가 → 용기 안쪽 압력과 밖의 압력이 같아질 때까지 부피 증가

다음은 기체 분자 운동론으로 샤를 법칙을 설명한 것이다.

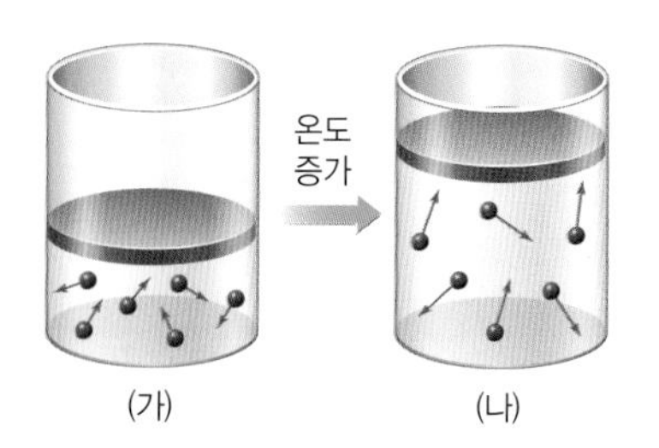

압력, 분자 수	(가)=(나)
온도	(가)<(나)
운동 속도	(가)<(나)
충돌 세기	(가)<(나)
부피	(가)<(나)
평균 운동 에너지	(가)<(나)

기체의 분자 운동 속도와 평균 운동 에너지
- 기체의 온도가 높을수록, 기체의 분자량이 작을수록 기체 분자의 운동 속도가 빠르다.
- 기체의 온도가 높을수록 기체 분자의 평균 운동 에너지가 크다. 기체의 분자량이 다르더라도 온도가 같으면 평균 운동 에너지는 같다.

(3) **기체 분자 운동론과 아보가드로 법칙:** 일정한 온도와 압력에서 기체의 양(몰)을 증가시키면 단위 부피당 들어 있는 분자 수가 증가하여 용기 안쪽 벽면에 충돌하는 기체의 분자 수가 증가한다. 따라서 용기 안쪽 압력이 커지게 되고, 용기 안쪽 압력과 밖의 압력이 같아질 때까지 피스톤을 밀어 부피가 커진다.

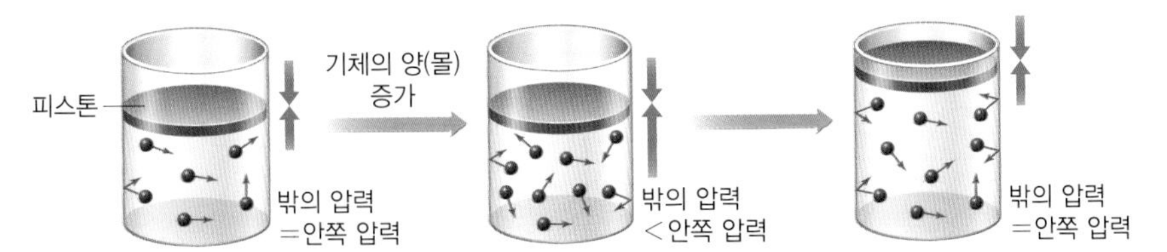

▲ 기체 분자 운동론에 의한 기체의 양(몰)과 부피의 관계

다음은 기체 분자 운동론으로 아보가드로 법칙을 설명한 것이다.

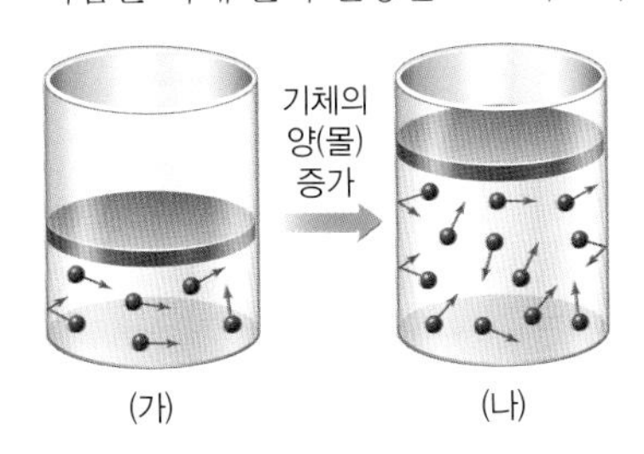

온도, 압력	(가)=(나)
운동 속도	(가)=(나)
분자 수	(가)<(나)
부피	(가)<(나)

아보가드로 법칙
기체의 양(몰) 증가 → 단위 부피당 충돌하는 분자 수 증가 → 용기 안쪽 압력 증가 → 용기 안쪽 압력과 밖의 압력이 같아질 때까지 부피 증가

4. 이상 기체와 실제 기체

(1) **이상 기체:** 실제로는 존재하지 않는 가상적인 기체로, 기체 분자 운동론의 가정을 만족하므로 이상 기체 방정식이 정확하게 적용되는 기체이다.

(2) **실제 기체:** 분자의 부피가 존재하고 분자 사이에 인력이나 반발력이 작용하므로 이상 기체 방정식이 정확하게 적용되지는 않는다.

(3) **이상 기체와 실제 기체의 차이:** 표는 몇 가지 실제 기체의 끓는점과 표준 상태에서의 몰 부피를 나타낸 것이다. 이상 기체의 몰 부피는 22.4 L/mol이지만, 실제 기체는 이와 약간 다른 값을 가진다. 특히 분자 사이의 인력이 강할수록 몰 부피가 이상 기체보다 작아지는 경향이 크게 나타난다.

화학식	분자량	끓는점(°C)	몰 부피(L/mol)	화학식	분자량	끓는점(°C)	몰 부피(L/mol)
He	4	−269	22.424	HCl	36.5	−84.9	22.243
N_2	28	−196	22.400	NH_3	17	−33.4	22.089
O_2	32	−183	22.392	SO_2	64	−10.0	21.886

또, 이상 기체는 분자의 크기가 없다고 가정하므로 0 K에서 부피가 0이다. 즉, 분자 사이의 인력과 반발력이 작용하지 않으므로 온도를 낮추어도 고체나 액체로 상태 변화하지 않는다. 이상 기체 방정식이 정확하게 적용되는 이상 기체는 실제로 존재하지 않는다.

구분	이상 기체	실제 기체
분자의 크기	0	기체의 종류에 따라 다름
분자의 질량	있음	있음
0 K에서의 부피	0	0 K이전에 고체나 액체로 됨
기체에 관한 법칙	완전히 일치함	고온·저압에서 일치함
분자 사이의 인력·반발력	없음	있음

이상 기체와 실제 기체
모든 실제 기체의 몰 부피는 이상 기체의 몰 부피(22.4 L/mol)에서 조금씩 벗어난다. 그러나 이러한 차이는 매우 작아서 실제 기체의 부피를 구하는 데 이상 기체 방정식은 유용하게 이용된다.

이상 기체와 실제 기체가 차이가 나는 이유
실제 기체는 이상 기체와는 달리 분자 사이의 인력이 작용하고, 분자 자체의 부피를 가지고 있기 때문이다. 분자 자체의 부피는 압력이 낮을 때는 기체의 부피가 크기 때문에 비율이 작아 중요하게 작용하지 않지만, 압력이 높아져 기체의 부피가 감소했을 때는 실제 기체가 이상 기체에서 벗어나게 하는 중요한 요인이 된다.

시야 확장 ⊕ 이상 기체와 실제 기체

❶ 이상 기체 방정식 $PV=nRT$에서 n은 기체의 양(몰)이며, $n=\frac{PV}{RT}$로 나타낼 수 있다. 이상 기체 1몰을 밀폐된 용기에 넣고 온도나 압력을 변화시켜도 $n=1$로 일정하므로 $\frac{PV}{RT}$값도 항상 1이다. 하지만 실제 기체 1몰에 대해 압력을 변화시키면서 $\frac{PV}{RT}$값을 측정하면 이상 기체와 달리 그 값이 변한다.

❷ 실제 기체의 $\frac{PV}{RT}$값이 1이면 이상 기체와 같아 이상 기체 방정식을 만족시킨다. 실제 기체의 $\frac{PV}{RT}$값이 1보다 작아지는 것은 이상 기체에 비해 분자 사이의 인력이 크게 작용하여 PV가 작게 측정되기 때문이다. 실제 기체의 $\frac{PV}{RT}$값이 1보다 커지는 것은 이상 기체에 비해 분자 사이의 반발력이 크게 작용하여 PV가 크게 측정되기 때문이다.

❸ 실제 기체의 종류와 온도, 압력에 따른 $\frac{PV}{RT}$ 값의 변화 그래프는 다음과 같다.

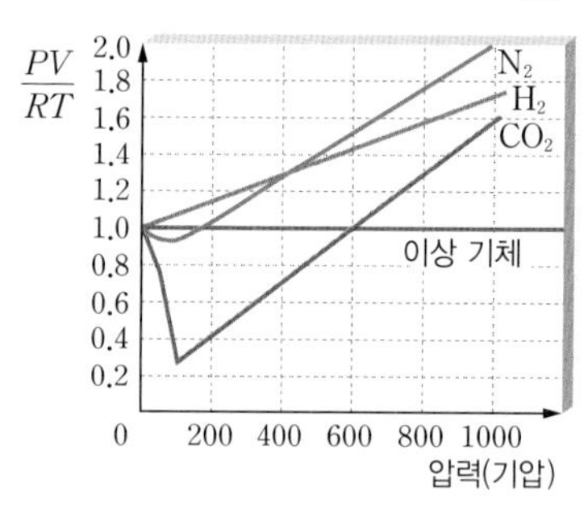

(가) 25 °C에서 여러 가지 기체 1몰의 $\frac{PV}{RT}$값

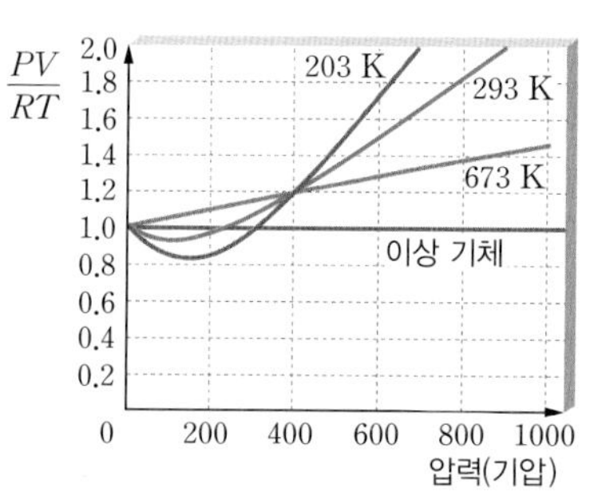

(나) 여러 온도에서 질소 기체 1몰의 $\frac{PV}{RT}$값

- 그림 (가)에서 실제 기체의 값이 이상 기체와 일치하지 않는 것을 알 수 있다. $CO_2 \rightarrow N_2 \rightarrow H_2$로 갈수록 이상 기체에 가까워진다. ➡ 분자량이 작을수록 분자 사이의 힘이 작으므로 이상 기체에 가까워지기 때문이다.
- 그림 (나)에서 온도가 높을수록 이상 기체에 가까워진다. ➡ 온도가 높을수록 기체의 부피가 커져서 분자 사이의 거리가 멀다. 분자 사이의 거리가 멀수록 분자 사이의 힘이 작아지고, 기체의 부피에 비해 분자 자체의 크기를 무시할 수 있을 정도가 되어 이상 기체에 가까워지기 때문이다.
- 그림 (가)와 (나)에서 압력이 높을수록 이상 기체에서 더 많이 벗어난다. ➡ 낮은 압력에서는 기체 분자가 차지하는 부피가 전체 부피에 비해 매우 작으므로 무시할 수 있으나 높은 압력에서는 기체 분자가 차지하는 부피가 전체 부피에 비해 상당한 비율을 차지하게 되므로 무시할 수 없게 된다.

  예를 들어 질소 분자가 차지하는 부피는 1기압에서는 전체 부피의 0.06 % 정도로 무시할 수 있으나, 압력이 500기압으로 높아지면 전체 부피의 20 % 정도를 차지하게 되므로 실제 기체의 부피는 이상 기체 방정식으로부터 계산된 값보다 훨씬 큰 값을 가지게 된다.

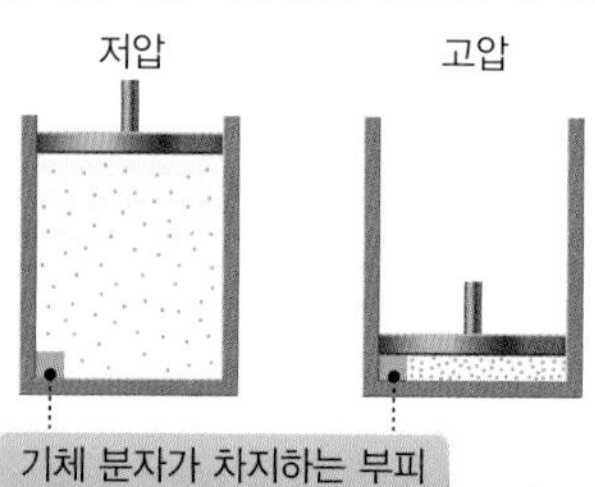

압력을 높일 때 이상 기체와 실제 기체

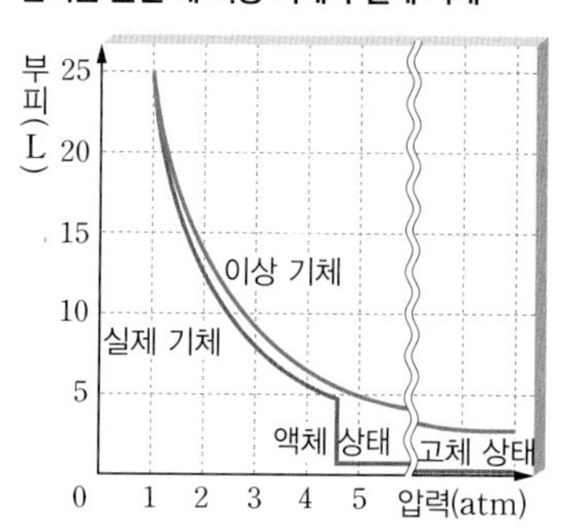

압력을 높이면 이상 기체는 기체 상태를 유지하며 부피가 계속 작아진다. 그러나 실제 기체는 기체의 부피가 작아지면서 분자 사이의 힘이 크게 작용하여 부피가 이상 기체보다 더 빨리 작아지며 액체 또는 고체로 상태 변화한다.

3 혼합 기체의 부분 압력

공기는 질소, 산소, 이산화 탄소, 헬륨, 아르곤 등 여러 가지 기체가 혼합되어 있다. 이러한 혼합 기체의 압력은 각 성분 기체들의 부분 압력에 의해 나타난다.

1. 부분 압력(분압)과 전체 압력

서로 반응하지 않는 두 종류 이상의 기체가 일정한 부피의 용기 속에 혼합되어 있을 때 각 성분 기체가 나타내는 압력을 각 성분 기체의 부분 압력이라 하고, 혼합 기체의 압력을 전체 압력이라고 한다. 그림에서 2.0기압의 산소 기체와 3.0기압의 질소 기체를 같은 부피의 용기에 혼합했을 때 전체 압력은 5.0기압이 된다. 즉, 혼합 기체의 전체 압력은 산소 기체와 질소 기체 각각의 압력의 합과 같다.

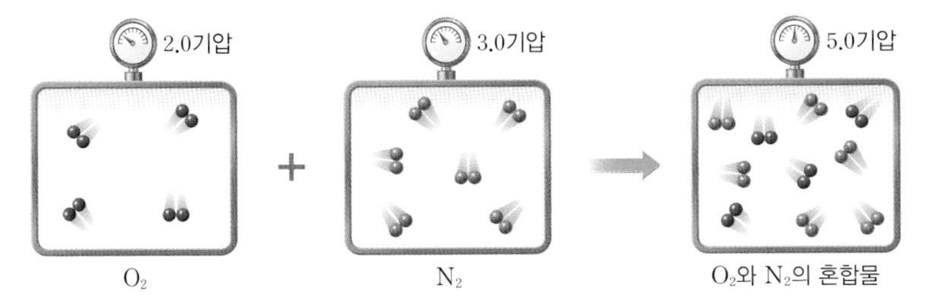

2. 돌턴의 부분 압력 법칙

일정한 온도 T에서 n_A몰의 기체 A를 V L의 용기에 넣었을 때 기체 A가 나타내는 압력을 P_A라 하고, n_B몰의 기체 B를 V L의 용기에 넣었을 때 기체 B가 나타내는 압력을 P_B라고 하면 이상 기체 방정식으로부터 다음 식이 성립한다.

$$P_A=\frac{n_ART}{V},\ P_B=\frac{n_BRT}{V}$$

또, 같은 온도에서 n_A몰의 기체 A와 n_B몰의 기체 B를 V L의 용기에 넣으면 기체 분자 간 상호 작용은 무시되므로 혼합 기체의 전체 압력 P_T는 전체 양(n_A+n_B)에 비례한다.

$$P_T=(n_A+n_B)\frac{RT}{V}$$

$P_A=\frac{n_ART}{V}$ $P_B=\frac{n_BRT}{V}$ $P_T=(n_A+n_B)\frac{RT}{V}$

온도 T(K)
압력 P(atm)
부피 V(L)

기체 A 기체 B 기체 A+기체 B

따라서 $P_T=P_A+P_B$이다. 1801년 돌턴은 "서로 반응하지 않는 여러 가지 기체가 섞여 있을 때 혼합 기체의 전체 압력은 각 성분 기체의 부분 압력의 합과 같다."는 사실을 밝혀냈는데, 이것을 돌턴의 부분 압력 법칙이라고 한다.

$$P_T=P_A+P_B+P_C+\cdots\cdots\ (P_T:\text{ 전체 압력},\ P_A,\ P_B,\ P_C:\text{ 성분 기체의 부분 압력})$$

부분 압력 법칙
기체의 여러 가지 법칙은 순수한 기체에 적용되는 것과 마찬가지로 공기와 같은 혼합 기체에도 똑같이 적용된다. 혼합물에서는 기체 분자 사이에 작용하는 힘이 무시되므로 각 기체의 부분 압력은 그 기체가 단독으로 있을 때 나타내는 압력과 같아지는 것이다.

시선 집중 ★ 수상 치환과 기체의 부분 압력

그림과 같이 기체 A를 수상 치환으로 눈금실린더에 모으면 눈금실린더 속에는 기체 A와 수증기가 함께 존재한다. 이때 기체 A의 부분 압력을 구하는 방법은 다음과 같다.

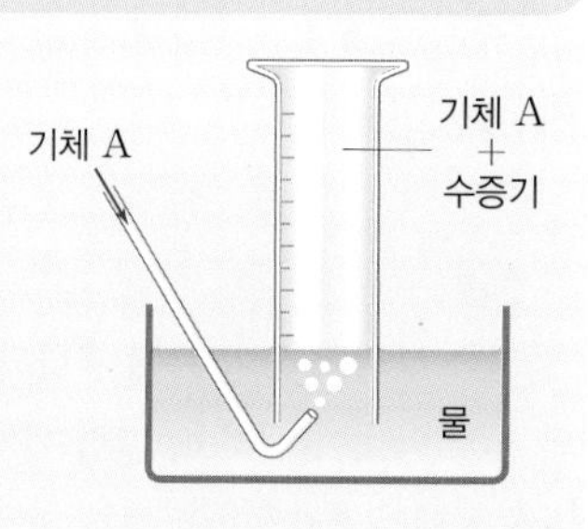

❶ 눈금실린더 속 기체의 전체 압력(P_T)은 기체 A의 부분 압력(P_A)과 수증기의 부분 압력(P_{H_2O})의 합과 같다.
➡ $P_T = P_A + P_{H_2O}$

❷ 기체 A의 부분 압력(P_A)은 전체 압력(P_T)에서 수증기의 부분 압력(P_{H_2O})을 뺀 값과 같다. ➡ $P_A = P_T - P_{H_2O}$

3. 몰 분율

혼합 기체에서 성분 기체의 양(mol)을 전체 기체의 양(mol)으로 나눈 값을 그 기체의 몰 분율이라고 한다. V L의 용기 속에 A, B 기체가 각각 n_A, n_B몰이 들어 있을 때 각 기체의 몰 분율은 다음과 같다.

- 기체 A의 몰 분율(X_A)$=\dfrac{\text{기체 A의 양(mol)}}{\text{전체 기체의 양(mol)}}=\dfrac{n_A}{n_A+n_B}$
- 기체 B의 몰 분율(X_B)$=\dfrac{\text{기체 B의 양(mol)}}{\text{전체 기체의 양(mol)}}=\dfrac{n_B}{n_A+n_B}$

4. 부분 압력과 몰 분율

혼합 기체에서 각 성분 기체의 부분 압력은 그 기체의 양(mol)에 비례한다. 즉, 혼합 기체에서 각 성분 기체의 부분 압력은 전체 압력에 그 성분 기체의 몰 분율을 곱한 값과 같다.

$$P_A = P_T \times \frac{n_A}{n_A+n_B} = P_T \times X_A,\ P_B = P_T \times \frac{n_B}{n_A+n_B} = P_T \times X_B$$

(P_T: 전체 압력, P_A, P_B: 기체 A, B의 부분 압력, n_A, n_B: 기체 A, B의 양(mol), X_A, X_B: 기체 A, B의 몰 분율)

부분 압력과 몰 분율
혼합 기체에서 각 성분 기체의 몰 분율(X_A, X_B)을 알면 각 기체가 나타내는 부분 압력(P_A, P_B)의 비를 구할 수 있다.
$X_A : X_B = P_A : P_B$

예제

다음 물음에 각각 답하시오.

(1) 산소 16 g과 수소 4 g이 들어 있는 용기의 압력이 5기압이었다. 산소의 부분 압력을 구하시오. (단, 수소와 산소의 원자량은 각각 1, 16이다.)

(2) 그림과 같이 일정한 온도에서 2.0 L 플라스크에 1.5기압의 He 기체를 채우고, 3.0 L 플라스크에 2.0기압의 Ne 기체를 채운 후, 꼭지를 열어 오랫동안 방치하였다. 이때 혼합 기체의 전체 압력을 구하시오. (단, 연결관의 부피는 무시한다.)

해설 (1) O_2와 H_2의 양(mol)을 구하면 $n_{O_2}=\dfrac{16}{32}=0.5$(mol), $n_{H_2}=\dfrac{4}{2}=2$(mol)이다. 따라서 O_2의 부분 압력은 $P_{O_2}=\dfrac{0.5}{0.5+2}\times 5=1$(기압)이다.

(2) He과 Ne의 부분 압력인 P_{He}과 P_{Ne}은 다음과 같다.
$1.5\times 2.0 = P_{He}\times 5.0$, $P_{He}=0.6$(기압)　　$2.0\times 3.0 = P_{Ne}\times 5.0$, $P_{Ne}=1.2$(기압)
따라서 혼합 기체의 전체 압력은 $P=0.6+1.2=1.8$(기압)이다.

정답 (1) 1기압 (2) 1.8기압

과정이 살아 있는 탐구

기체의 분자량 측정

이상 기체 방정식으로부터 기체의 분자량을 구할 수 있다.

과정

1 둥근바닥 플라스크의 입구를 알루미늄박으로 덮고, 알루미늄박 중간에 핀으로 작은 구멍을 뚫은 다음 플라스크의 질량(w_1)을 측정한다.

2 플라스크에 아이소프로판올(끓는점 82.6 ℃) 3 mL를 넣은 다음 끓임쪽과 물이 담긴 비커 속에 담그고 끓인다.

3 아이소프로판올이 모두 기화하면 물의 온도(t_1)와 대기압(P_1)을 측정한다.

4 플라스크를 꺼내어 표면의 물기를 닦은 다음 실온이 될 때까지 식힌 후 질량(w_2)을 측정한다.

5 플라스크 안에 응결된 아이소프로판올을 버리고, 플라스크에 물을 가득 채운 다음 그 물을 눈금실린더에 부어 부피(V_1)를 측정한다.

6 이상 기체 방정식을 이용하여 아이소프로판올의 분자량을 계산한다.

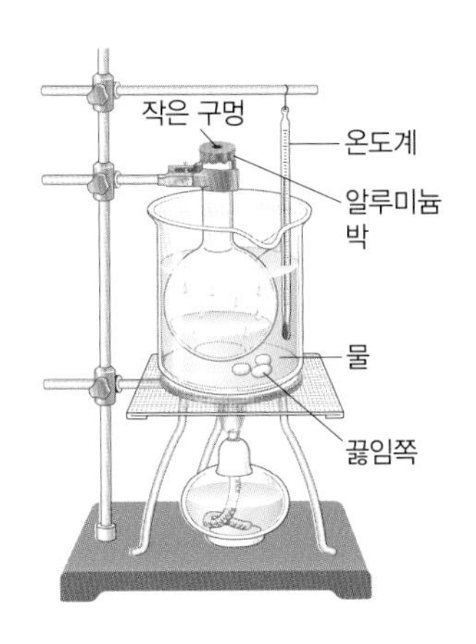

유의점
- 핀으로 알루미늄박에 작은 구멍을 뚫을 때 구멍의 크기가 너무 크지 않도록 주의한다.
- 아이소프로판올이 모두 기화한 순간의 물의 온도(t_1)와 대기압(P_1)을 측정한다.
- 온도계가 비커나 둥근바닥 플라스크에 닿지 않도록 설치한다.

결과

- 측정한 결과는 표와 같다.

w_1	w_2	t_1	P_1	V_1
122.02 g	122.62 g	83 ℃	0.987 atm	282 mL

- 아이소프로판올의 분자량: $PV=nRT=\frac{w}{M}RT$의 식으로부터 $M=\frac{wRT}{PV}=\frac{(w_2-w_1)RT_1}{P_1V_1}$

$=\frac{(122.62-122.02)\text{g}\times0.082\text{ atm}\cdot\text{L/(mol}\cdot\text{K)}\times(273+83)\text{K}}{0.987\text{ atm}\times0.282\text{ L}}=62.93\text{ g/mol}$이다.

정리

- 기체의 질량, 온도, 압력, 부피를 측정하면 이상 기체 방정식을 이용하여 기체의 분자량을 구할 수 있다.
- 아이소프로판올의 분자식은 C_3H_8O이므로 분자량은 $(3\times12+8\times1+1\times16)=60$이다.
- 실험으로 구한 아이소프로판올의 분자량은 이론값보다 크며, 실험 오차는 다음과 같다.

$$오차(\%)=\frac{이론값과\ 측정값의\ 차이}{이론값}\times100=\frac{62.93-60}{60}\times100=4.88(\%)$$

아이소프로판올의 화학식
- 시성식: $CH_3CHOHCH_3$
- 분자식: C_3H_8O

탐구 확인 문제

> 정답과 해설 129쪽

01 위 실험에서 구한 아이소프로판올의 분자량이 이론값보다 큰 이유로 옳은 것만을 보기에서 있는 대로 고르시오.

보기
ㄱ. 과정 **3**에서 대기압(P_1)이 크게 측정되었다.
ㄴ. 과정 **3**에서 물의 온도(t_1)가 크게 측정되었다.
ㄷ. 과정 **5**에서 둥근바닥 플라스크에 물을 가득 채우지 않고 부피 V_1을 측정하였다.

02 위 실험 과정 **4**에서 플라스크의 표면을 제대로 닦지 않아 질량 w_2가 크게 측정되었다. 다른 과정을 제대로 수행하였다면 실험으로부터 구한 아이소프로판올의 분자량은 이론값보다 클지 작을지 예측하고, 그 이유를 쓰시오.

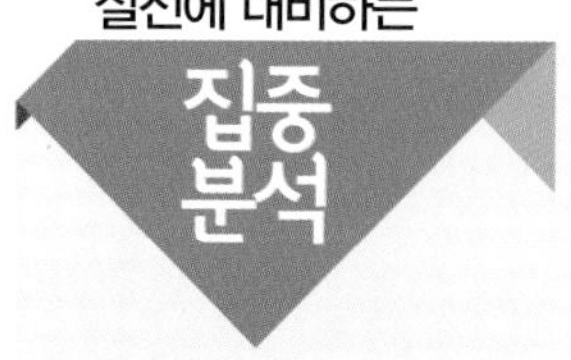

이상 기체 방정식과 그래프

기체는 압력, 양(mol), 온도에 의해 부피가 달라지므로 기체의 성질을 이해할 때 압력, 양(mol), 온도와 부피의 관계를 아는 것이 중요하다. 이상 기체 방정식($PV=nRT$)을 이용하여 압력과 부피, 절대 온도와 부피, 기체의 양(mol)과 부피 등의 그래프를 분석해 보자.

❶ 압력과 부피 그래프

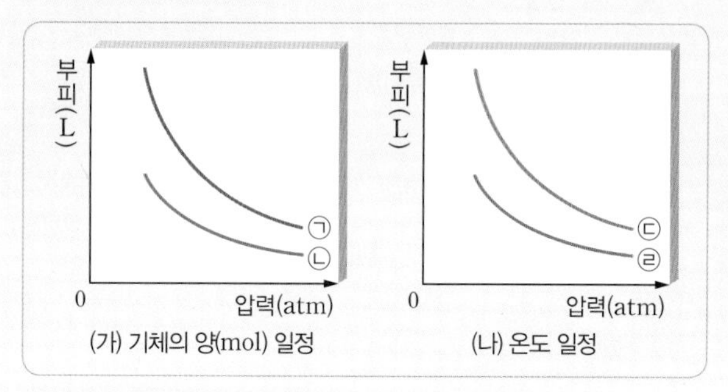

• (가)와 (나)에서 ㉠~㉣은 각각 압력이 증가할수록 부피가 감소한다.

➡ $PV=nRT$에서 P와 V는 반비례 관계이다.

• (가)에서 압력이 같을 때 부피는 ㉠>㉡이다.

➡ $PV=nRT$에서 P, n이 일정하면 V는 T에 비례한다.

➡ 절대 온도는 ㉠>㉡이다.

• (나)에서 압력이 같을 때 부피는 ㉢>㉣이다.

➡ $PV=nRT$에서 P, T가 일정하면 V는 n에 비례한다.

➡ 기체의 양(mol)은 ㉢>㉣이다.

❷ 절대 온도와 부피 그래프

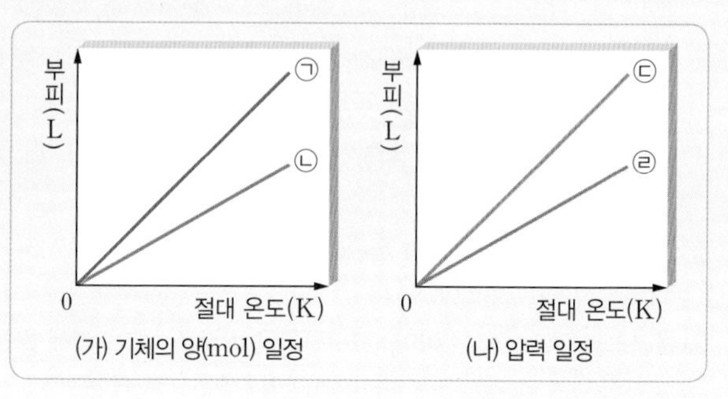

• (가)와 (나)에서 ㉠~㉣은 각각 절대 온도가 증가할수록 부피가 증가한다.

➡ $PV=nRT$에서 V와 T는 비례 관계이다.

• (가)에서 절대 온도가 같을 때 부피는 ㉠>㉡이다.

➡ $PV=nRT$에서 T, n이 일정하면 V는 P에 반비례한다.

➡ 압력은 ㉠<㉡이다.

• (나)에서 절대 온도가 같을 때 부피는 ㉢>㉣이다.

➡ $PV=nRT$에서 T, P가 일정하면 V는 n에 비례한다.

➡ 기체의 양(mol)은 ㉢>㉣이다.

예제

❶ 그림은 T_1 K, T_2 K에서 X(g) n몰의 압력에 따른 부피를 나타낸 것이다.

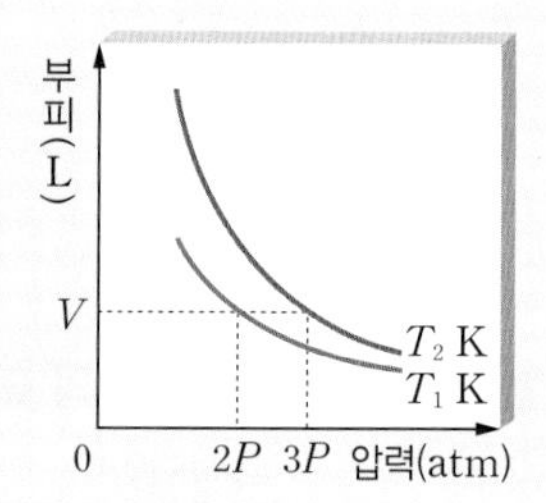

절대 온도비 $T_1 : T_2$를 구하시오.

해설 T_1 K에서 $2PV=nRT_1$이므로 $T_1=\frac{2PV}{nR}$이고, T_2 K에서 $3PV=nRT_2$이므로 $T_2=\frac{3PV}{nR}$이다. 따라서 $T_1 : T_2=2 : 3$이다.

정답 2 : 3

예제

❷ 그림은 P_1기압, P_2기압에서 X(g) n몰의 절대 온도에 따른 부피를 나타낸 것이다.

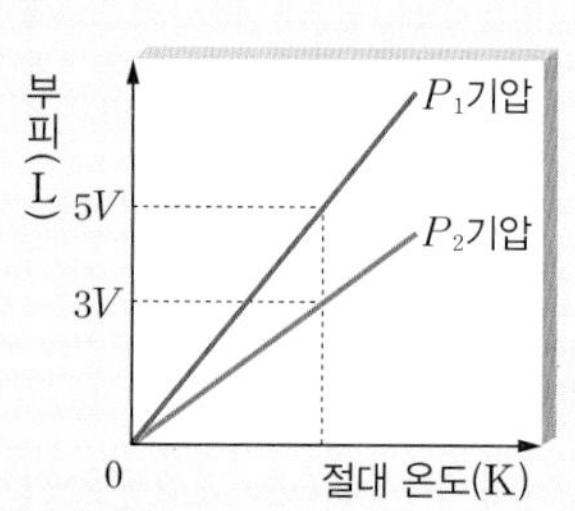

압력비 $P_1 : P_2$를 구하시오.

해설 P_1기압에서 $5P_1V=nRT$이므로 $P_1=\frac{nRT}{5V}$이고, P_2기압에서 $3P_2V=nRT$이므로 $P_2=\frac{nRT}{3V}$이다.

따라서 $P_1 : P_2=\frac{1}{5} : \frac{1}{3}=3 : 5$이다.

정답 3 : 5

③ 기체의 양(mol)과 부피 그래프

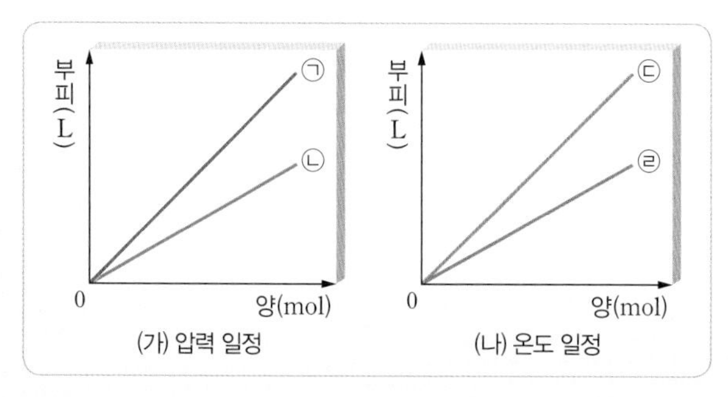

- (가)와 (나)에서 ㉠~㉣은 각각 기체의 양(mol)이 증가할수록 부피가 증가한다. ➡ $PV=nRT$에서 V와 n은 비례 관계이다.
- (가)에서 기체의 양(mol)이 같을 때 부피는 ㉠>㉡이다.

➡ $PV=nRT$에서 n, P가 일정하면 V는 T에 비례한다.

➡ 절대 온도는 ㉠>㉡이다.

- (나)에서 기체의 양(mol)이 같을 때 부피는 ㉢>㉣이다.

➡ $PV=nRT$에서 n, T가 일정하면 V는 P에 반비례한다.

➡ 압력은 ㉢<㉣이다.

예제

③ 그림은 일정한 온도에서 X(g)의 양(mol)에 따른 부피를 나타낸 것이다. (가)와 (나)의 압력비를 구하시오.

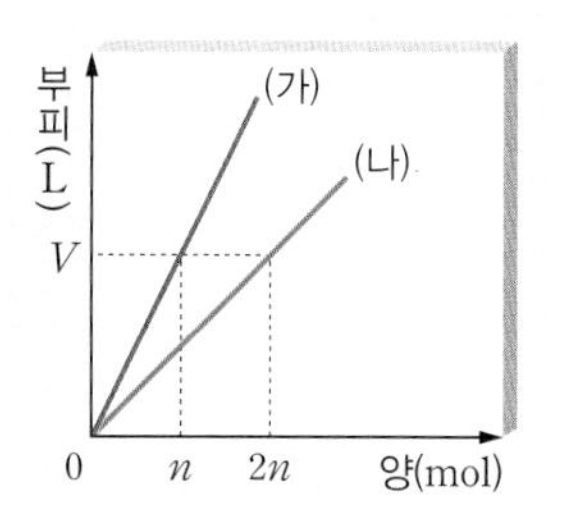

해설 $P=\frac{nRT}{V}$에서 압력은 기체의 양(mol)과 절대 온도에 비례하고, 부피에 반비례한다. (가)와 (나)의 압력비는 (가) : (나)$=\frac{n}{V}:\frac{2n}{V}=1:2$이다.

정답 1 : 2

④ (압력×부피)와 압력, (압력×부피)와 절대 온도 그래프

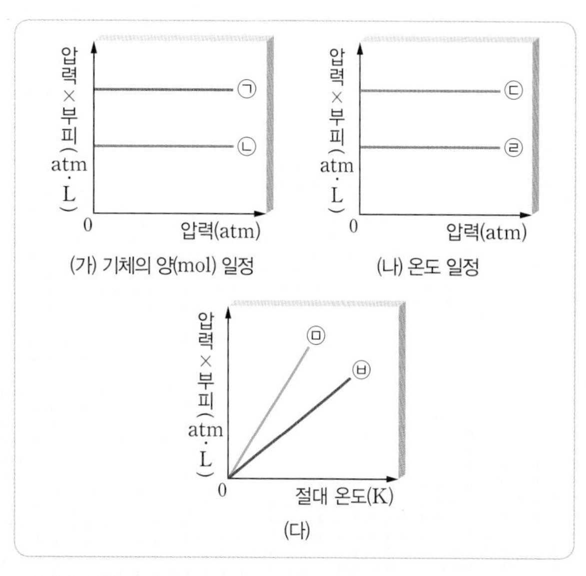

- (가)와 (나)에서 ㉠~㉣은 각각 일정한 값을 가진다.

➡ $PV=nRT$에서 n, T가 일정하면 PV는 일정하다.

- (가)에서 압력이 같을 때 (압력×부피)는 ㉠>㉡이다.

➡ $PV=nRT$에서 P, n이 일정하면 PV는 T에 비례한다.

➡ 절대 온도는 ㉠>㉡이다.

- (나)에서 압력이 같을 때 (압력×부피)는 ㉢>㉣이다.

➡ $PV=nRT$에서 P, T가 일정하면 PV는 n에 비례한다.

➡ 기체의 양(mol)은 ㉢>㉣이다.

- (다)에서 ㉤, ㉥은 절대 온도가 증가할수록 (압력×부피)가 증가한다. ➡ $PV=nRT$에서 PV는 T에 비례한다.
- (다)에서 절대 온도가 같을 때 (압력×부피)는 ㉤>㉥이다.

➡ $PV=nRT$에서 T가 일정하면 PV는 n에 비례한다.

➡ 기체의 양(mol)은 ㉤>㉥이다.

› 정답과 해설 130쪽

유제

그림은 X(g)의 압력에 따른 압력×부피를 나타낸 것이다. (가)와 (나)는 온도가 같고, (가)와 (다)는 기체의 양(mol)이 같다.

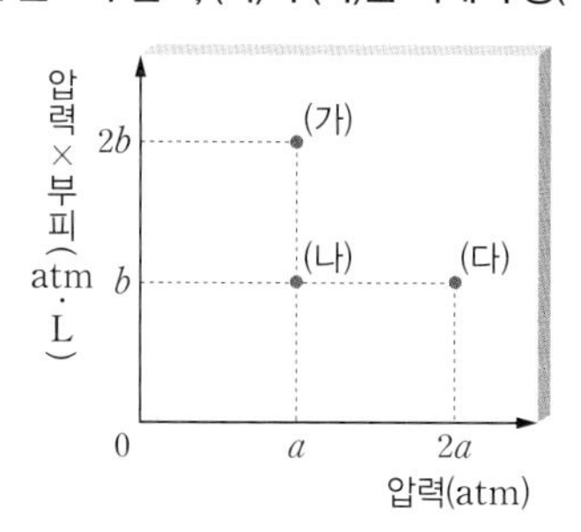

이에 대한 설명으로 옳은 것만을 보기에서 있는 대로 고르시오.

보기

ㄱ. 기체의 양(mol)은 (가)가 (나)보다 크다.

ㄴ. 기체의 온도는 (나)와 (다)가 같다.

ㄷ. 기체의 양(mol)과 온도를 일정하게 유지하면서 (가)의 기체의 압력을 $2a$ atm으로 증가시키면 (압력×부피)는 b atm·L이 된다.

기체 분자의 속도와 그레이엄 법칙

기체 분자들은 무질서한 방향으로 끊임없이 불규칙적으로 움직인다. 이때 기체 분자들은 활발하게 움직이기도 하고 느리게 움직이기도 한다. 기체 분자의 속도에 영향을 미치는 요소를 알아보고, 기체 분자의 속도와 관련된 식을 정리해 보자.

❶ 기체 분자의 속도에 영향을 미치는 요인

(1) **온도와 평균 속도:** 온도가 높아지면 분자의 평균 속도는 증가한다. 기체 분자 운동론의 가정에서 기체의 평균 운동 에너지는 $\frac{1}{2}mv^2=\frac{3}{2}kT$이므로 기체 분자의 평균 속도는 절대 온도의 제곱근에 비례한다. ➡ $v \propto \sqrt{T}$

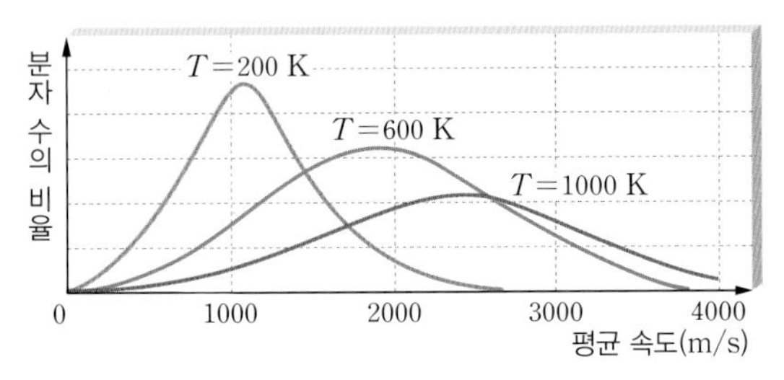

▲ 헬륨 기체의 온도에 따른 분자의 운동 속도 분포

헬륨 기체의 온도에 따른 평균 속도

온도(K)	평균 속도(m/s)
200	1116
600	1934
1000	2496

(2) **기체의 분자량과 평균 속도:** 기체의 분자량이 커지면 기체의 평균 속도는 느려진다. 기체 분자 운동론의 가정에서 기체의 평균 운동 에너지는 $\frac{1}{2}mv^2=\frac{3}{2}kT$이므로 기체 분자의 평균 속도는 분자량의 제곱근에 반비례한다. ➡ $v \propto \frac{1}{\sqrt{M}}$

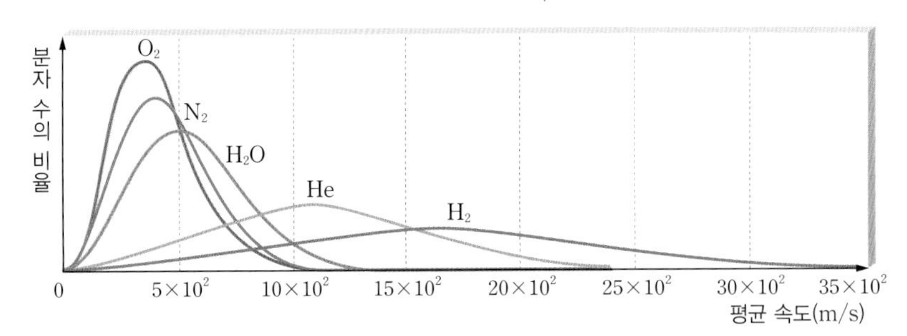

▲ 여러 가지 기체 분자의 운동 속도 분포

확산과 분출
같은 조건에서 한 기체가 다른 기체 속으로 균일하게 퍼져 들어가는 현상을 확산이라 하고, 압력이 높은 밀폐 용기에 들어 있던 기체가 압력이 상대적으로 낮은 공간으로 작은 구멍을 통해 뿜어져 나오는 현상을 분출이라고 한다.

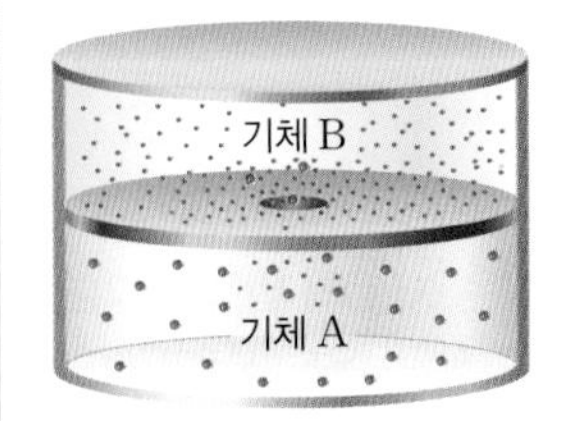

▲ 확산

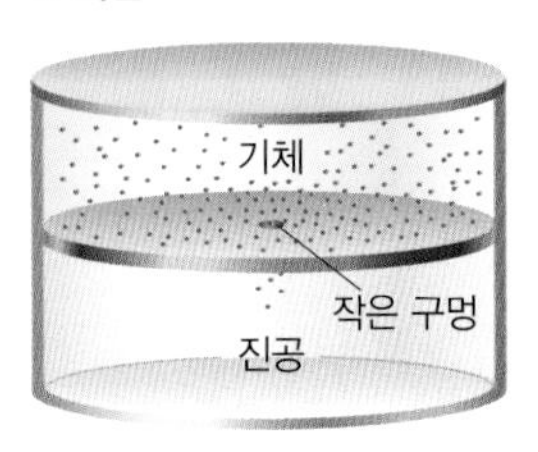

▲ 분출

❷ 기체의 속도와 관련된 식

1831년 영국의 화학자 그레이엄은 여러 가지 기체의 실험을 통해 "같은 온도와 압력에서 두 기체의 확산 속도는 기체의 분자량의 제곱근에 반비례한다."는 사실을 발견하였고, 이것을 그레이엄 법칙이라고 한다. 그레이엄 법칙은 확산과 분출에서 모두 성립한다.

$$\frac{v_A}{v_B}=\sqrt{\frac{M_B}{M_A}}=\sqrt{\frac{d_B}{d_A}}$$

(v_A, v_B: 기체 A, B의 확산 속도
M_A, M_B: 기체 A, B의 분자량
d_A, d_B: 기체 A, B의 밀도)

02 기체

1 기체의 성질

1. **보일 법칙** 온도가 일정할 때 일정량의 기체의 부피는 (❶)에 반비례한다.
   ➡ $P_1V_1=P_2V_2$
2. **샤를 법칙** (❷)이 일정할 때 일정량의 기체의 부피는 절대 온도에 비례한다.
   ➡ $\dfrac{V_1}{T_1}=\dfrac{V_2}{T_2}$
3. **보일·샤를 법칙** 일정량의 기체의 부피는 압력에 반비례하고 절대 온도에 (❸)한다.
   ➡ $\dfrac{P_1V_1}{T_1}=\dfrac{P_2V_2}{T_2}$
4. **아보가드로 법칙** 온도와 압력이 일정할 때 기체 분자의 양(mol)이 (❹)하면 부피가 커진다.
5. **이상 기체 방정식** n mol의 기체에서 다음과 같은 관계식이 성립한다.

$PV=nRT$ (P: 기체의 압력(atm), V: 기체의 부피(L), n: 기체의 양(mol), R: 기체 상수(0.082 atm·L/(mol·K)), T: 절대 온도(K))

V
T는 일정
P
PV
T는 일정
P 또는 V

▲ 보일 법칙

부피(L)
P는 일정
20
10
V_0
$2V_0$
−273
0
273(℃)
V
P는 일정
T

▲ 샤를 법칙

2 기체 분자 운동론

1. **기체 분자 운동론** 기체 분자의 자유로운 열운동을 토대로 기체의 성질을 설명하는 이론이다.
   - 기체 분자 운동론의 가정: 기체 분자의 크기를 무시하고 기체 분자 사이에 작용하는 (❺)과 반발력을 무시한다. 기체 분자의 평균 운동 에너지는 (❻)에만 비례한다.
2. **이상 기체와 실제 기체** (❼)는 이상 기체 방정식이 정확하게 적용되지만, (❽)는 이상 기체 방정식이 정확하게 적용되지 않는다.

3 혼합 기체의 부분 압력

1. **부분 압력** 서로 반응하지 않는 두 종류 이상의 기체가 혼합되어 있을 때 각 성분 기체의 압력이다.
2. **돌턴의 부분 압력 법칙** 서로 반응하지 않는 여러 가지 기체가 섞여 있을 때 혼합 기체의 전체 압력은 각 성분 기체의 (❾)의 합과 같다.
3. **몰 분율** 혼합 기체에서 성분 기체의 양(mol)을 전체 기체의 양(mol)으로 나눈 값이다.
4. **부분 압력과 몰 분율** 혼합 기체에서 각 성분 기체의 부분 압력은 그 기체의 양(mol)에 비례한다. 혼합 기체에서 각 성분 기체의 부분 압력은 (❿)에 그 성분 기체의 몰 분율을 곱한 값과 같다.

$$P_A=P_T\times\frac{n_A}{n_A+n_B}=P_T\times X_A,\ P_B=P_T\times\frac{n_B}{n_A+n_B}=P_T\times X_B$$

(P_T: 전체 압력, P_A, P_B: 성분 기체의 부분 압력, n_A, n_B: 성분 기체의 양(mol), X_A, X_B: 성분 기체의 몰 분율)

01 다음은 보일 법칙, 샤를 법칙, 아보가드로 법칙 중 하나의 법칙과 관련된 내용이다. 내용과 관련된 법칙을 쓰시오.

(1) 온도가 일정할 때 일정량의 기체의 부피와 압력은 반비례 관계이다.

(2) 압력이 일정할 때 일정량의 기체는 $\frac{\text{부피}}{\text{절대 온도}}$값이 일정하다.

(3) 일정한 온도와 압력에서 기체의 부피는 기체의 양(몰)에 비례하여 증가한다.

02 다음은 우리 주변에서 일어나는 현상이다. 보일 법칙, 샤를 법칙, 아보가드로 법칙 중 각 현상과 가장 관계있는 법칙을 쓰시오.

(1) 풍선에 바람을 불어 넣으면 풍선의 크기가 커진다.

(2) 찌그러진 탁구공을 끓는 물에 넣으면 탁구공이 다시 펴진다.

(3) 잠수부가 호흡할 때 내뿜는 기포의 크기는 수면으로 올라갈수록 커진다.

03 25 °C, 1기압에서 부피가 5.0 L인 산소 기체를 같은 온도에서 압력을 1.25기압으로 높였을 때 산소 기체의 부피는 얼마인지 구하시오.

04 표는 일정량의 기체 X의 온도와 압력에 따른 부피를 나타낸 것이다.

실험	온도(K)	압력(기압)	부피(L)
Ⅰ	273	0.5	4.8
Ⅱ	546	㉠	9.6
Ⅲ	546	1	㉡

㉠×㉡의 값을 쓰시오.

05 그림은 25 °C, 1기압에서 실린더에 $X(g)$를 넣은 후 피스톤에 1기압에 해당하는 추를 올려놓았을 때의 모습을 나타낸 것이다.

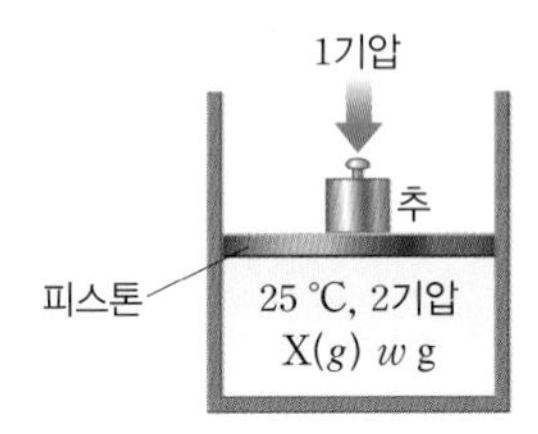

기체의 부피를 2배로 만들 수 있는 방법으로 옳은 것만을 보기에서 있는 대로 고르시오. (단, 피스톤의 질량과 마찰은 무시한다.)

보기
ㄱ. 온도를 일정하게 유지하면서 추를 제거한다.
ㄴ. 압력을 일정하게 유지하면서 기체의 온도를 50 °C로 높여준다.
ㄷ. 온도와 압력을 일정하게 유지하면서 실린더 속에 $X(g)$ w g을 더 넣어 준다.

06 같은 온도에서 그림과 같은 조건의 3가지 기체 X_2, Y_2, ZX_2의 질량을 측정하였다. (단, X~Z는 임의의 원소 기호이다.)

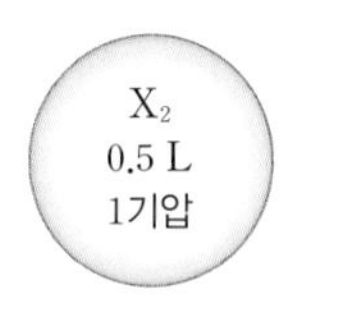

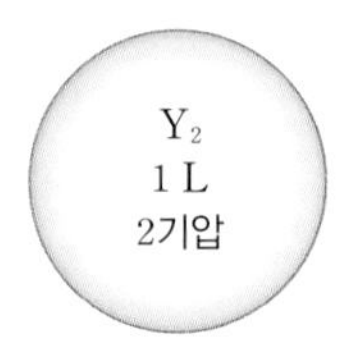

기체의 종류에 따라 측정된 질량은 표와 같았다.

기체의 종류	X_2	Y_2	ZX_2
기체의 질량(g)	0.64	0.16	0.88

(1) Y_2 분자 수 : ZX_2 분자 수를 구하시오.

(2) X_2 분자량 : Y_2 분자량을 구하시오.

07 다음은 기체 분자 운동론에 대한 내용이다.

(가) 기체 분자들은 다양한 속력 분포를 가지고 무질서한 방향으로 끊임없이 불규칙적인 운동을 하고 있다.
(나) 기체 분자 사이에는 인력이나 반발력이 작용한다.
(다) 기체 분자 자체의 크기는 기체가 차지하는 전체 부피에 비하여 무시할 수 있을 정도로 작다.
(라) 기체 분자의 평균 운동 에너지는 절대 온도와 분자량에 영향을 받는다.

(가)~(라) 중 잘못된 내용을 찾아 옳게 고쳐 쓰시오.

08 그림 (가)는 실린더에 A(g)가 들어 있는 것을, (나)는 (가)의 피스톤에 추를 올려놓았을 때의 모습을 나타낸 것이다.

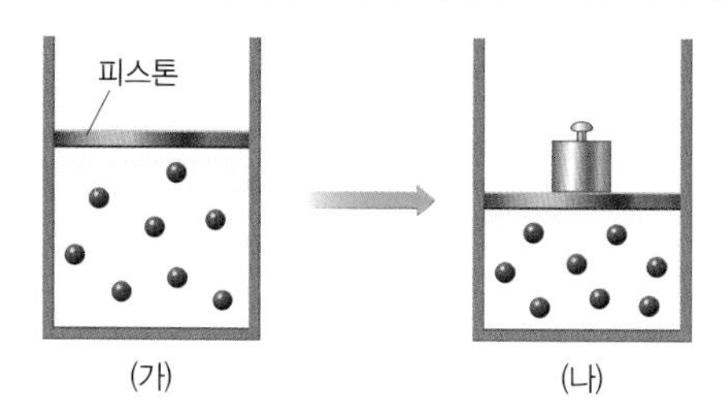

(나) 실린더 속 기체가 (가) 실린더 속 기체보다 큰 값을 가지는 것만을 보기에서 있는 대로 고르시오.(단, 온도는 일정하고, 피스톤의 질량과 마찰은 무시한다.)

보기
ㄱ. 분자 수
ㄴ. 압력
ㄷ. 운동 속도
ㄹ. 일정한 시간 동안 충돌 횟수

09 실제 기체에 대한 설명으로 옳은 것만을 보기에서 있는 대로 고르시오.

보기
ㄱ. 분자량이 작을수록 이상 기체에 가까워진다.
ㄴ. 온도가 높을수록 이상 기체에 가까워진다.
ㄷ. 높은 압력에서 $\frac{PV}{RT}$ 값은 이상 기체보다 커진다.

10 그림과 같이 1.5 L의 용기에 드라이아이스를 넣고 t초가 지났을 때 용기의 입구를 마개로 막았다. t초 후 용기에는 이산화 탄소 기체만 들어 있고, 이산화 탄소 기체의 온도와 압력은 각각 27 ℃, 1.23기압이다.

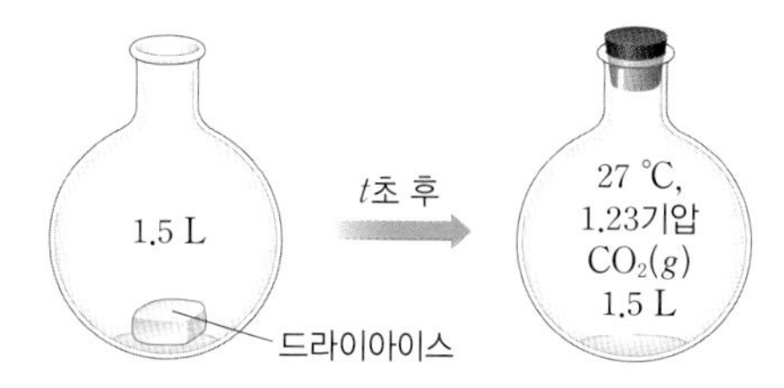

t초 후 용기 속 이산화 탄소 기체의 양(몰)을 구하시오.(단, 기체 상수 R=0.082 atm·L/(mol·K)이다.)

11 그림은 꼭지로 연결된 용기에 각각 질소 기체와 헬륨 기체가 들어 있는 것을 나타낸 것이다.

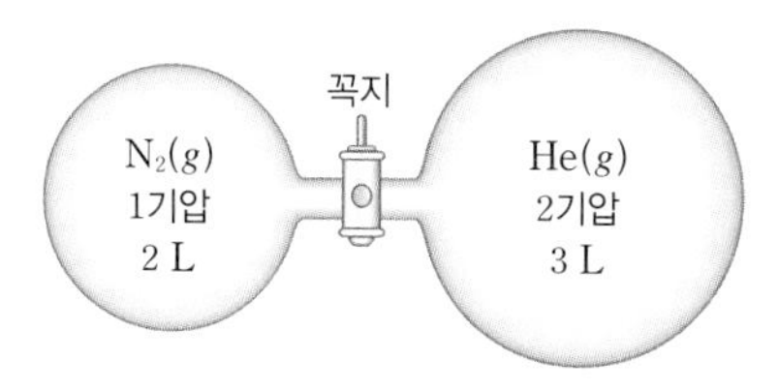

꼭지를 열어 충분한 시간이 흘렀을 때, 다음 물음에 답하시오. (단, 온도는 일정하고, 연결관의 부피는 무시한다.)

(1) 용기 속 기체의 압력은 얼마인지 구하시오.
(2) 헬륨 기체의 몰 분율은 얼마인지 구하시오.

정답과 해설 131쪽

01

기체의 압력

그림은 기체 A와 B가 용기에 들어 있는 모습을 나타낸 것이다.

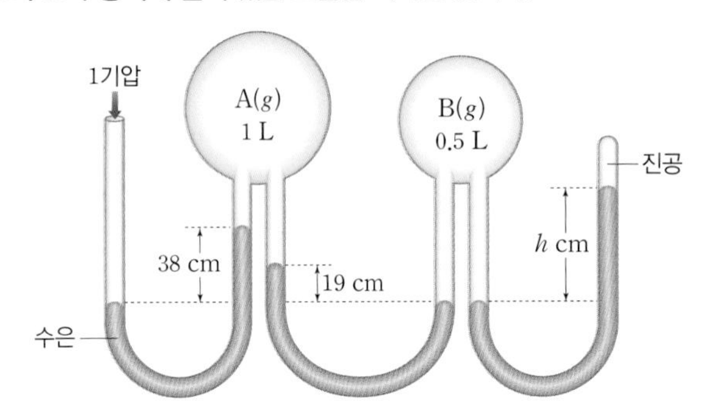

이에 대한 설명으로 옳은 것만을 보기에서 있는 대로 고른 것은? (단, 온도는 일정하고, 대기압은 76 cmHg이며, 연결관의 부피는 무시한다.)

보기

ㄱ. A(g)의 압력은 0.5기압이다.

ㄴ. 용기 속 기체 분자 수는 B(g)가 A(g)의 $\frac{1}{2}$이다.

ㄷ. $h=57$이다.

① ㄱ ② ㄴ ③ ㄱ, ㄷ ④ ㄴ, ㄷ ⑤ ㄱ, ㄴ, ㄷ

- 수은 기둥의 높이가 76 cm일 때 1기압에 해당되고, 38 cm일 때 0.5기압에 해당된다.

02

샤를 법칙

그림은 일정한 압력에서 질량이 같은 기체 A와 B의 온도에 따른 부피를 나타낸 것이다.

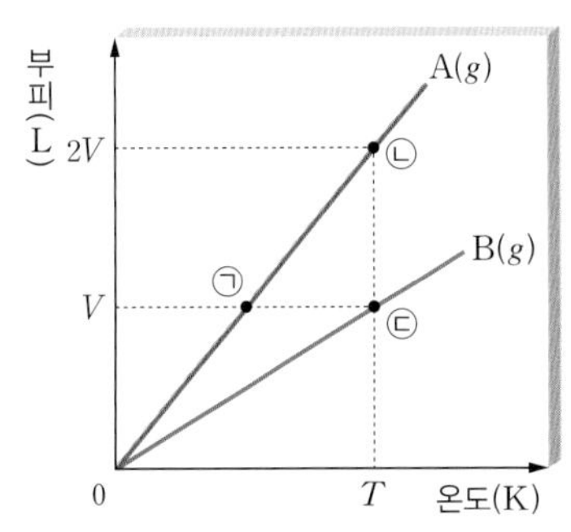

이에 대한 설명으로 옳은 것만을 보기에서 있는 대로 고른 것은?

보기

ㄱ. 분자량은 B가 A보다 크다.

ㄴ. 기체의 밀도는 ㉠이 ㉢보다 크다.

ㄷ. 기체 분자의 운동 에너지는 ㉢이 ㉡보다 크다.

① ㄱ ② ㄴ ③ ㄷ ④ ㄱ, ㄴ ⑤ ㄱ, ㄷ

- 기체의 밀도는 $\frac{질량}{부피}$이고, 이상 기체 방정식에서 기체의 압력 $P=\frac{nRT}{V}$이다.

03

> 보일 법칙

그림 (가)는 t ℃, 1기압에서 실린더에 X(g)를 넣은 것을, (나)는 (가)의 피스톤에 추 3개를 올려놓았을 때의 모습을 나타낸 것이다.

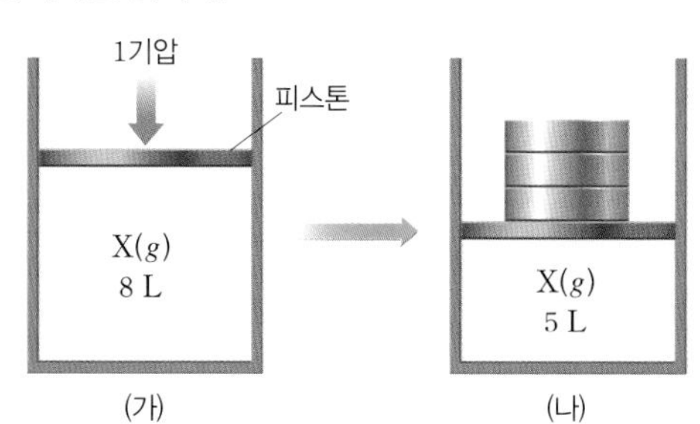

(가)의 피스톤에 추 1개를 올려놓을 때 X(g)의 부피는? (단, 온도와 대기압은 일정하고, 피스톤의 질량과 마찰은 무시한다.)

① 6 L ② $\frac{20}{3}$ L ③ 7 L ④ $\frac{22}{3}$ L ⑤ 8 L

- 피스톤에 추를 올려놓은 경우 실린더 속 기체의 압력은 (대기압+추가 누르는 압력)이다.

04

> 샤를 법칙과 끓는점

그림은 일정량의 X의 온도에 따른 부피를 나타낸 것이다.

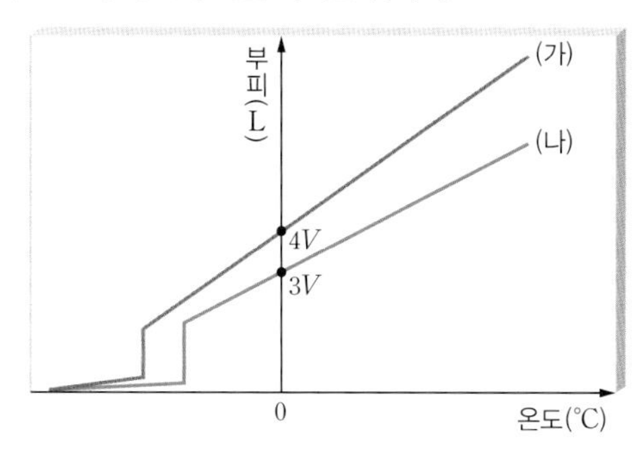

이에 대한 설명으로 옳은 것만을 보기에서 있는 대로 고른 것은?

보기

ㄱ. X(g)의 압력은 (가)에서가 (나)에서보다 크다.
ㄴ. 끓는점은 (나)에서가 (가)에서보다 높다.
ㄷ. (나)에서 X(g)의 부피가 $4V$ L일 때 기체의 온도는 91 ℃이다.

① ㄱ ② ㄴ ③ ㄱ, ㄷ ④ ㄴ, ㄷ ⑤ ㄱ, ㄴ, ㄷ

- 기체의 온도를 낮추면 끓는점에서 기체는 액체로 상태 변화한다. 일정량의 기체는 온도-부피 그래프가 압력에 따라 다르게 나타난다.

고난도

05

> 보일 법칙과 샤를 법칙

그림 (가)는 실린더에 기체 X를 넣은 것을, (나)는 (가)에서 기체의 온도를 높인 것을, (다)는 (나)에서 피스톤 위에 추를 올려놓은 것을 나타낸 것이다.

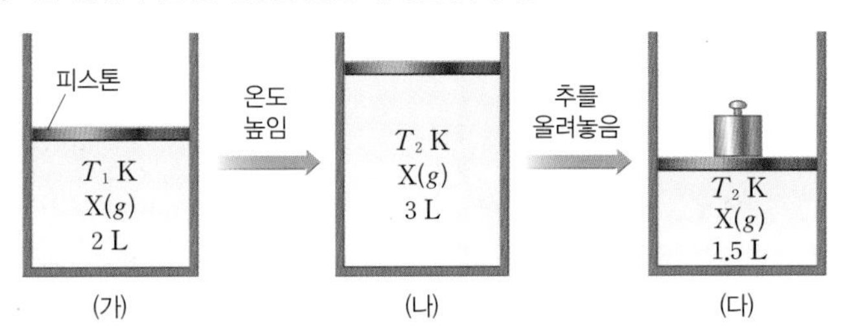

이에 대한 설명으로 옳은 것만을 보기에서 있는 대로 고른 것은? (단, 피스톤의 질량과 마찰은 무시한다.)

보기
ㄱ. 기체의 밀도는 (나)에서가 (가)에서보다 크다.
ㄴ. 기체 분자의 평균 운동 에너지의 비는 (가) : (다)=2 : 3이다.
ㄷ. 단위 시간당 기체 분자의 충돌 횟수는 (나)와 (다)에서 같다.

① ㄱ ② ㄴ ③ ㄱ, ㄷ ④ ㄴ, ㄷ ⑤ ㄱ, ㄴ, ㄷ

• 분자의 평균 운동 에너지는 절대 온도에만 비례하고, 분자의 운동 속도가 같을 경우 충돌 횟수가 클수록 압력이 크다.

06

> 보일 법칙과 샤를 법칙

그림 (가)는 기체 X n몰의 압력에 따른 부피를, (나)는 P기압에서 기체 X의 절대 온도에 따른 부피를 나타낸 것이다. ㉡에서 기체의 온도는 T K이다.

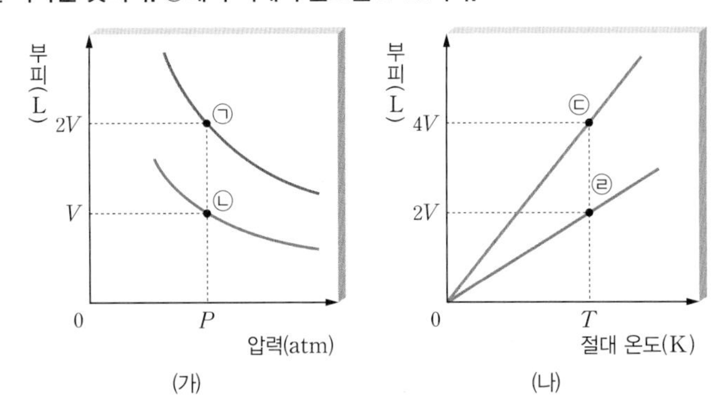

이에 대한 설명으로 옳은 것만을 보기에서 있는 대로 고른 것은?

보기
ㄱ. ㉠에서 기체의 온도는 $2T$ K이다.
ㄴ. ㉡에서 기체의 온도를 $2T$ K으로 높인 기체의 부피는 ㉣에서 기체의 양(몰)이 절반인 기체의 부피와 같다.
ㄷ. 기체의 양(몰)은 ㉢이 ㉠의 4배이다.

① ㄱ ② ㄷ ③ ㄱ, ㄴ ④ ㄱ, ㄷ ⑤ ㄴ, ㄷ

• 일정량의 기체는 압력 - 부피 그래프가 온도에 따라 다르게 나타나고, 일정한 압력에서 기체는 온도 - 부피 그래프가 기체의 양(몰)에 따라 다르게 나타난다.

07

› 기체의 분자량 측정

다음은 이산화 탄소의 분자량을 측정하는 실험이다.

[실험 과정]

(가) 실험실의 온도 T와 기압 P를 측정한다.

(나) 마개를 막은 빈 페트병의 질량 w_1을 측정한다.

(다) 페트병의 마개를 열어 드라이아이스를 한 숟가락 정도 넣은 후, 드라이아이스가 모두 없어지면 마개로 막는다.

(라) 페트병 표면의 물방울을 닦아낸 후, 질량 w_2를 측정한다.

(마) 페트병에 물을 가득 채운 후, 눈금실린더를 이용하여 물의 부피 V를 측정한다.

(바) 온도 T, 기압 P에서 공기의 밀도 d(g/L)를 구한다.

[실험 결과]

T(K)	P(기압)	d(g/L)	w_1(g)	w_2(g)	V(L)
300	1	a	b	c	1

이 실험으로부터 구한 이산화 탄소의 분자량은? (단, 기체 상수는 R이다.)

① (c−b+a)×300R　② (c−b+2a)×300R　③ (c−b−a)×300R

④ (b−c+a)×300R　⑤ (b−c−a)×300R

• 빈 페트병의 질량은 (페트병에 들어 있는 공기의 질량+페트병 자체의 질량)이고, 이산화 탄소가 들어 있는 페트병의 질량은 (페트병에 들어 있는 이산화 탄소의 질량+페트병 자체의 질량)이다.

08

› 이상 기체 방정식

그림은 2개의 용기에 같은 압력의 기체 X와 Y가 각각 들어 있는 것을 나타낸 것이다. X와 Y의 분자량은 각각 4, 20이다.

X(g)와 Y(g)의 절대 온도비는?

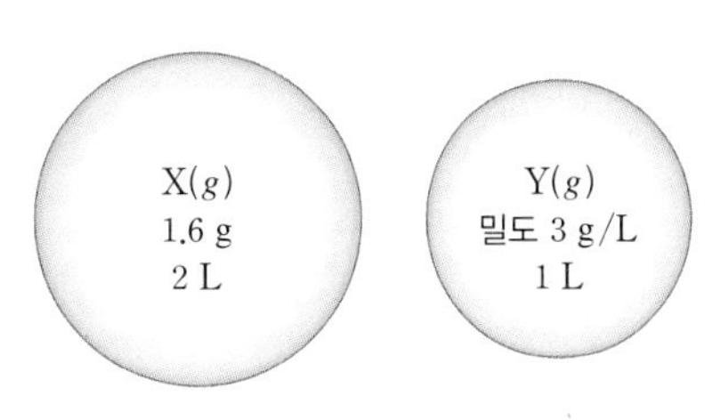

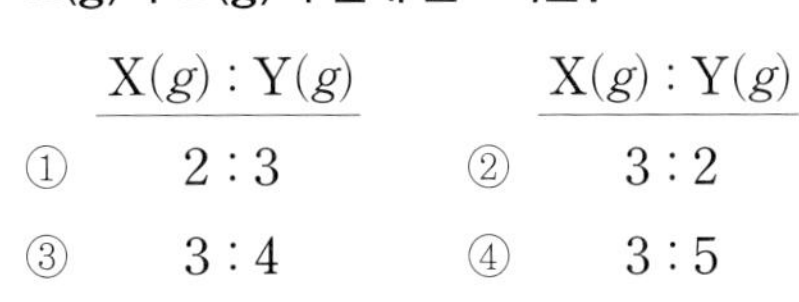

	X(g) : Y(g)		X(g) : Y(g)
①	2 : 3	②	3 : 2
③	3 : 4	④	3 : 5
⑤	4 : 3		

• 이상 기체 방정식은 $PV=nRT=\frac{w}{M}RT$이고, 이 식을 변형하면 $PM=dRT$이다.

09 > 부분 압력 법칙

그림은 꼭지로 연결된 용기에 기체 A와 B를 넣은 것을 나타낸 것이다.

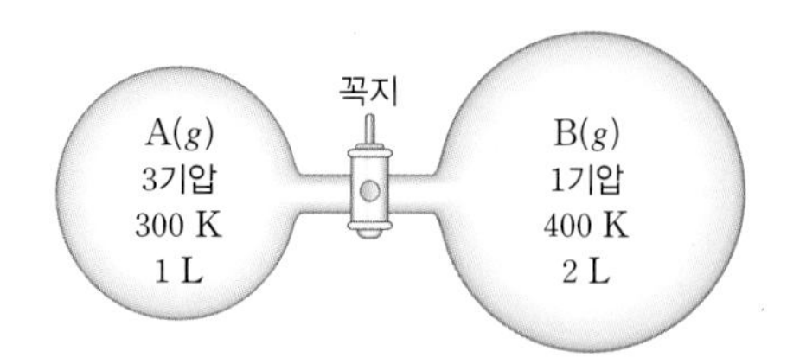

꼭지를 열어 A(g)와 B(g)를 혼합한 후 기체의 온도를 400 K으로 유지하였을 때, 용기 속 기체의 압력은? (단, A(g)와 B(g)는 서로 반응하지 않으며, 연결관의 부피는 무시한다.)

① 1기압 ② $\frac{3}{2}$기압 ③ 2기압 ④ $\frac{5}{2}$기압 ⑤ 3기압

• 기체의 양(몰) $n=\frac{PV}{RT}$이고, 두 기체를 혼합하였을 때 전체 기체의 양(몰)은 두 기체의 양(몰)의 합과 같다.

고난도

10 > 부분 압력 법칙

그림 (가)는 피스톤으로 구분된 실린더에 기체 X와 Y를 각각 넣은 것을, (나)는 (가)에서 왼쪽 실린더에 기체 Y를 추가로 넣은 것을 나타낸 것이다.

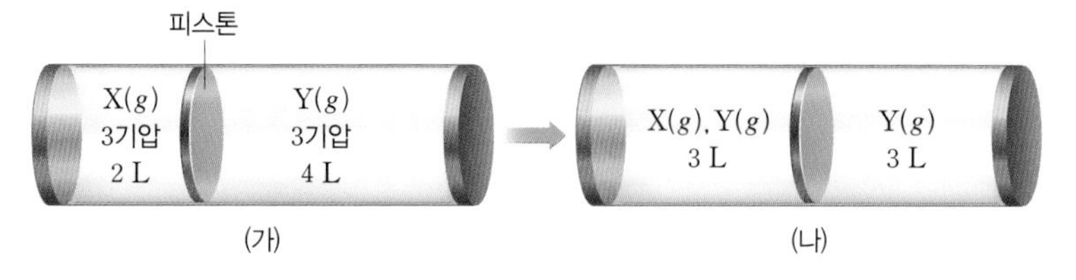

이에 대한 설명으로 옳은 것만을 보기에서 있는 대로 고른 것은? (단, X(g)와 Y(g)는 서로 반응하지 않고, 온도는 일정하며, 피스톤의 마찰은 무시한다.)

보기

ㄱ. (가)에서 기체 분자 수비는 X : Y=1 : 2이다.

ㄴ. (나)에서 오른쪽 실린더에 들어 있는 기체의 압력은 4기압이다.

ㄷ. (나)의 왼쪽 실린더에서 X(g)의 부분 압력은 2기압이다.

① ㄱ ② ㄴ ③ ㄱ, ㄷ ④ ㄴ, ㄷ ⑤ ㄱ, ㄴ, ㄷ

• 피스톤이 고정되어 있지 않은 경우에는 피스톤 양쪽 기체의 압력이 같고, 온도가 일정한 경우 기체의 양(몰)은 (압력×부피)에 비례한다.

고난도

11

> 화학 반응과 기체의 성질

다음은 기체 A와 B가 반응하여 기체 C를 생성하는 반응의 화학 반응식이다.

$$2A(g) + B(g) \longrightarrow 2C(g)$$

그림은 용기와 실린더에 A(*g*)와 B(*g*)를 넣은 것을 나타낸 것이다.

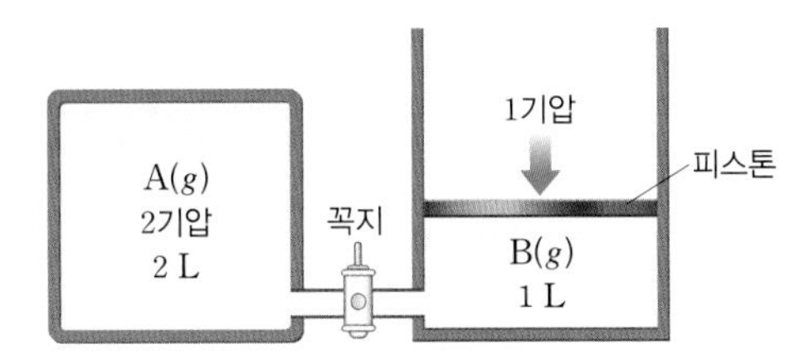

꼭지를 열고 A(*g*)와 B(*g*)의 반응을 완결시킨 후 충분한 시간이 지났을 때 실린더의 부피는? (단, 온도와 대기압은 일정하고, 피스톤의 질량과 마찰, 연결관의 부피는 무시한다.)

① 1 L　② 2 L　③ 2.5 L　④ 3 L　⑤ 4 L

• 용기의 부피는 변하지 않고 피스톤의 위치에 따라 실린더의 부피가 변한다.

고난도

12

> 몰 분율과 부분 압력

다음은 기체 A와 B가 반응하여 기체 C를 생성하는 반응의 화학 반응식이다.

$$A(g) + 2B(g) \longrightarrow C(g)$$

그림은 피스톤으로 나뉘어진 실린더 (가)와 (나)에 각각 기체 A와 B를 넣은 것을, 표는 (가)와 (나)에서 반응을 완결시킨 후 기체에 대한 자료를 나타낸 것이다.

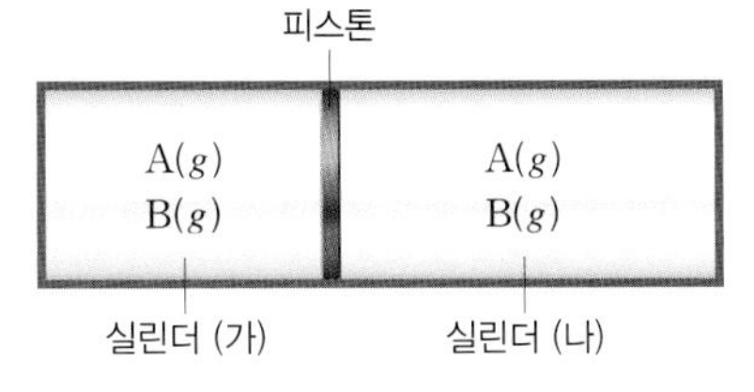

실린더	(가)	(나)
A(*g*)의 몰 분율	$\frac{1}{2}$	$\frac{2}{3}$
A(*g*)의 양(몰)	n	$2n$

이에 대한 설명으로 옳은 것만을 보기에서 있는 대로 고른 것은? (단, B(*g*)는 모두 반응하였고, 온도는 일정하며, 피스톤의 마찰은 무시한다.)

보기

ㄱ. 반응 후 실린더 속 기체의 부피비는 (가) : (나)=2 : 3이다.

ㄴ. 반응 전 B(*g*)의 질량은 실린더 (나)에서가 (가)에서보다 크다.

ㄷ. 실린더 (나)에서 기체의 압력은 반응 전이 반응 후의 $\frac{9}{5}$배이다.

① ㄱ　② ㄷ　③ ㄱ, ㄴ　④ ㄱ, ㄷ　⑤ ㄴ, ㄷ

• 기체 A의 몰 분율은 $\frac{\text{기체 A의 양(몰)}}{\text{전체 기체의 양(몰)}}$이고, 각 기체의 부분 압력은 (전체 압력×기체의 몰 분율)이다.

03 액체와 고체

학습 Point 물의 구조와 수소 결합 〉 증기 압력과 끓는점 〉 화학 결합에 따른 고체의 종류 〉 고체의 결정 구조

1 물

지구 표면의 70 % 이상은 물로 덮여 있고, 우리 몸의 70 % 정도는 물로 이루어져 있다. 이처럼 물은 우리 생활에서 매우 중요하다. 특히 사람은 몸속 수분이 1~2 % 정도 모자라면 갈증을 느끼고 20 % 이상 부족하면 목숨을 잃을 수 있다.

1. 물 분자의 구조와 수소 결합

(1) **물 분자의 구조와 극성:** 물 분자는 수소 원자 2개와 산소 원자 1개가 결합하여 결합각이 104.5°인 굽은 형 구조를 이룬다. 전기 음성도는 산소 원자가 수소 원자보다 크므로 산소 원자 쪽은 부분적인 음전하(δ^-)를 띠고, 수소 원자 쪽은 부분적인 양전하(δ^+)를 띤다.

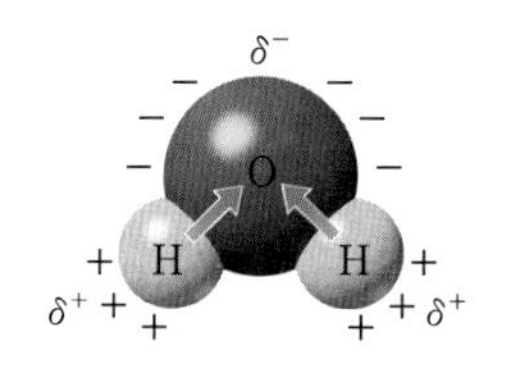

▲ 물 분자의 극성

(2) **수소 결합:** 물 분자의 수소 원자와 다른 물 분자의 산소 원자 사이에는 수소 결합이 형성되므로 물 분자 사이의 인력은 다른 분자 사이에 작용하는 인력보다 매우 강하다. 따라서 물 분자 사이의 인력을 이겨내기 위해서는 많은 에너지가 필요하다. 물이 나타내는 독특한 성질의 대부분은 물 분자 사이의 수소 결합에 의한 것이다.

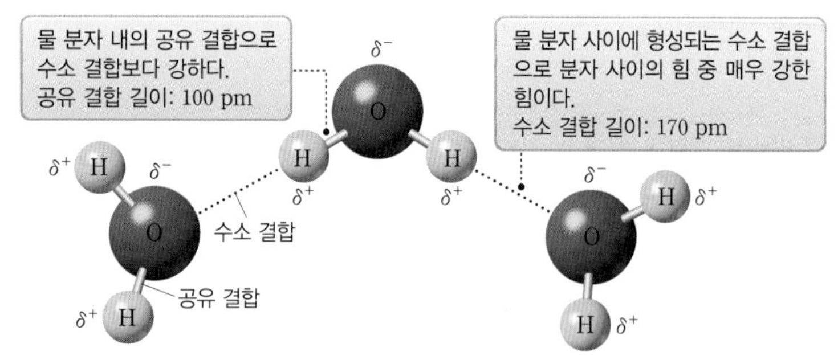

▲ 물 분자 사이의 수소 결합

수소 결합과 공유 결합

O−H 공유 결합 길이보다 수소 결합 길이가 더 긴 것은 수소 결합력이 공유 결합력의 $\frac{1}{10}$ 정도로 약하기 때문이다. 수소 결합은 분자 사이에 작용하는 힘 중에서는 강하지만 원자 사이의 화학 결합인 공유 결합보다는 훨씬 약하다.

2. 수소 결합에 의한 물의 특성

탐구 064쪽 집중 분석 065~066쪽

(1) **녹는점과 끓는점:** 고체가 액체로 되거나 액체가 기체로 될 때는 분자 사이의 인력을 이겨내야 한다. 분자 사이의 인력이 클수록 분자 사이의 인력을 이겨내는 데 많은 열에너지가 필요하므로 녹는점과 끓는점이 높아진다. 물은 수소 결합을 하여 분자 사이의 인력이 매우 강하므로 분자량이 비슷한 다른 물질에 비해 녹는점과 끓는점이 높다.

몇 가지 물질의 녹는점과 끓는점

화합물	분자량	녹는점(℃)	끓는점(℃)
메테인(CH_4)	16	−182	−164
암모니아(NH_3)	17	−78	−33
물(H_2O)	18	0	100
플루오린화 수소(HF)	20	−38	19
황화 수소(H_2S)	34	−86	−60
염화 수소(HCl)	36.5	−114	−85

(2) **융해열과 기화열:** 고체에서 액체로 상태 변화할 때 필요한 열을 융해열이라 하고, 액체에서 기체로 상태 변화할 때 필요한 열을 기화열이라고 한다. 융해와 기화가 일어날 때는 분자 사이의 인력을 이겨내는 데 열에너지가 사용되므로 온도가 올라가지 않는다. 분자 사이의 인력이 클수록 융해열과 기화열이 크므로 물은 융해열과 기화열이 크다. 물의 융해열은 약 336 J/g, 기화열은 약 2268 J/g이고, 기화열이 융해열의 약 7배이다.

융해와 기화
- 융해: 고체에서 액체로의 상태 변화
- 기화: 액체에서 기체로의 상태 변화

(3) **밀도**

① **물의 부피와 밀도 변화:** 물은 일반적인 물질과는 다르게 고체 상태에서 수소 결합에 의해 빈 공간이 많은 육각형 고리 구조를 가지기 때문에 예외적으로 부피가 액체 < 고체 < 기체 순으로, 액체 상태보다 고체 상태의 부피가 더 크다. 즉, 0 ℃ 물이 얼어 얼음이 되면 부피가 증가하고, 반대로 얼음이 녹아 물이 되면 부피가 감소한다. 0 ℃ 물이 4 ℃가 될 때까지 물의 부피는 감소하여 4 ℃에서 최소가 되며, 물의 밀도는 4 ℃일 때 1 g/cm^{3}로 최대가 된다. 실제로 0 ℃에서 물의 밀도는 0.99987 g/cm^{3}이고, 얼음의 밀도는 0.9167 g/cm^{3}이다.

물을 제외한 다른 물질의 부피와 밀도 변화
대부분의 물질은 액체에서 고체로 상태 변화할 때 분자 운동이 느려지고 분자 사이의 인력이 커진다. 고체 상태에서 분자들은 액체 상태에서보다 더 빽빽하게 밀집하게 되므로 부피는 약간 감소하고 밀도는 약간 증가한다.

시선 집중 ★ 온도에 따른 물의 부피와 밀도 변화

❶ 그림은 온도에 따른 물 1 g의 부피와 밀도를 각각 나타낸 것이다.

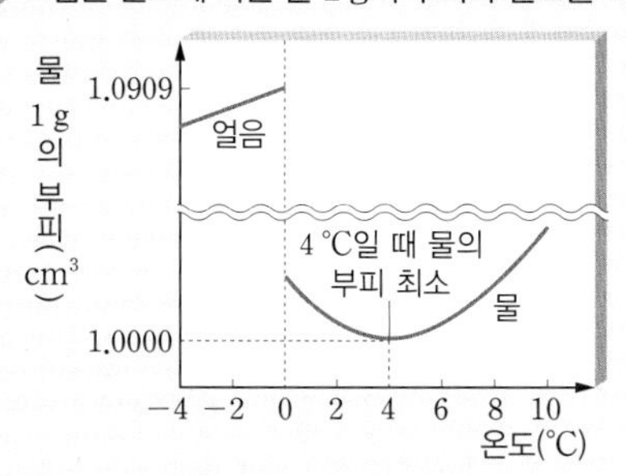

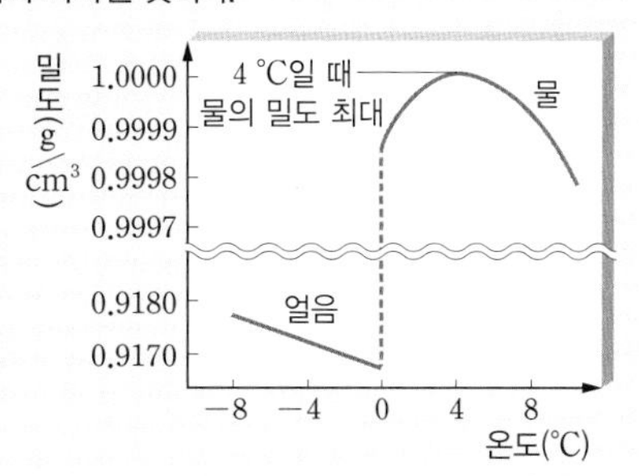

❷ 물은 액체에서 고체로 상태가 변하면 부피가 증가하므로 밀도가 작아진다. 또, 온도가 4 ℃보다 더 높아지면 분자 운동이 활발해져서 열팽창에 의해 부피가 증가하므로 밀도가 작아진다. 따라서 물은 4 ℃에서 부피가 가장 작고, 밀도가 가장 크다.

② **물이 얼 때 부피가 증가하는 이유:** 액체 상태에서 물 분자 중의 일부는 수소 결합에 의해 응집해 있고, 일부는 따로따로 떨어져 있다. 그런데 온도가 0 ℃에 이르러 물이 얼면, 물 분자의 운동이 느려지므로 물 분자 사이의 거리가 가까워지게 된다. 따라서 물 분자들이 규칙적으로 배열하여 수소 결합에 의해 육각 고리 모양의 결정을 이루므로 빈 공간이 생긴다. 이 육각 고리 사이에 생기는 공간 때문에 얼음의 부피가 증가하게 된다. 또한 얼음이 녹아 물이 되면 수소 결합의 일부가 끊어지면서 육각 고리가 깨져 빈 공간이 줄어들게 되므로 부피가 감소하게 된다. 실제로 25 ℃에서 15 % 정도의 수소 결합이 끊어진다.

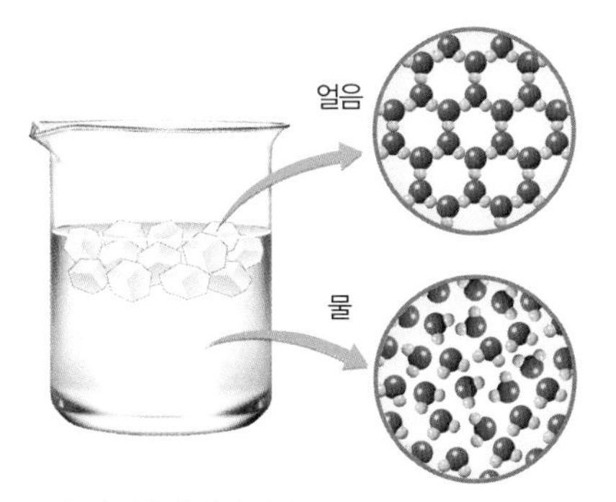

▲ 물과 얼음의 분자 배열

눈 결정
물의 수소 결합에 의해 생성되는 육각 고리 모양의 결정은 눈송이의 육각 대칭 모양의 기초가 된다.

③ 물이 얼 때의 부피와 밀도 변화로 인해 나타나는 현상

• 빙산이 바닷물 위에 떠 있다.

• 겨울철에 호수나 강의 물은 표면부터 언다.

• 겨울철에 날씨가 추워지면 수도관이 얼어 동파가 일어난다.

• 암석의 틈으로 스며들어간 물이 겨울에 얼면 부피가 증가하여 암석을 풍화시킨다.

▲ 바닷물 위의 빙산

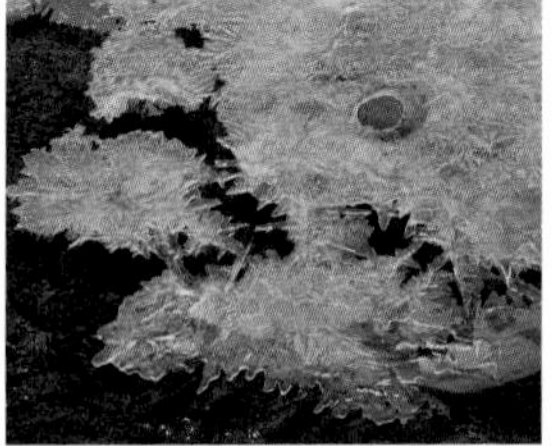

▲ 겨울철 강의 표면

▲ 암석의 풍화

겨울에 물이 표면부터 어는 이유

• 겨울철 기온이 낮아져 물 표면의 온도가 약 4 ℃가 되면 표면 쪽 물의 밀도가 커져 밑으로 내려가 대류가 일어난다. 물 표면의 온도가 4 ℃ 이하로 내려가면 표면 쪽 물의 밀도가 아래쪽 물의 밀도보다 작아지므로 더 이상 대류가 일어나지 않는다. 따라서 물 표면의 온도가 0 ℃까지 내려가 표면부터 물이 언다.

• 물 표면이 얼게 되면 표면의 얼음이 찬 공기를 막아 주기 때문에 강물 밑에까지는 얼지 않는다. 따라서 겨울철에 강물 속 물고기가 살아남을 수 있다.

(4) **비열:** 비열은 물질 1 g의 온도를 1 ℃ 올리는 데 필요한 열량으로, 비열이 클수록 온도가 잘 변하지 않는다. 다음은 몇 가지 물질의 비열을 나타낸 것이다.

물질	상태(실온)	비열(J/(g·℃))	물질	상태(실온)	비열(J/(g·℃))
구리	고체	0.38	수은	액체	1.39
철	고체	0.46	에탄올	액체	2.48
알루미늄	고체	0.92	물	액체	4.18

① 물의 비열: 물은 비열이 커서 쉽게 가열되거나 냉각되지 않는다. 물은 가해 준 열의 일부가 물 분자 사이의 수소 결합을 끊는 데 사용되기 때문에 같은 양의 열을 가해도 쉽게 온도가 올라가지 않으며 같은 양의 열을 빼앗아도 분자 사이의 수소 결합을 형성하면서 열을 방출하므로 온도가 쉽게 내려가지 않는다.

비열과 열용량

열용량은 비열에 질량을 곱한 값으로, 열용량이 클수록 온도를 변화시키기 어렵다. 주전자에 들어 있는 물과 욕조에 들어 있는 물은 비열이 같지만 열용량은 욕조 속 물이 더 크다.

② 물의 비열이 크기 때문에 나타나는 현상

• 해안 지방은 내륙 지방보다 일교차가 작다.

• 해안 지방에서 낮에는 육지가 바다보다 온도가 빨리 높아져 바다에서 육지 쪽으로 해풍이 불고, 밤에는 육지가 바다보다 더 빨리 냉각되어 육지에서 바다 쪽으로 육풍이 분다.

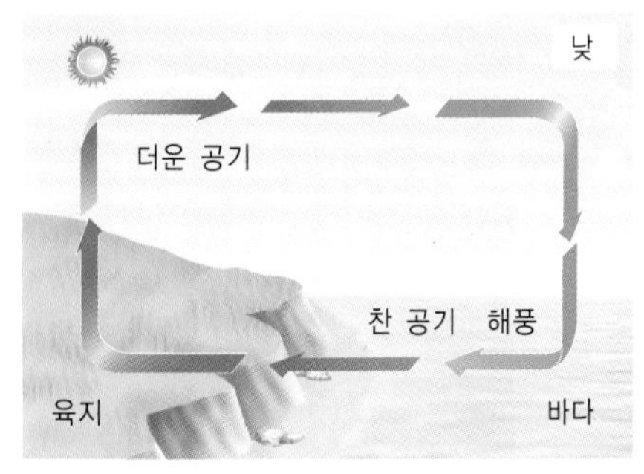

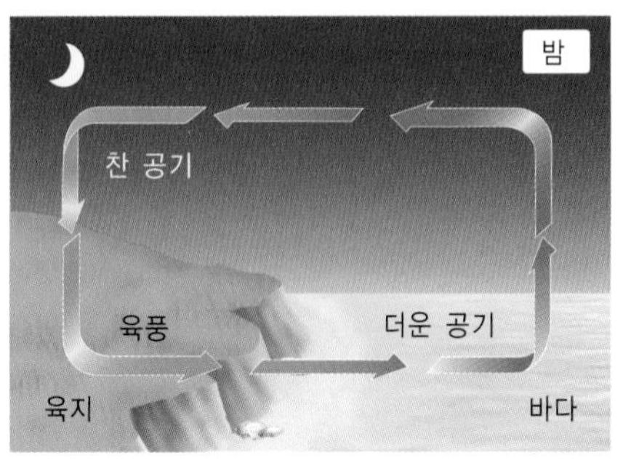

▲ 낮에 발생하는 해풍과 밤에 발생하는 육풍

• 생물체는 체내에 물을 함유하고 있으므로 체온이 일정하게 유지된다.

(5) **표면 장력:** 액체가 기체나 고체 물질과 접촉할 경우 액체의 접촉 면적을 가능한 작게 하려는 힘을 표면 장력이라고 한다.

표면 장력

액체의 표면적을 단위 면적만큼 늘리는 데 필요한 에너지이다.

① 액체의 표면 장력: 액체 표면에 있는 분자는 인력이 위쪽 방향으로는 작용하지 않고, 안쪽으로만 작용하기 때문에 액체 내부로 끌리게 된다. 따라서 액체는 표면에 있는 분자의 수를 가능한 적게 하여 표면적을 줄이려는 성질을 가지게 되며, 이 때문에 표면 장력이 생긴다. 액체의 표면 장력은 액체 분자 사이에 작용하는 인력에 의해 생기므로 다른 조건이 비슷한 경우 분자 사이에 작용하는 인력이 큰 물질일수록 표면 장력이 크다.

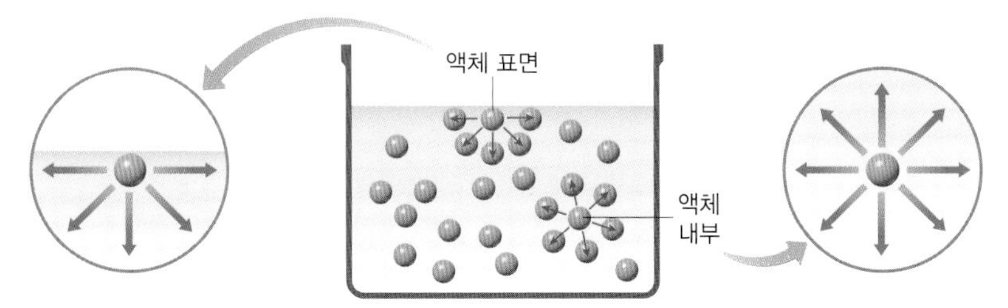

▲ 액체 표면과 내부에서 분자가 받는 힘

② 온도에 따른 물의 표면 장력: 온도가 높아지면 분자 운동이 활발해지므로 분자 사이의 인력이 작아지고 표면 장력이 작아진다. 표는 온도에 따른 물의 표면 장력을 나타낸 것이다.

온도(℃)	0	5	10	15	20	25	30
표면 장력(dyne/cm)	75.6	74.9	74.2	73.5	72.8	72.0	71.2

③ 다른 물질과 물의 표면 장력 비교: 물은 수소 결합에 의해 분자 사이의 힘이 매우 크기 때문에 다른 액체에 비해 표면 장력이 크다. 표는 20 ℃에서 몇 가지 물질의 표면 장력을 나타낸 것이다.

물질	메탄올	에탄올	벤젠	글리세린	물	수은
표면 장력(dyne/cm)	22.6	22.8	28.9	63.1	72.8	476

수은과 물의 표면 장력 비교
수은은 물보다 표면 장력이 크므로 더 둥근 모양을 나타낸다.

④ 물의 표면 장력이 크기 때문에 나타나는 현상
- 소금쟁이가 물 위에 뜬다.
- 풀잎에 맺힌 이슬 방울이 둥근 모양을 한다.
- 바늘을 물 위에 수평으로 가만히 놓으면 뜬다.
- 2개의 물방울이 부딪치면 1개의 큰 물방울로 합쳐진다.
- 종이배 뒤쪽에 비눗물을 묻혀 물에 띄우면 종이배가 앞으로 나아간다.
- 물이 가득 담긴 유리컵에 클립이나 동전을 넣어도 물이 쉽게 넘치지 않는다.
- 물 표면에 나란하게 돌멩이를 던질 때 돌이 밑으로 가라앉지 않고 수면 위로 통통 튀어가는 물수제비뜨기를 할 수 있다.

입자 사이의 힘과 표면 장력
일반적으로 입자 사이의 힘이 클수록 표면 장력이 크게 나타나지만 항상 그런 것은 아니다. 표면 장력은 분자의 크기와도 관련이 있다. 글리세린과 물의 끓는점을 비교해 보면 끓는점은 글리세린이 물보다 훨씬 높지만 표면 장력은 물보다 작다. 이것은 글리세린 분자가 물 분자에 비해 분자의 크기가 매우 크기 때문이다.

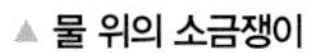
▲ 물 위의 소금쟁이

▲ 풀잎에 맺힌 이슬 방울

▲ 물수제비뜨기

시야확장 + 표면 장력과 액체 방울의 모양

❶ **액체 방울이 구형을 이루는 이유:** 기하학적으로 같은 부피일 때 표면적이 가장 작은 것이 구형이기 때문이다.
표는 같은 부피(16.38 cm^3)를 가지는 몇 가지 기하 구조와 표면적의 관계를 나타낸 것이다.

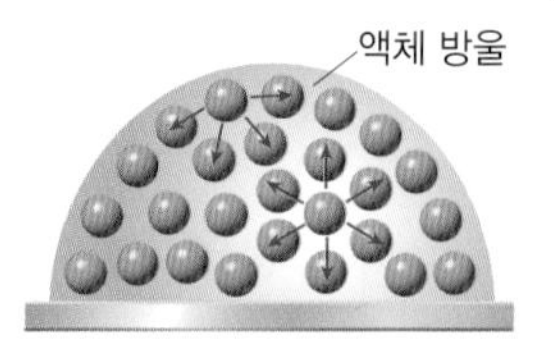

구조	사면체	육면체	팔면체	십이면체	이십면체	구
표면적(cm^2)	46.5	38.7	36.9	34.2	33.2	31.2

❷ **표면 장력에 따른 액체 방울의 모양:** 몇 가지 액체를 같은 종류의 판에 한 방울씩 떨어뜨렸을 때 표면 장력이 큰 액체일수록 둥근 모양을 이루고, 표면 장력이 작은 액체일수록 옆으로 퍼진 모양을 이룬다. ➡ 표면 장력의 크기: 수은 > 물 > 비눗물 > 에탄올 > 사염화 탄소

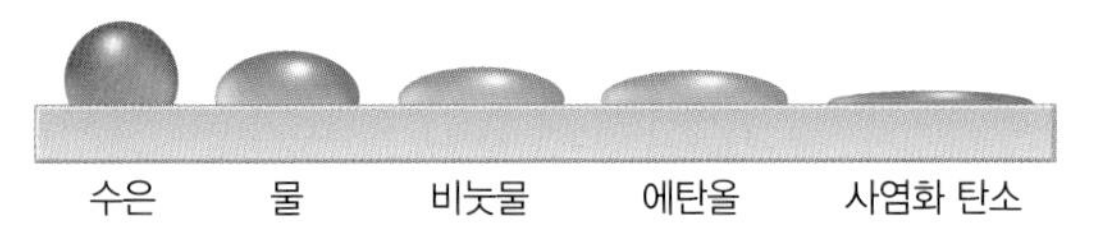

❸ **접촉면의 종류에 따른 액체 방울의 모양:** 접촉하는 물질의 종류에 따라 액체 방울의 모양이 다르다. 유리는 친수성기가 존재하므로 물에 젖을 때 안정해지지만, 양초의 경우는 친수성기가 존재하지 않으므로 물과의 접촉면을 최대로 줄이려고 한다.

(6) **모세관 현상:** 액체가 얇은 관이나 미세한 틈을 따라 올라가거나 내려가는 현상을 모세관 현상이라고 한다.

① 모세관 현상과 메니스커스의 모양: 모세관을 액체에 넣었을 때 모세관에서의 액체 표면을 메니스커스라고 하는데, 물과 수은에서 그 모양이 다르다. 이것은 액체를 구성하는 입자 사이의 힘(응집력)과 액체와 유리관 사이의 힘(부착력)에 의해 결정되는데, 물에서는 물의 응집력이 물과 유리관 사이의 부착력보다 작기 때문에 메니스커스가 오목하고, 수은에서는 수은의 응집력이 수은과 유리관 사이의 부착력보다 크기 때문에 메니스커스가 볼록하다. 또, 물에 모세관을 담글 경우 모세관의 반지름이 작을수록 수면이 더 많이 올라가고, 수은에 모세관을 담글 경우 모세관의 반지름이 작을수록 수은 면이 더 많이 내려간다.

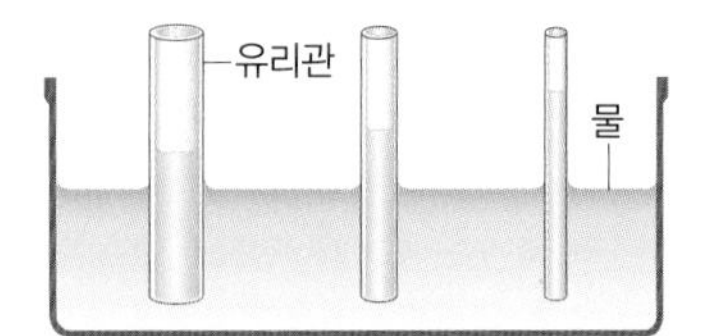

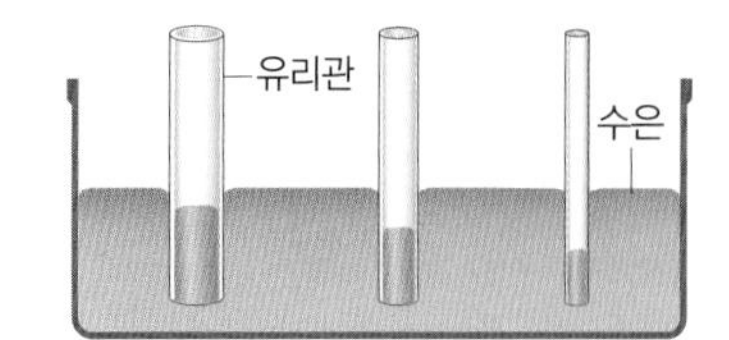

▲ 물과 수은의 모세관 현상

② 모세관 현상과 관련 있는 현상

• 종이나 천에 물이 스며든다.
• 식물의 뿌리에서 흡수된 물이 식물체 전체에 퍼진다.
• 타고 있는 촛불에서 양초가 녹아 액체가 되어 심지를 타고 위로 올라간다.

비눗물의 표면 장력
비눗물의 경우 표면 장력이 물보다 작아진다. 대략적으로 비눗물의 표면 장력은 25.1 dyne/cm, 물의 표면 장력은 72.8 dyne/cm 정도이다. 비눗물의 표면 장력이 물보다 작아지는 이유는 비눗물의 표면에서 비누 분자의 친수성 부분은 물속을 향하고 소수성 부분은 물 밖을 향해 표면적이 넓어지기 때문이다.

친수성기
물과 강한 상호 작용을 하는 부분으로, 물에 잘 용해되거나 물 분자와의 인력이 강하다.

응집력과 부착력
같은 물질의 구성 입자 사이에 작용하는 힘은 응집력이고, 다른 물질의 구성 입자 사이에 작용하는 힘은 부착력이다.

2 액체의 증기 압력

한낮에 식물의 잎에 물을 뿌리면 물이 증발하여 수증기가 되고, 가을 새벽에 공기 중의 수증기가 응축되어 식물의 잎에 물방울이 맺힌다. 이와 같이 자연 상태에서 액체가 기체로 증발하는 현상이나 기체가 액체로 응축되는 현상을 쉽게 볼 수 있다.

1. 증발

액체 표면에 있는 분자들은 액체 내부에 있는 분자들에 비해 분자 사이의 인력이 작기 때문에 액체 표면으로부터 쉽게 떨어져 나와 기체 상태로 변하게 되는데, 이것을 증발이라고 한다. 또한, 증발한 분자가 에너지를 잃고 다시 액체 상태로 변하는 현상을 응축이라고 한다.

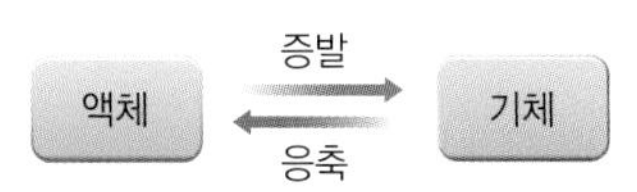

▲ 증발과 응축

2. 증기 압력

(1) **증기 압력:** 일정한 온도에서 밀폐된 용기에 액체를 넣어 두면 액체 표면에서 증발이 일어나 기체 분자 수가 점점 많아진다. 기체 분자 수가 많아지면 기체 분자들이 액체 표면과 충돌하여 다시 액체 상태로 응축되고, 결국 증발하는 분자 수와 응축되는 분자 수가 같아져 동적 평형 상태에 도달한다. 이때 기체가 나타내는 압력을 증기 압력(증기압)이라고 한다.

동적 평형 상태
화학 반응이 일어나지만 겉으로 보기에 아무 변화도 일어나지 않는 것처럼 보이는 상태이다.

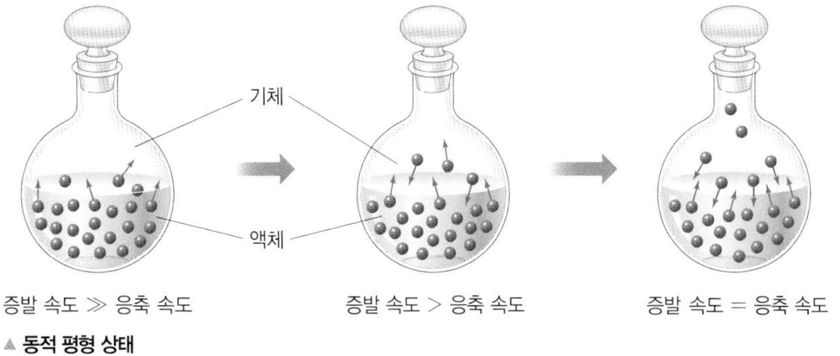

▲ 동적 평형 상태

밀폐 용기 속 액체의 증발 속도와 기체의 응축 속도

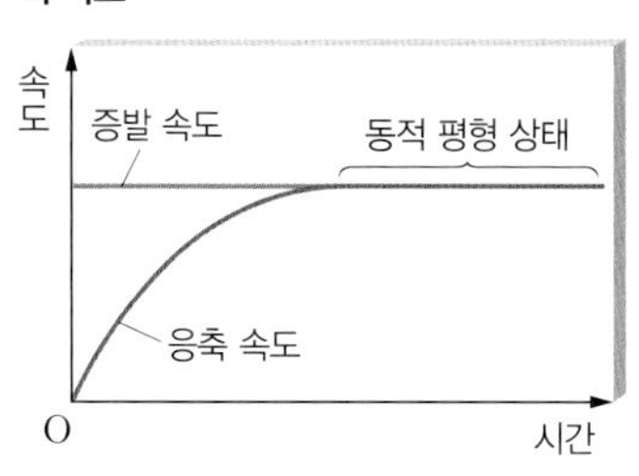

(2) **증기 압력의 크기:** 액체의 양에 관계없이 액체의 종류와 온도에 따라 달라진다.

① **분자 간 인력과 증기 압력:** 같은 온도에서 증기 압력은 물질의 종류에 따라 다르며, 일반적으로 액체 분자 간 인력이 작을수록 증발이 잘 일어나므로 증기 압력이 크다.

- 분자 간 인력: CH_3COCH_3(아세톤) < C_2H_5OH(에탄올) < H_2O(물)
- 증기 압력: CH_3COCH_3(아세톤) > C_2H_5OH(에탄올) > H_2O(물)

② **온도와 증기 압력:** 증기 압력은 물질에 가해지는 압력에 의해서는 변하지 않고, 온도에 의해서만 변한다. 같은 물질인 경우 온도가 높을수록 분자들의 평균 운동 에너지가 커 액체 분자 간 인력을 쉽게 극복하여 증발하기 쉽고 응축되기는 어려우므로 증기 압력이 커진다.

(3) **증기 압력 곡선:** 온도 변화에 따른 증기 압력을 나타낸 그래프로, 증기 압력 곡선 상에서는 액체와 기체가 동적 평형 상태를 이루어 공존한다.

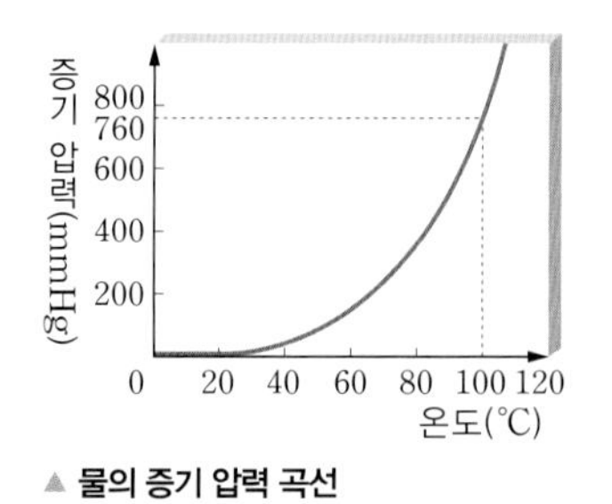

▲ 물의 증기 압력 곡선

시야 확장 ➕ 증기 압력 측정 방법

❶ 진공 펌프를 이용하여 밀폐된 플라스크 내부가 진공이 되도록 공기를 뽑아낸다.

❷ 진공인 플라스크 내부에 증기 압력을 측정할 액체 물질을 소량 주입한다.

❸ 액체가 증발하면서 플라스크 내부의 압력이 일정해질 때, 압력을 측정한다.

❹ ❸에서 측정한 압력이 실험 온도에서 액체의 증기 압력이다.

진공 펌프 / 진공 / 주입할 액체 / 760 mm / 1기압 / 수은 → 진공 펌프 / 진공 / 0 mm / 진공 / 수은 → 진공 펌프 / 진공 / 액체의 증기 압력 / 액체 주입 / 액체 / 수은

▲ 증기 압력을 측정하는 방법

3. 증기 압력과 끓는점

(1) **끓음과 끓는점:** 액체의 증기 압력이 표면을 누르고 있는 외부 압력과 같아지면 액체 표면뿐만 아니라 액체 내부에서도 기화가 일어나 액체 내부에서 형성된 기포가 점점 커지면서 액체 사이를 통과해 올라오게 되는데 이러한 현상을 끓음이라 하며, 이때의 온도를 끓는점이라고 한다.

(2) **증기 압력과 끓는점:** 분자 간 인력이 작아서 증기 압력이 큰 물질일수록 끓는점이 낮고, 분자 간 인력이 커서 증기 압력이 작은 물질일수록 끓는점이 높다.

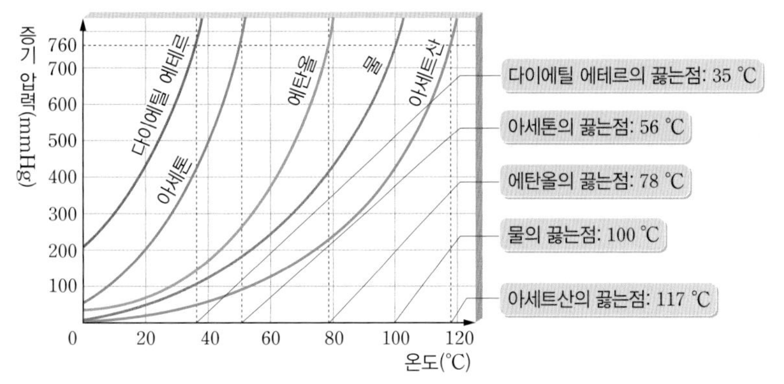

▲ **여러 가지 액체의 증기 압력 곡선** 분자 간 인력이 다이에틸 에테르 < 아세톤 < 에탄올 < 물 < 아세트산이므로 끓는점은 다이에틸 에테르 < 아세톤 < 에탄올 < 물 < 아세트산이다.

기준 끓는점
끓는점은 외부 압력과 액체 물질의 증기 압력이 같아질 때의 온도이므로 외부 압력이 변하면 물질의 끓는점도 변한다. 외부 압력(대기압)이 1기압일 때 액체의 끓는점을 기준 끓는점이라고 한다.

외부 압력과 끓는점
감압시켜 압력을 90 mmHg 정도로 낮추면 물의 끓는점이 50 ℃ 이하로 낮아지게 되므로 뜨겁지 않은 물이 끓는 현상을 관찰할 수 있다. 반대로 압력솥 내부의 압력은 대체로 2기압 정도를 유지하므로 물이 122 ℃ 정도의 높은 온도에서 끓게 된다.

3 고체

다이아몬드는 매우 단단하지만 나프탈렌은 쉽게 부서진다. 소금은 녹는점이 높지만 얼음은 녹는점이 낮고, 엿은 녹는점이 일정하지 않다. 또, 설탕은 전기 전도성이 없지만, 구리는 전기 전도성이 있다. 이와 같은 고체의 물리적 성질은 고체를 이루는 입자들의 종류와 힘에 의해 달라진다.

1. 결정성 고체와 비결정성 고체

(1) **결정성 고체:** 결정을 구성하는 원자, 이온 또는 분자들이 질서정연한 배열을 하고 있어서 입자 사이의 결합을 끊는 데 필요한 에너지가 모든 부분에서 같으므로 녹는점이 일정하다. 결정성 고체에 해당하는 물질로는 석영, 다이아몬드, 드라이아이스, 소금 등이 있다.

(2) **비결정성 고체:** 고체를 이루는 입자 사이의 인력이 일정하지 않으므로 가열하면 결합이 약한 부분부터 먼저 끊어져 녹는점이 일정하지 않다. 비결정성 고체에 해당하는 물질로는 엿, 고무, 플라스틱, 유리 등이 있다.

고체의 일반적인 특징
- 일정한 모양을 가진다.
- 온도와 압력에 따른 부피 변화가 거의 없다.
- 고체를 이루는 입자 사이의 인력이 매우 크다.
- 고체를 이루는 입자는 제자리에서 진동 운동만 한다.

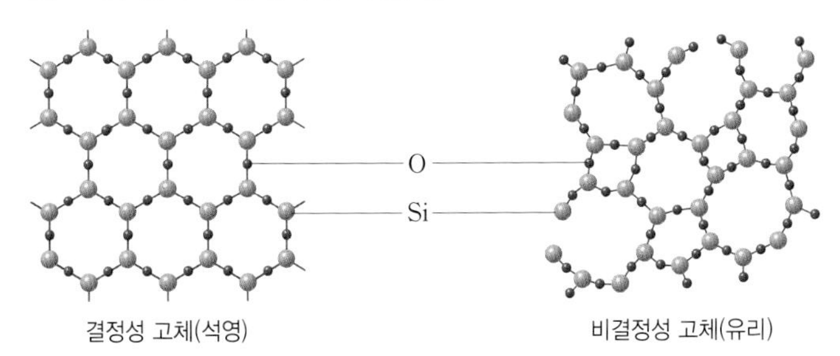

▲ 결정성 고체와 비결정성 고체

2. 결정성 고체의 분류

결정성 고체는 구성 입자의 종류와 입자 사이의 화학 결합에 따라 분자 결정, 공유(원자) 결정, 이온 결정, 금속 결정으로 나눌 수 있다.

결정	성분 원소	구성 입자	결합력	녹는점	전기 전도성		예
					고체	액체	
분자 결정	비금속	분자	분자 사이의 힘	낮음	없음	없음	드라이아이스, 얼음
공유 결정	비금속	원자	공유 결합력	매우 높음	없음	없음	C(다이아몬드) SiO_2(석영)
이온 결정	금속과 비금속	양이온과 음이온	이온 결합력	높음	없음	있음	NaCl, KCl
금속 결정	금속	양이온과 자유 전자	금속 결합력	높음	있음	있음	Cu, Fe

(1) **분자 결정:** 공유 결합 분자는 기체, 액체, 고체의 모든 상태에서 분자의 모양을 그대로 유지하며, 분자들이 규칙적으로 배열되어 결정을 이룬다. 이러한 분자 결정에서 분자 사이의 힘은 공유 결합력에 비해 훨씬 약하다. 분자 결정은 전기 전도성이 없으며, 부서지기 쉽고, 녹는점과 끓는점이 매우 낮다. 또, 융해열이나 승화열이 작고, 승화성을 갖는 것이 많으며, 분자량이 커지면 녹는점과 끓는점이 높아지는 경향을 보인다. 분자 결정의 예로는 얼음(H_2O), 아이오딘(I_2), 드라이아이스(CO_2), 나프탈렌($C_{10}H_8$) 등이 있다.

공유 결합 물질의 녹는점과 끓는점
공유 결합 물질에서 원자 사이의 결합력은 강하지만 분자 사이의 결합력이 약하다. 따라서 공유 결합 물질 중 분자 결정은 녹는점과 끓는점이 매우 낮지만, 공유 결정인 다이아몬드, 석영(SiO_2) 등은 녹는점이나 끓는점이 매우 높다.

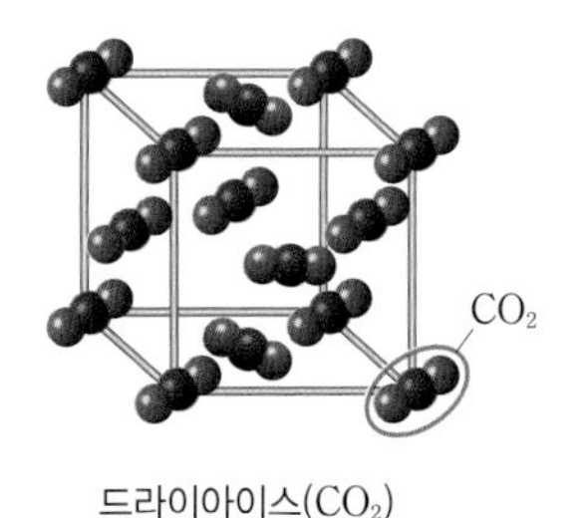

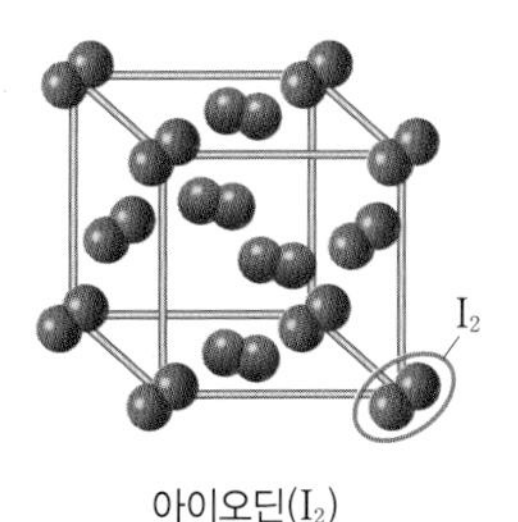

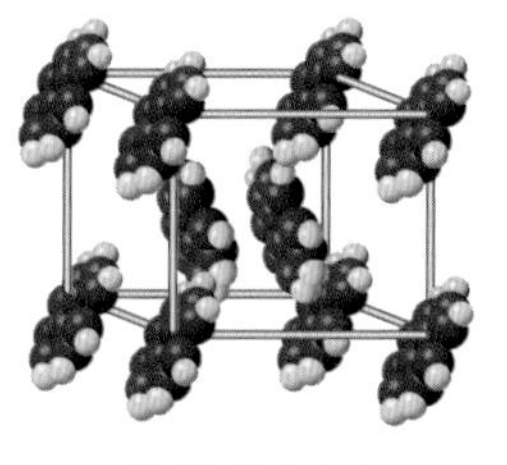

▲ 몇 가지 분자 결정의 구조

(2) **공유 결정:** 공유 결합으로 이루어진 결정 중 인접한 원자끼리 계속적으로 공유 결합을 이루어 모든 원자들이 그물처럼 이어진 결정을 공유 결정 또는 원자 결정이라고 한다. 공유 결정은 분자 결정과는 달리 결정을 이루는 모든 원자들이 강한 공유 결합에 의해 그물처럼 연결되어 있으므로 녹는점과 끓는점이 매우 높다. 또, 공유 결정은 분자 결정과 마찬가지로 고체 상태와 액체 상태에서 모두 전기 전도성이 없다. 단, 예외적으로 흑연은 전기 전도성이 있다. 공유 결정의 예로는 다이아몬드(C), 흑연(C), 석영(SiO_2), 규소(Si) 등이 있다.

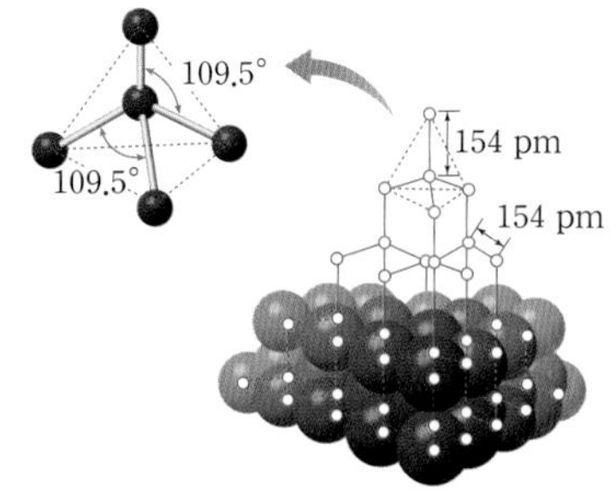

▲ 정사면체의 다이아몬드 구조

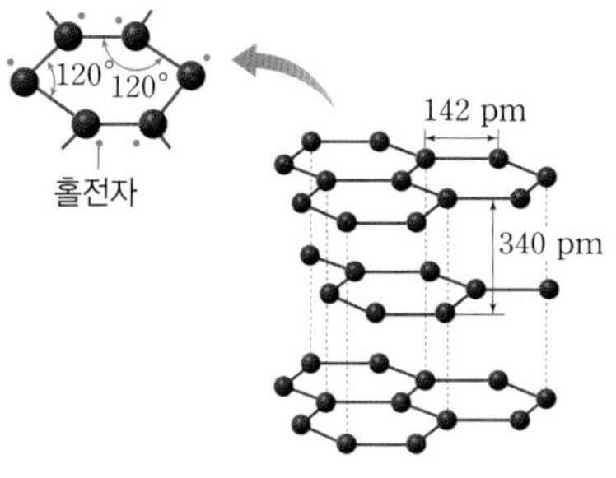

▲ 층상 결정의 흑연 구조

흑연이 전기 전도성을 나타내는 이유

다이아몬드를 이루는 탄소는 원자가 전자 4개가 모두 공유 결합을 하여 그물과 같이 3차원적으로 단단히 연결되어 있으므로 전기 전도성이 없다. 반면에 흑연은 탄소의 원자가 전자 중 3개가 공유 결합을 하여 정육각형 그물 모양의 구조를 형성하고 나머지 1개의 전자가 비교적 자유롭게 움직이면서 금속 결합에서 자유 전자와 같은 역할을 하므로 전기 전도성이 있다.

• 공유 결정과 분자 결정을 이루는 물질의 비교: 분자 결정을 이루고 있는 물질은 녹는점과 끓는점이 매우 낮고, 화학식량이 커짐에 따라 녹는점과 끓는점이 높아지는 경향을 보인다. 공유 결정을 이루고 있는 물질은 녹는점과 끓는점이 매우 높으며, 녹는점과 끓는점이 화학식량과 관계가 없다.

(3) **이온 결정:** 이온 결합 물질은 양이온과 음이온 사이의 정전기적 인력에 의해 단단히 결합하고 있으므로 실온에서 결정 상태로 존재하며, 비휘발성이다. 이온 결정은 녹는점과 끓는점이 높고, 물에 대부분 잘 녹으며, 고체 상태에서는 전기 전도성이 없으나 용융 상태나 수용액 상태에서는 전기 전도성이 있다.

① **전기 전도성:** 이온 결정은 고체 상태에서는 양이온과 음이온이 강하게 결합하고 있기 때문에 전류가 흐르지 않는다. 그러나 용융 상태나 수용액 상태에서는 양이온과 음이온으로 나누어져서 자유롭게 이동하므로 이러한 이온들이 전하의 운반체 역할을 하여 전류가 흐른다.

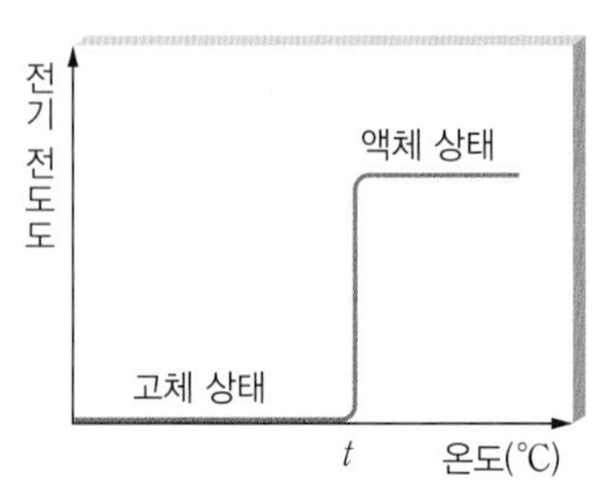

▲ **이온 결정의 전기 전도도** t ℃가 이온 결정의 녹는점이다.

이온 결합 물질의 녹는점과 끓는점

이온 결합 물질은 금속 양이온과 비금속 음이온 사이의 정전기적 인력으로 강하게 결합되어 있다. 정전기적 인력은 전하를 띤 입자의 전하량에 비례하고 입자 사이의 거리의 제곱에 반비례한다. 따라서 이온의 전하가 클수록, 이온 사이의 거리가 짧을수록 녹는점과 끓는점이 높아진다.

예 • 이온 사이의 거리가 NaF < NaCl < KI이므로 녹는점과 끓는점은 NaF > NaCl > KI이다.

• 이온의 전하는 Na^+F^-, $Mg^{2+}O^{2-}$이므로 녹는점과 끓는점은 이온의 전하가 큰 MgO이 NaF보다 높다.

② 이온 결정의 부스러짐: 이온 결정은 매우 단단하지만 외부에서 힘을 가하면 쉽게 쪼개지거나 부서진다. 이것은 이온 결정에 외부에서 힘을 가하면 이온 층이 밀리면서 인접한 두 층의 이온이 모두 같은 전하를 가지게 되어 서로 반발하기 때문이다.

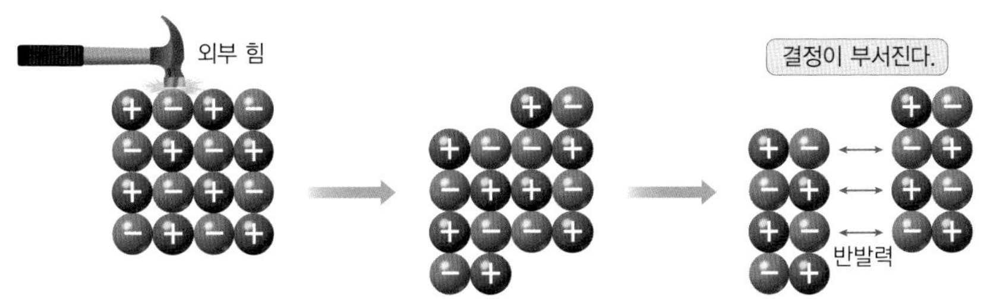

▲ 외부 힘에 의한 이온 결정의 부스러짐

(4) 금속 결정: 금속 원자들은 일반적으로 전자를 내놓고 양이온이 되기 쉽다. 이러한 특성으로 인해 금속은 금속 결합이라고 하는 독특한 방식으로 금속 원자를 결합시켜 결정을 이룬다. 금속 결정을 X선 회절법으로 조사해 보면 금속 원자가 규칙적으로 배열되어 있는 것을 알 수 있다. 그리고 전자가 비교적 자유롭게 이동할 수 있으며, 전자가 어느 한 원자에 구속되지 않고 수많은 전자를 수많은 원자가 공유하고 있다. 이와 같이 금속의 양이온 사이를 자유롭게 이동하는 전자를 자유 전자라 하며, 자유 전자와 금속의 양이온 사이에 정전기적 인력으로 이루어진 결합을 금속 결합이라고 한다.

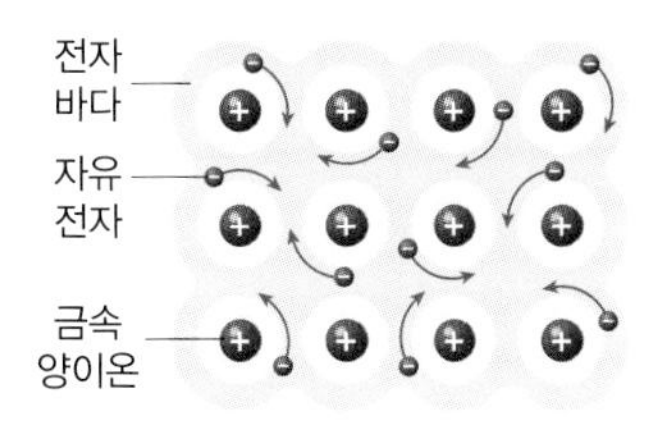

▲ 금속 결합 모형

① 전기 전도도와 열전도도: 금속에 전압을 걸어 주면 자유 전자들이 쉽게 (+)극 쪽으로 이동할 수 있으므로 금속은 높은 전기 전도도를 나타낸다. 금속이 높은 열전도도를 나타내는 이유는 자유롭게 열에너지를 전달해 줄 수 있는 자유 전자가 있기 때문이다. 비금속 결정에서는 결합에 참여한 전자들이 구속되어 있기 때문에 전기 전도성이 없으며, 열전도도가 매우 낮다.

② 연성과 전성: 물질을 실처럼 가늘고 길게 뽑아낼 수 있는 성질(뽑힘성)을 연성이라 하고, 물질을 판처럼 두드려서 얇게 펼 수 있는 성질(펴짐성)을 전성이라고 한다. 금속 결정은 연성과 전성이 매우 크다. 금속의 경우는 외부에서 힘이 가해져도 자유 전자가 금속의 양이온 사이로 쉽게 이동하여 금속의 양이온들을 결합시켜 주므로 부서지지 않고 변형되기 때문이다.

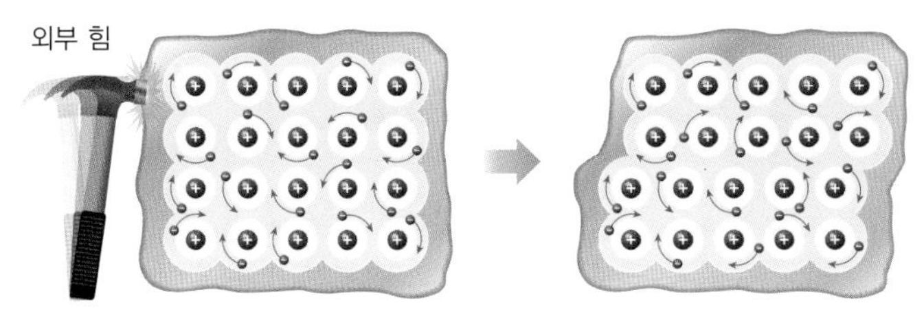

▲ 외부 힘에 의한 금속 결정의 변형

③ 광택: 대부분의 금속은 은백색 광택을 나타내는데, 이는 금속 표면의 자유 전자들이 가시광선을 모두 흡수하였다가 방출하면서 거의 대부분의 파장의 빛을 반사하기 때문이다.

금속 결합 내 자유 전자의 움직임
금속에 전압을 걸어 주면 자유 전자들이 (+)극 쪽으로 이동한다.

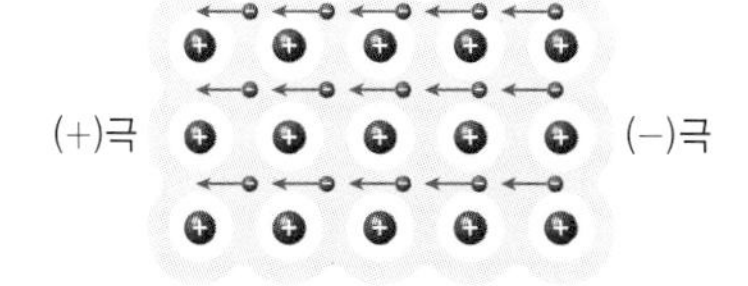

금속의 연성과 전성을 이용한 예
- 연성: 구리 선, 금실 등
- 전성: 알루미늄박, 금박 등

3. 결정 구조

심화 067쪽

(1) **단위 세포:** 고체 결정 구조 내에서 동일하게 반복되는 가장 작은 구조를 단위 세포 또는 단위격자라고 한다.

① **단위 세포 속의 입자 수:** 단위 세포 속에 존재하는 실제 입자 수를 의미한다. 꼭짓점에 있는 입자는 8개의 단위 세포에 의해 나누어지므로 꼭짓점에 있는 입자의 $\frac{1}{8}$이 단위 세포에 속한다. 면의 중심에 있는 입자는 $\frac{1}{2}$, 모서리에 있는 입자는 $\frac{1}{4}$이 단위 세포에 속하므로 단위 세포 속의 입자 수는 다음 식을 이용하여 구한다.

$$N = N_{체심} + \frac{N_{면심}}{2} + \frac{N_{모서리}}{4} + \frac{N_{꼭짓점}}{8}$$

② **배위수:** 기준이 되는 입자를 가장 가까운 거리에서 둘러싸고 있는 입자 수를 의미한다.

③ **입자의 점유 비율:** 단위 세포의 전체 부피에 대한 단위 세포를 이루는 원자가 차지하는 비율이다.

(2) **입방 구조:** 단순 입방 구조, 체심 입방 구조, 면심 입방 구조 등이 있다.

① **단순 입방 구조:** 정육면체의 8개 꼭짓점에 입자가 하나씩 위치해 있는 구조이다.

쌓인 모양을 구로 나타낸 단위 세포의 구조

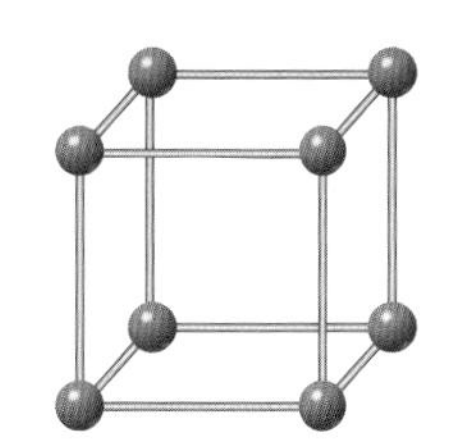

각 입자를 점으로 표시하여 골격을 나타낸 단위 세포의 구조

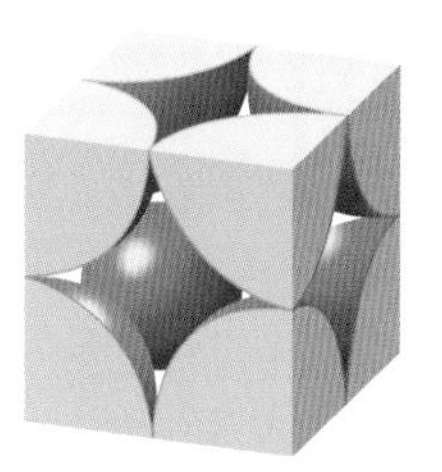

공간 채움 모형으로 나타낸 단위 세포의 구조

▲ 단순 입방 단위 세포 구조의 여러 가지 모형

단위 세포 속의 입자 수는 $\frac{1}{8}\times 8$(꼭짓점)$=1$이고, 배위수는 6이다. 단순 입방 구조에서 전체 부피의 52 %만이 입자에 의해 점유되어 있고 나머지는 빈 공간으로, 공간이 매우 비효율적으로 사용되고 있다. 이러한 금속의 예로는 Po(폴로늄)이 있다.

② **체심 입방 구조:** 정육면체의 각 꼭짓점과 중심(체심)에 입자 1개가 위치한 구조이다.

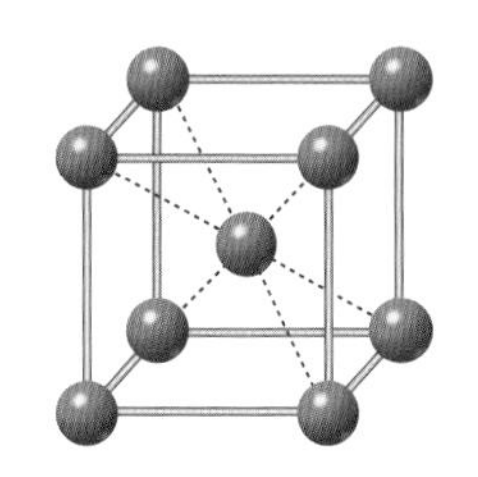

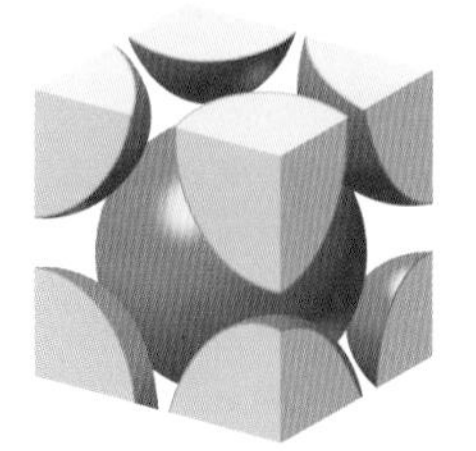

▲ 체심 입방 단위 세포 구조의 여러 가지 모형

단위 세포 속의 입자 수는 1(체심)$+\frac{1}{8}\times 8$(꼭짓점)$=2$이고, 배위수는 8이다. 체심 입방 구조에서 입자의 점유 비율은 68 %이며, 이러한 금속의 예로는 Li, Na, K 등이 있다.

결정 구조와 단위 세포(단위격자)

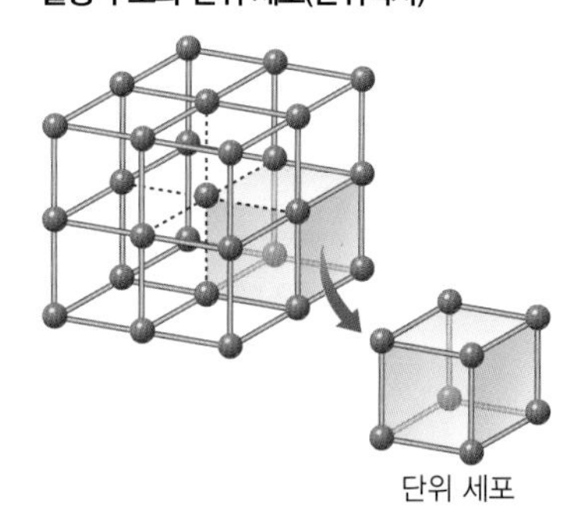

X선 회절

결정성 고체의 결정 구조는 보통 X선 회절 방법을 이용하여 조사한다. 물질의 결정에 X선을 투과시키면 X선이 회절되어 결정 구조를 반영시킨 패턴이 나타난다. 이 패턴을 이용하여 결정 구조를 알 수 있다.

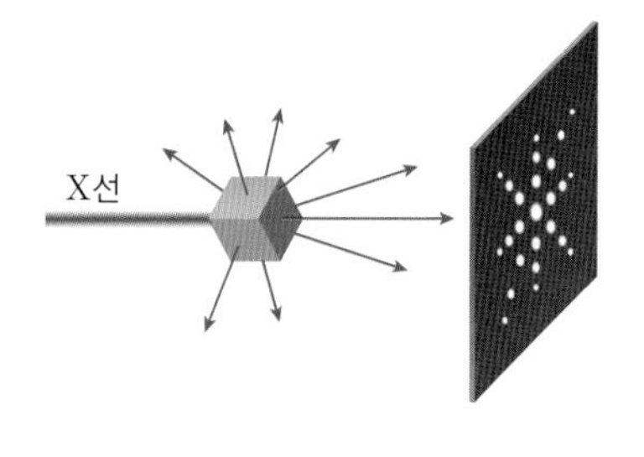

단위 세포 속의 입자 수

단위 세포 속의 입자 수를 구하는 식은 입방체에서만 성립한다. 즉, 단순 입방 구조, 체심 입방 구조, 면심 입방 구조에서는 성립하지만, 육방 밀집 구조에서는 성립하지 않는다.

단순 입방 구조의 배위수

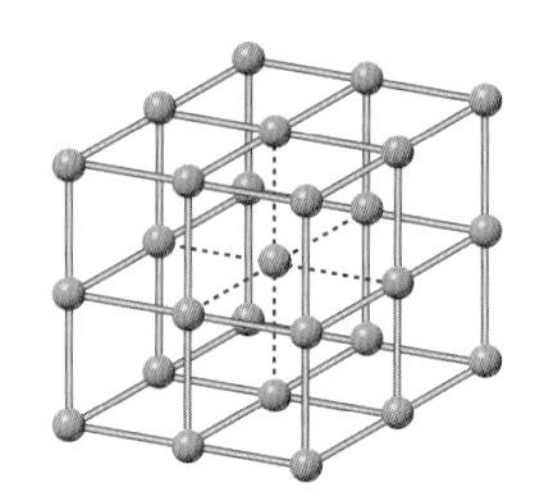

그림에서 1개의 입자를 둘러싸고 있는 가장 가까운 입자는 6개이므로 단순 입방 구조의 배위수는 6이다.

③ **면심 입방 구조:** 정육면체의 각 꼭짓점과 각 면의 중심(면심)에 입자가 1개씩 위치한 구조이다.

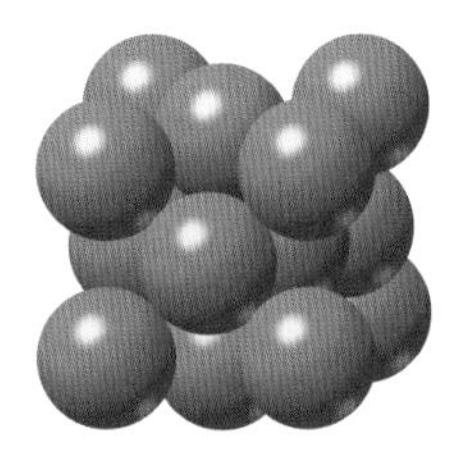
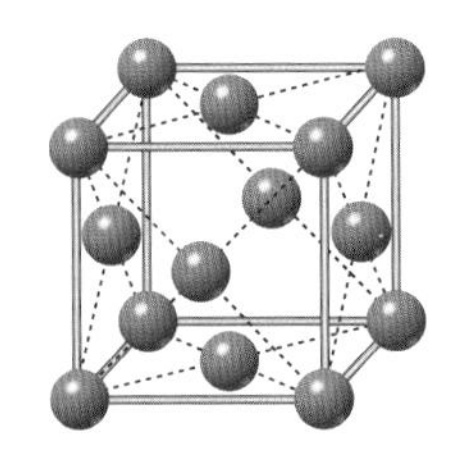
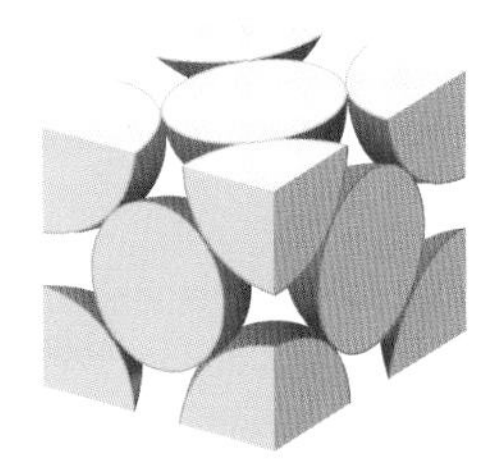

▲ 면심 입방 단위 세포 구조의 여러 가지 모형

단위 세포 속의 입자 수는 $\frac{1}{2}\times6$(면심)$+\frac{1}{8}\times8$(꼭짓점)$=4$이고, 배위수는 12이다. 면심 입방 구조에서 입자의 점유 비율은 74 %이며, 이러한 금속의 예로는 Cu, Ag, Au 등이 있다.

단순 입방 구조, 체심 입방 구조, 면심 입방 구조 비교

구분	단순 입방 구조	체심 입방 구조	면심 입방 구조
단위 세포 속 입자 수	1	2	4
배위수	6	8	12

(3) **육방 밀집 구조:** 정육각형의 각 꼭짓점과 그 면의 중심(면심)에 입자가 있는 층이 있고, 이 층의 중심 입자 위에 삼각형의 꼭짓점에 입자를 가진 새 층을 올려놓고, 그 위에 다시 정육각형의 층을 포개어 놓은 구조이다.

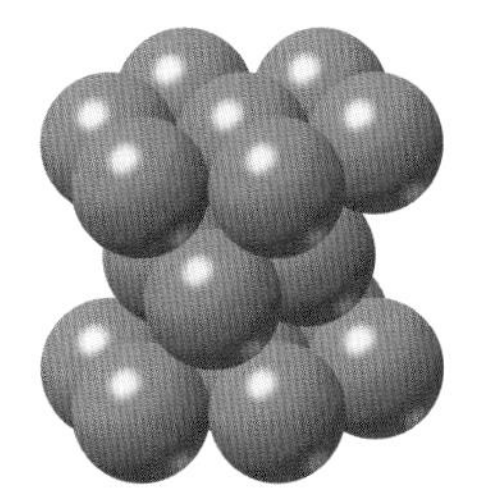
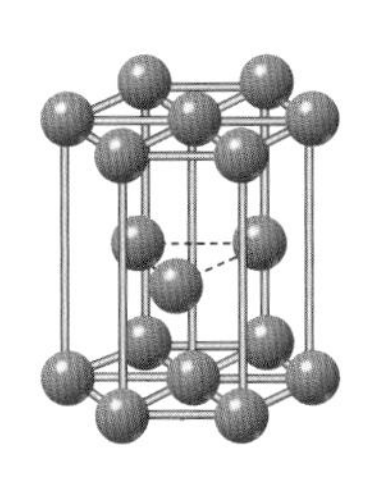
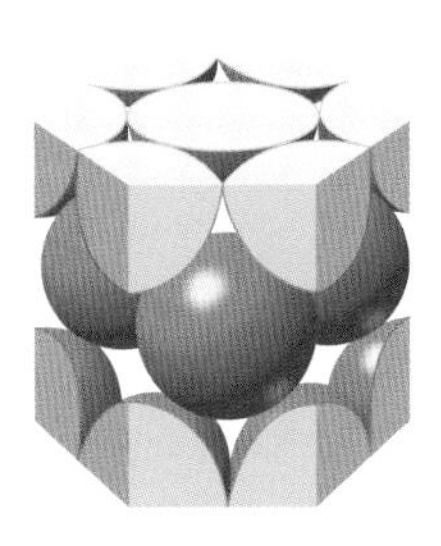

▲ 육방 밀집 단위 세포 구조의 여러 가지 모형

단위 세포 속의 입자 수는 1×3(중심)$+\frac{1}{2}\times2$(면심)$+\frac{1}{6}\times12$(꼭짓점)$=6$이고, 배위수는 12이다. 육방 밀집 구조에서 입자의 점유 비율은 74 %이며, 이러한 금속의 예로는 Mg, Zn, Cd 등이 있다.

밀집 구조

원자들이 가장 밀집되어 쌓이는 구조이다. 밀집 구조에는 육방 밀집 구조와 입방 밀집 구조가 있다. 이중에서 입방 밀집 구조는 면심 입방 구조에 해당한다.

시야 확장 + 염화 세슘(CsCl)과 염화 나트륨(NaCl)의 결정 구조

❶ **염화 세슘의 구조:** CsCl 결정은 Cs^+이 8개의 Cl^-에 의해 둘러싸여 있고 Cl^-도 8개의 Cs^+에 의해 둘러싸인 구조를 가지고 있다. 또, Cs^+과 Cl^-은 정육면체의 꼭짓점에 위치하고 있으므로 염화 세슘은 단순 입방 구조 2개가 겹쳐 있는 구조이다.

❷ **염화 나트륨의 구조:** NaCl 결정은 Na^+이 6개의 Cl^-에 의해 둘러싸여 있고, Cl^-도 6개의 Na^+에 의해 둘러싸인 구조를 가지고 있다. 또, Na^+과 Cl^-은 정육면체의 꼭짓점과 각 면의 중심에 위치하고 있으므로 염화 나트륨은 면심 입방 구조 2개가 겹쳐 있는 구조이다.

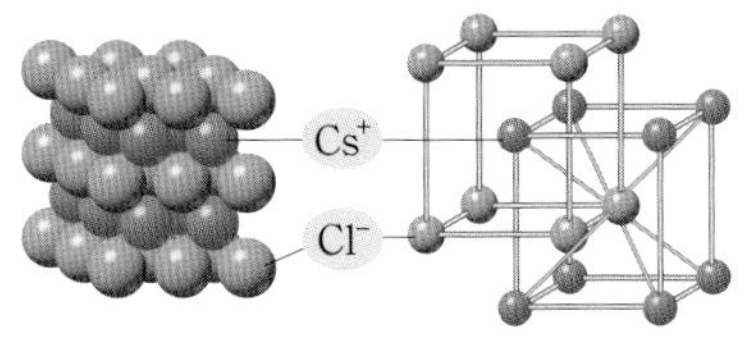

▲ 염화 세슘의 결정 구조

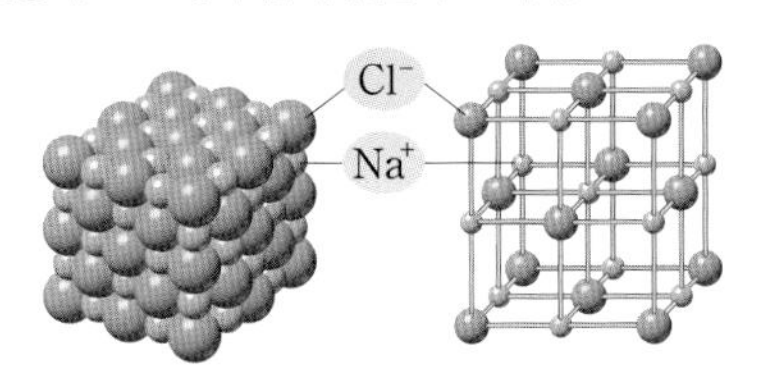

▲ 염화 나트륨의 결정 구조

과정이 살아 있는 탐구

물의 표면 장력

물의 표면 장력이 크기 때문에 일어나는 현상을 알 수 있다.

과정

실험 1 물속에 동전 넣기

유리컵에 물을 가득 채운 후 동전을 하나씩 넣으면서 수면의 모양을 관찰한다.

실험 2 물 위에 바늘 띄우기

1 유리컵에 물을 넣고 핀셋을 이용하여 바늘을 수직으로 넣어 본다.

2 물이 든 유리컵에 종이 티슈를 펼쳐 놓고 바늘을 올려놓은 후, 티슈를 가만히 물속으로 가라앉혀 바늘을 물 위에 띄워 본다.

3 바늘이 떠 있는 물에 비눗물을 조심스럽게 2~3방울 떨어뜨려 본다.

유의점
- 비눗물을 떨어뜨릴 때 바늘 옆에 떨어뜨리면 충격에 의해 바늘이 가라앉을 수 있으므로 바늘 가까이에 떨어뜨리지 않도록 한다.
- 비눗물 대신 합성 세제 수용액이나 에탄올을 사용할 수 있다.

결과 및 해석

1 실험 1에서 어떤 현상이 관찰되는가?

➡ 물이 가득 찬 유리컵에 동전을 넣으면 곧바로 물이 넘치지 않고, 수면의 가운데 부분이 볼록하게 솟아오른다. 이는 물의 표면 장력이 크기 때문이다.

2 실험 2에서 바늘을 수직으로 넣었을 때와 종이 티슈 위에 놓았을 때 각각 어떤 현상이 관찰되는가?

➡ • 바늘을 수직으로 넣으면 바늘은 물속으로 가라앉는다. 바늘의 밀도가 물보다 크고, 바늘 끝에 작용하는 물의 표면 장력이 작기 때문이다.

• 종이 티슈를 이용하면 바늘을 물 위에 띄울 수 있다. 이는 물의 표면 장력이 크기 때문이다. 그리고 바늘이 떠 있는 물에 비눗물을 넣으면 표면 장력이 감소하므로 물 위에 뜬 바늘이 가라앉는다.

정리

- 물은 표면 장력이 크기 때문에 물이 가득 차 있는 상태에서 동전을 넣어도 넘치지 않고, 밀도가 큰 바늘을 띄울 수 있다.
- 비누는 물에 녹아 물의 표면 장력을 감소시킨다.

탐구 확인 문제

> 정답과 해설 133쪽

01 위 탐구에 대한 설명으로 옳지 않은 것은?

① 종이 티슈는 물보다 밀도가 작다.
② 물은 수소 결합 때문에 표면 장력이 크다.
③ 액체 한 방울의 모양은 물이 비눗물보다 더 동그랗다.
④ 바늘을 컵에 넣고 물을 부으면 바늘이 수면 위로 뜬다.
⑤ 물 분자 사이의 힘이 물과 비누 분자 사이의 힘보다 크다.

02 실험 1에서와 같이 (가) 물이 가득 찬 컵에 물이 넘칠 때까지 동전을 넣고, (나) 비눗물이 가득 찬 컵에 비눗물이 넘칠 때까지 동전을 넣었다. (가)와 (나) 중 어느 컵에서 동전이 더 많이 들어가는지, 그 이유와 함께 쓰시오.

물의 특성

액체는 분자 사이의 힘이 약하게 작용하므로 분자 사이의 힘이 거의 작용하지 않는 기체나 분자 사이의 힘이 강하게 작용하는 고체와는 다른 성질을 나타낸다. 액체 중 우리 주변에서 쉽게 접할 수 있는 물은 수소 결합으로 인해 독특한 성질을 나타낸다. 물의 특성에 대해 분석하고 정리해 보자.

❶ 물의 부피와 밀도 변화

[자료] 온도에 따른 물의 밀도 변화 그래프

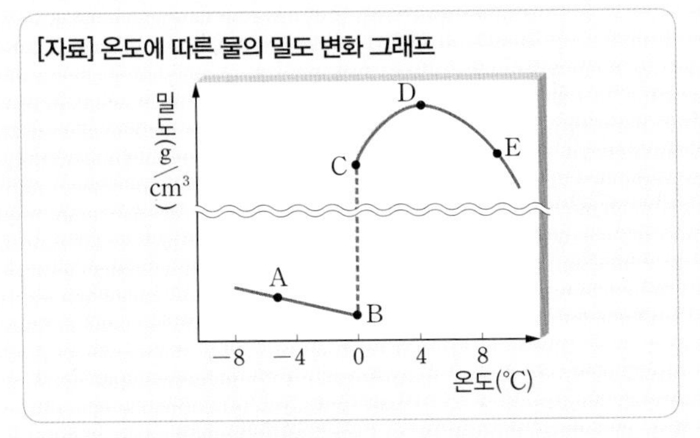

(1) **부피와 밀도의 관계:** 물질의 부피와 밀도는 반비례 관계이다.

$$밀도=\frac{질량}{부피}$$

(2) **부피 변화와 밀도 변화**

① AB 구간: 온도가 높아지면 얼음 분자들의 분자 운동이 활발해지므로 열팽창에 의해 부피가 증가하고 밀도가 감소한다.

② BC 구간: 열을 가하면 고체 상태(얼음)에서 액체 상태(물)로 상태 변화한다. 상태 변화할 때 얼음의 육각형 결정 구조를 이루는 수소 결합의 일부가 끊어지므로 부피는 크게 감소하고 밀도는 크게 증가한다.

③ CD 구간: 온도가 높아지면 물 분자의 운동이 활발해져서 증가하는 부피보다 수소 결합이 끊어지면서 감소하는 부피가 더 크기 때문에 부피는 감소하고 밀도는 증가한다.

④ DE 구간: 온도가 높아지면 물 분자의 운동이 활발해지므로 열팽창에 의해 부피가 증가하고 밀도가 감소한다.

(3) **밀도의 최댓값과 최솟값**

① B: 0 ℃ 얼음의 부피가 가장 크고 밀도가 가장 작다.

② D: 4 ℃ 물의 부피가 가장 작고 밀도가 가장 크다.

(4) **수소 결합 수:** 온도가 높아지면 분자 운동이 활발해지므로 수소 결합이 끊어진다. 따라서 A에서부터 E로 변할 때까지 수소 결합 수는 계속 감소한다.

❷ 물의 녹는점과 끓는점, 융해열과 기화열, 비열

[자료] 얼음의 가열 곡선

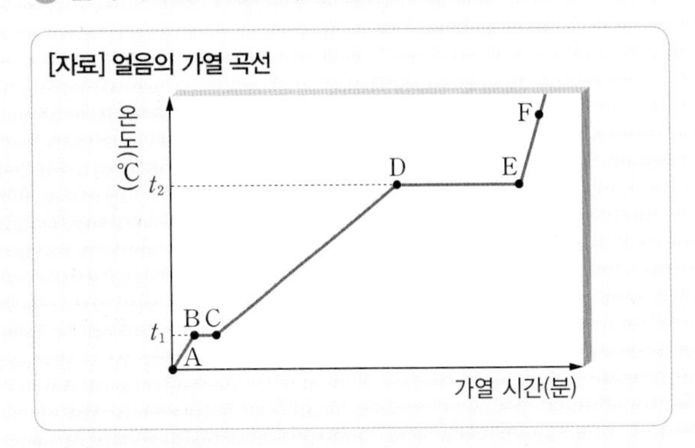

(1) **물질의 상태**

① AB 구간: 고체 상태(얼음)

② BC 구간: 고체와 액체가 공존(얼음+물)

③ CD 구간: 액체 상태(물)

④ DE 구간: 액체와 기체가 공존(물+수증기)

⑤ EF 구간: 기체 상태(수증기)

(2) **녹는점과 끓는점:** 고체가 액체로 상태 변화하는 BC 구간에서의 온도 t_1 ℃가 녹는점이고, 액체가 기체로 상태 변화하는 DE 구간에서의 온도 t_2 ℃가 끓는점이다.

➡ 1기압에서 t_1 ℃, t_2 ℃는 각각 0 ℃, 100 ℃이다.

(3) **융해열과 기화열:** 가로축은 일정한 열원으로 가열했을 때의 시간이므로 그 값이 클수록 가해 준 열에너지가 크다.

➡ 융해열은 BC 구간일 때의 가열 시간에 비례하고, 기화열은 DE 구간일 때의 가열 시간에 비례한다.

➡ 물은 기화열이 융해열보다 크다.

(4) **비열:** 비열은 물질 1 g의 온도를 1 ℃ 올리는 데 필요한 에너지이므로 비열이 클수록 온도 변화가 작아 그래프의 기울기가 작다.

➡ AB 구간일 때의 그래프 기울기와 얼음의 비열은 반비례하고, CD 구간일 때의 그래프 기울기와 물의 비열은 반비례하며, EF 구간일 때의 그래프 기울기와 수증기의 비열은 반비례한다. ➡ 그래프 기울기가 수증기>얼음>물이므로 비열은 물>얼음>수증기이다.

③ 표면 장력

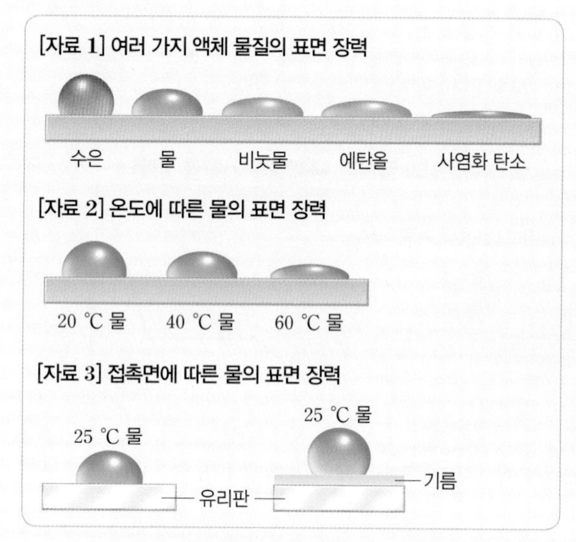

(1) **여러 가지 액체 물질의 표면 장력:** 액체 방울의 모양이 둥글수록 표면 장력이 크다.

① **표면 장력:** 수은 > 물 > 비눗물 > 에탄올 > 사염화 탄소

② 비눗물의 표면 장력이 물보다 작다.

➡ 비누는 물에 녹아 표면 장력을 감소시킨다.

(2) **온도에 따른 물의 표면 장력:** 온도가 낮을수록 물방울이 둥근 모양이다.

➡ 온도가 낮을수록 표면 장력이 커지고, 온도가 높을수록 표면 장력이 작아진다.

(3) **접촉면에 따른 물의 표면 장력:** 물과 부착력이 큰 판일수록 물 분자를 끌어당기는 힘이 강하여 물방울의 모양이 납작하고, 물과 부착력이 작은 판일수록 물 분자를 끌어당기는 힘이 약하여 물방울의 모양이 둥글다.

➡ 물과 유리 사이의 부착력이 물과 기름 사이의 부착력보다 크다.

④ 모세관 현상

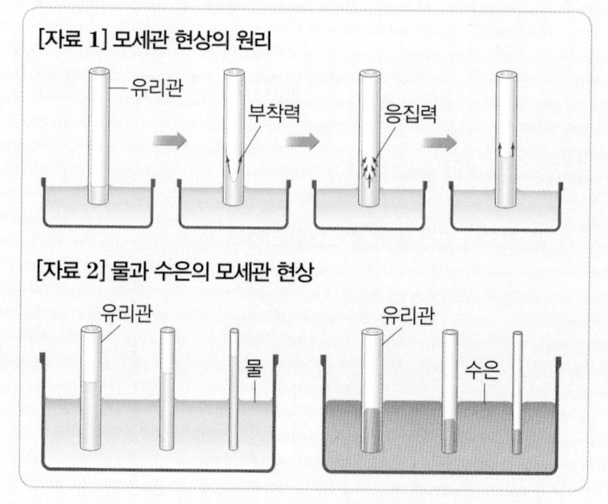

(1) **모세관 현상의 원리:** 물에 유리관을 넣었을 때 다음 ①과 ②의 과정이 반복되어 모세관 현상이 나타난다.

① 물과 유리의 부착력이 크기 때문에 모세관 양쪽으로 물 분자가 끌려올라간다.

② 물의 응집력이 크기 때문에 올라간 물 분자가 아래쪽의 물 분자를 끌어올려 수면의 면적을 작게 한다.

(2) **유리 모세관에서 일어나는 물과 수은의 모세관 현상**

① **물:** 부착력(물 - 유리) > 응집력(물 - 물)이므로 액면의 모양이 오목하고, 모세관 현상이 일어나면 액체가 위로 올라간다.

② **수은:** 응집력(수은 - 수은) > 부착력(수은 - 유리)이므로 액면의 모양이 볼록하고, 모세관 현상이 일어나면 액체가 아래로 내려간다.

(3) **모세관 현상과 모세관의 굵기:** 모세관의 반지름이 작을수록 모세관 현상이 잘 일어나 물은 더 많이 올라가고, 수은은 더 많이 내려간다.

정답과 해설 134쪽

그림은 25 ℃에서 물 한 방울을 유리판 위에 떨어뜨렸을 때, 물방울의 모양을 나타낸 것이다.

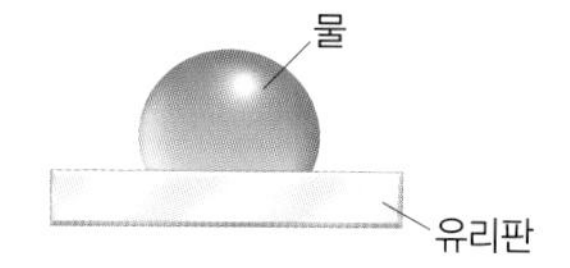

액체 방울의 모양이 납작해지도록 만드는 방법으로 옳은 것만을 보기에서 있는 대로 고르시오.

보기

ㄱ. 물 대신 비눗물로 실험한다.
ㄴ. 25 ℃보다 높은 온도에서 실험한다.
ㄷ. 유리판 위에 기름을 칠한 후 실험한다.

차이를 만드는

심화

결정 격자에서 입자의 점유 비율

결정 구조에는 단순 입방 구조, 체심 입방 구조, 면심 입방 구조 등이 있다. 각 격자 구조에 해당하는 결정은 격자 구조에 따라 구성 입자의 반지름이 다르고, 입자가 차지하는 부피가 다르다. 입자가 차지하는 부피가 클수록 격자 내 빈 공간이 작아 밀도가 커질 수 있다. 결정 격자에서 입자의 점유 비율을 알아보자.

❶ 단순 입방 구조

정육면체 한 변의 길이를 a라고 하면 입자의 반지름 $r=\frac{a}{2}$이고, 단위격자 속에 존재하는 입자 수는 1이다. 격자의 부피는 a^3, 입자의 부피는 $\frac{4\pi r^3}{3}=\frac{4\pi\left(\frac{a}{2}\right)^3}{3}=\frac{\pi a^3}{6}$이므로 입자의 점유 비율은 $\frac{\frac{\pi a^3}{6}}{a^3}\times100 \fallingdotseq 52(\%)$이다.

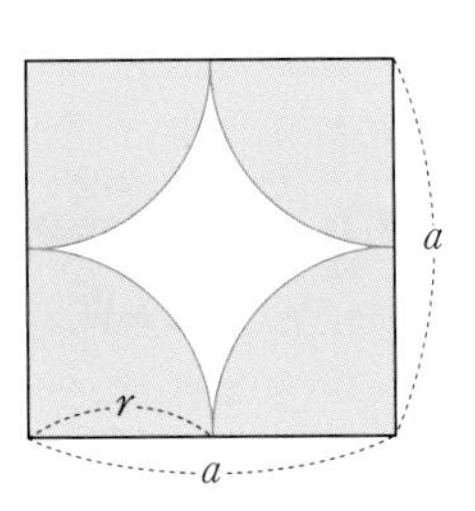

❷ 체심 입방 구조

입자의 반지름 $4r=\sqrt{a^2+a^2+a^2}$, $r=\frac{\sqrt{3}a}{4}$이고, 단위격자 속에 존재하는 입자 수는 2이다. 격자의 부피는 a^3, 입자의 부피는 $2\times\frac{4\pi r^3}{3}=\frac{2\times4\pi\left(\frac{\sqrt{3}a}{4}\right)^3}{3}=\frac{\sqrt{3}\pi a^3}{8}$이므로 입자의 점유 비율은 $\frac{\frac{\sqrt{3}\pi a^3}{8}}{a^3}\times100 \fallingdotseq 68(\%)$이다.

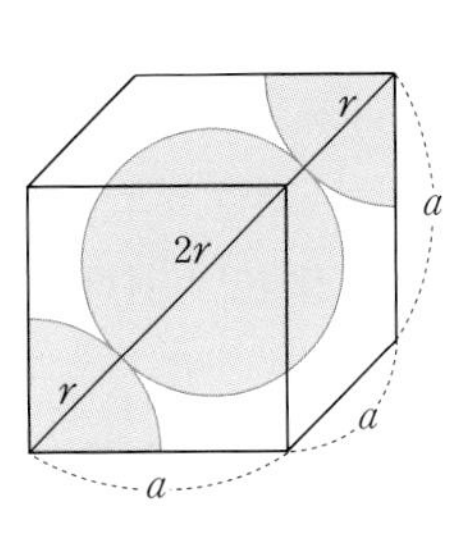

❸ 면심 입방 구조

입자의 반지름 $4r=\sqrt{a^2+a^2}$, $r=\frac{\sqrt{2}a}{4}$이고, 단위격자 속에 존재하는 입자 수는 4이다. 격자의 부피는 a^3, 입자의 부피는 $4\times\frac{4\pi r^3}{3}=\frac{4\times4\pi\left(\frac{\sqrt{2}a}{4}\right)^3}{3}=\frac{\sqrt{2}\pi a^3}{6}$이므로 입자의 점유 비율은 $\frac{\frac{\sqrt{2}\pi a^3}{6}}{a^3}\times100 \fallingdotseq 74(\%)$이다.

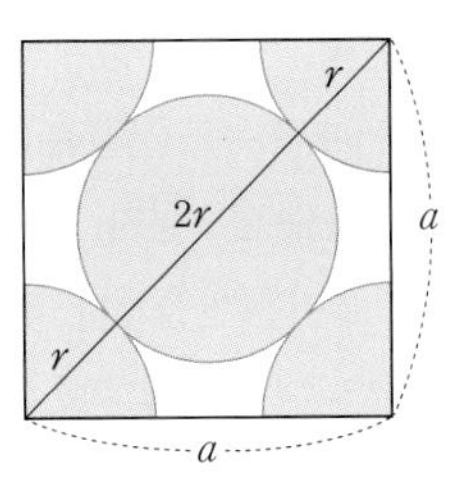

❹ 육방 밀집 구조

정육면체 한 변의 길이를 a, 높이를 h라고 하면 입자의 반지름 $r=\frac{a}{2}$, $h=\frac{4\sqrt{6}}{3}r$이고, 단위격자 속에 존재하는 입자 수는 6이다. 격자의 부피는 $\frac{3\sqrt{3}}{2}a^2\cdot h=24\sqrt{2}r^3$, 입자의 부피는 $6\times\frac{4\pi r^3}{3}=8\pi r^3$이므로 입자의 점유 비율은 $\frac{8\pi r^3}{24\sqrt{2}r^3}\times100 \fallingdotseq 74(\%)$이다.

점유 비율

- 점유 비율은 육방 밀집 구조=면심 입방 구조>체심 입방 구조>단순 입방 구조 순이다.
- 면심 입방 구조와 육방 밀집 구조는 입자의 점유 비율이 높아 공간을 효율적으로 이용하기 때문에 최밀 구조라고 한다.

육방 밀집 구조

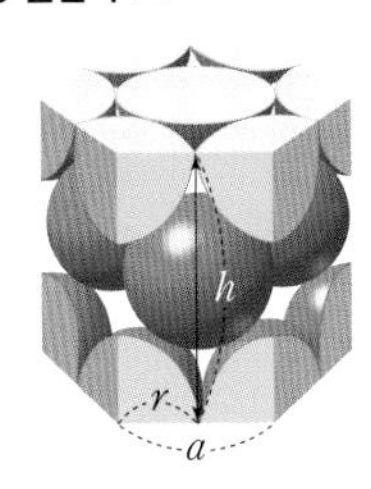

정답과 해설 134쪽

03 액체와 고체

1 물

1. **물 분자의 구조와 수소 결합** 물 분자는 굽은 형 구조로, 물 분자 사이에는 수소 결합이 형성된다.
2. **녹는점과 끓는점** 물은 분자량이 비슷한 메테인(CH_4)에 비해 녹는점과 끓는점이 매우 높다. 이것은 물 분자 사이에 (❶)이 작용하기 때문이다.
3. **융해열과 기화열** 물은 분자 사이의 인력이 커서 고체에서 액체로 상태 변화하는 융해와 액체에서 기체로 상태 변화하는 (❷)가 일어날 때 많은 열에너지가 필요하다.
4. **밀도** 얼음은 수소 결합에 의해 육각 고리 모양의 매우 규칙적인 3차원 구조를 이루어 빈 공간이 많으므로 부피는 얼음이 물보다 크고 (❸)는 얼음이 물보다 작다.
5. **비열** 물은 수소 결합으로 인해 분자 사이의 힘이 크므로 비열이 커서 온도가 쉽게 변하지 않는다.
6. **표면 장력** 액체가 기체나 고체 물질과 접촉할 경우 액체의 접촉 면적을 가능한 작게 하려는 힘이다.
   - 분자 사이의 힘이 클수록, 온도가 (❹)을수록 표면 장력이 커진다.
   - 물은 수소 결합을 하므로 분자 사이의 힘이 크고 표면 장력이 크다.
7. **모세관 현상** 액체가 얇은 관이나 미세한 틈을 따라 올라가거나 내려가는 현상이다.
   - 물속에 유리 모세관을 넣으면 액면이 (❺)가고, 수은 속에 유리 모세관을 넣으면 액면이 내려간다.
   - 물에 유리 모세관을 넣으면 (❻)이 응집력보다 커서 메니스커스가 오목하고, 수은에 유리 모세관을 넣으면 응집력이 부착력보다 커서 메니스커스가 볼록하다.

2 액체의 증기 압력

1. **증기 압력** 일정한 온도에서 밀폐 용기 속의 액체와 그 기체가 (❼) 상태에 있을 때 기체가 나타내는 압력을 증기 압력이라고 한다. ➡ 분자 간 인력이 작을수록, 온도가 높을수록 증기 압력이 (❽).
2. **끓음과 끓는점** 액체의 증기 압력이 (❾)과 같을 때 액체 내부에서 기화가 일어나는 현상을 끓음이라 하고, 이때의 온도를 끓는점이라고 한다.
3. **증기 압력과 끓는점** 분자 간 인력이 커서 증기 압력이 작은 물질일수록 끓는점이 (❿)다. ➡ 분자 간 인력은 물이 에탄올보다 (⓫)므로 끓는점은 물이 에탄올보다 높다.

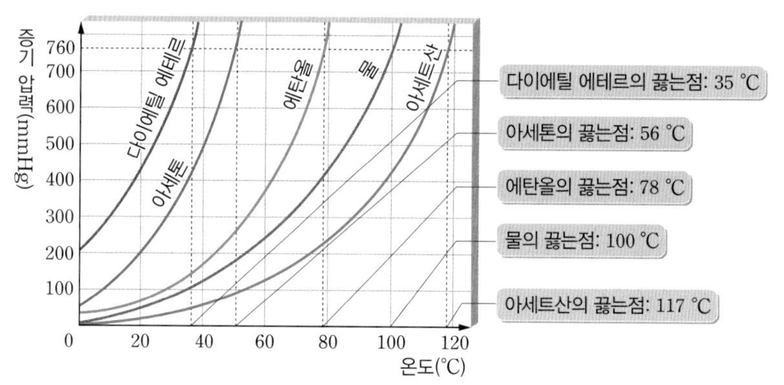

▲ 여러 가지 액체의 증기 압력 곡선

③ 고체

1. 결정성 고체와 비결정성 고체

- 결정성 고체: 결정을 구성하는 원자, 이온 또는 분자들이 질서정연한 배열을 하고 있으므로 녹는점이 일정하다. 예 석영, 다이아몬드, 드라이아이스, 소금
- 비결정성 고체: 고체를 이루는 입자 사이의 인력이 일정하지 않으므로 가열하면 결합이 약한 부분부터 먼저 끊어져 녹는점이 일정하지 않다. 예 엿, 고무, 플라스틱, 유리

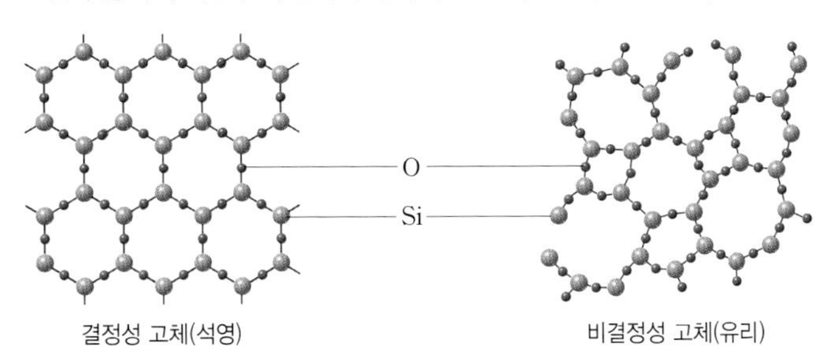

결정성 고체(석영) 비결정성 고체(유리)

2. 화학 결합에 따른 고체의 분류

결정성 고체는 구성 입자의 종류와 입자 사이의 화학 결합에 따라 다음과 같이 나눌 수 있다.

결정	성분 원소	구성 입자	결합력	녹는점	전기 전도성		예
					고체	액체	
분자 결정	비금속	(⑫)	분자 사이의 힘	낮음	없음	없음	드라이아이스, 얼음
(⑬)	비금속	원자	공유 결합력	매우 높음	없음	없음	C(다이아몬드), SiO_2(석영)
이온 결정	금속과 비금속	양이온과 음이온	이온 결합력	높음	없음	있음	NaCl, KCl
금속 결정	금속	양이온과 (⑭)	금속 결합력	높음	있음	있음	Cu, Fe

3. 결정 구조

- 단순 입방 구조: 정육면체의 8개의 꼭짓점에 입자가 하나씩 위치해 있는 구조 예 Po(폴로늄)
- (⑮) 입방 구조: 정육면체의 8개의 꼭짓점과 중심에 입자가 놓여 있는 구조 예 Li, Na, K
- 면심 입방 구조: 정육면체의 8개의 꼭짓점과 면심에 입자가 놓여 있는 구조 예 Cu, Ag, Au
- 육방 밀집 구조: 정육각형의 각 꼭짓점과 그 면의 중심에 입자가 있는 층이 있고, 이 층의 중심 입자 위에 삼각형의 꼭짓점에 입자를 가진 새 층을 올려놓고, 그 위에 다시 정육각형의 층을 포개어 놓은 구조 예 Mg, Zn, Cd

단순 입방 구조

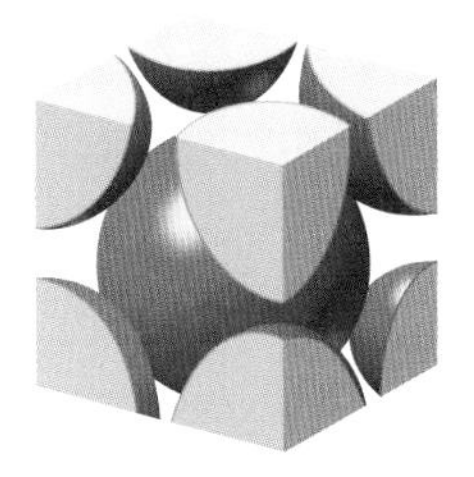

체심 입방 구조

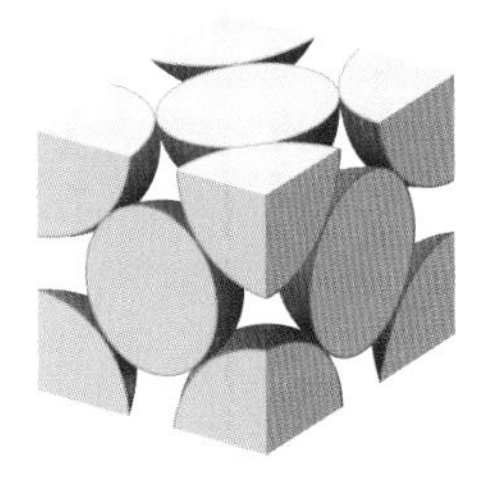

면심 입방 구조

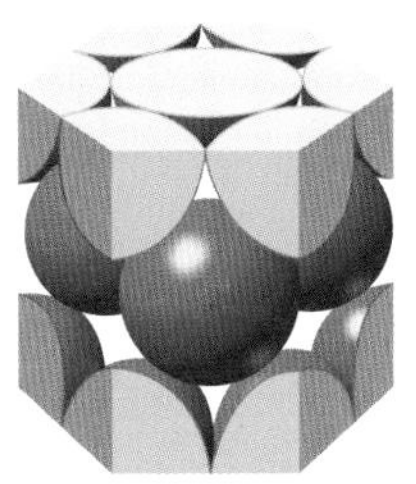

육방 밀집 구조

01 물에 대한 설명으로 옳은 것만을 보기에서 있는 대로 고르시오.

보기
ㄱ. 물 분자에서 수소 원자와 산소 원자는 부분적인 전하를 띤다.
ㄴ. 분자량이 비슷한 다른 물질보다 분자 사이의 힘이 강하다.
ㄷ. 액체에서 고체로 될 때 밀도가 감소한다.
ㄹ. H_2, N_2, O_2를 물에 넣으면 대부분 물에 용해된다.

02 그림은 물 분자의 모형을 나타낸 것이다.

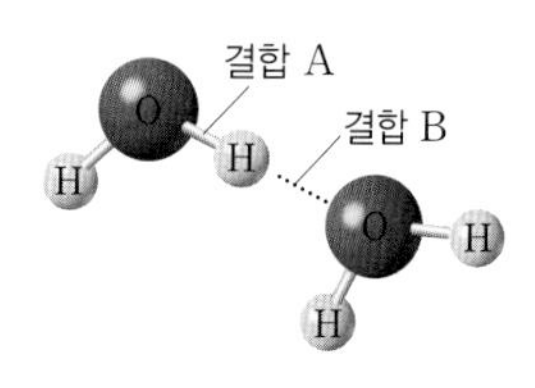

(1) 결합 A와 결합 B 중에서 결합의 세기가 더 강한 것을 쓰시오.
(2) 결합 A와 결합 B에 대한 설명으로 옳은 것만을 보기에서 있는 대로 고르시오.

보기
ㄱ. 결합 A는 물을 전기 분해하면 끊어진다.
ㄴ. 액체 상태의 물을 가열하면 결합 A의 길이가 늘어난다.
ㄷ. 물을 가열하면 쉽게 온도가 변하지 않는 것과 관련 있는 것은 결합 B이다.
ㄹ. 물의 표면 장력이 큰 것과 관련 있는 것은 결합 B이다.

03 그림 (가)는 25 ℃의 물이 들어 있는 비커에 얼음을 넣은 것을, (나)는 얼음이 모두 녹아 20 ℃의 물이 된 것을 나타낸 것이다.

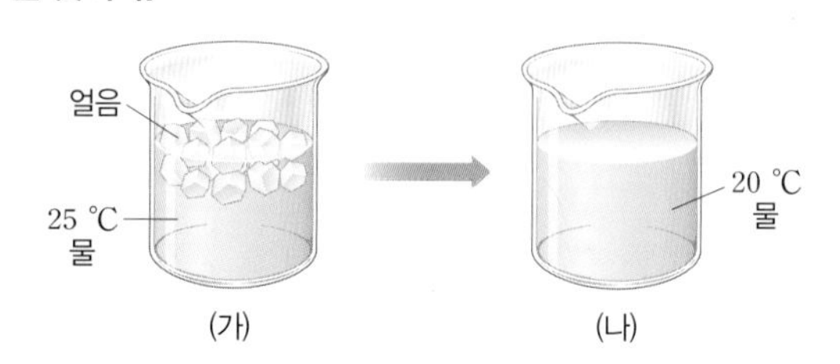

이에 대한 설명으로 옳은 것만을 보기에서 있는 대로 고르시오.

보기
ㄱ. 질량은 (가)<(나)이다.
ㄴ. 물의 밀도는 25 ℃ 물<20 ℃ 물이다.
ㄷ. 물 분자의 평균 수소 결합 수는 25 ℃ 물<20 ℃ 물이다.

04 (가)~(라)는 물의 특성을 나타낸 것이다.

(가) 물은 비열이 크다.
(나) 물은 표면 장력이 크다.
(다) 물은 얼면 부피가 증가한다.
(라) 물은 모세관 현상이 잘 일어난다.

다음 현상은 (가)~(라) 중 어느 것과 가장 관련이 깊은지 각각 찾아 쓰시오.

(1) 소금쟁이가 물 위에 뜬다. (　　)
(2) 종이나 천에 물이 스며든다. (　　)
(3) 겨울철에 호수의 물은 수면부터 언다. (　　)
(4) 해안 지역에서 해풍과 육풍이 분다. (　　)
(5) 물이 가득 든 유리컵에 동전을 넣어도 물이 쉽게 넘치지 않는다. (　　)

05 그림 (가)는 용기에 에탄올을 넣은 것을, (나)는 (가)에서 충분한 시간이 지나 용기 속에서 동적 평형 상태에 도달한 것을 나타낸 것이다.

이에 대한 설명으로 옳은 것만을 보기에서 있는 대로 고르시오. (단, 온도는 일정하다.)

보기
ㄱ. 에탄올의 증발 속도는 (가)에서가 (나)에서보다 크다.
ㄴ. 에탄올의 응축 속도는 (나)에서가 (가)에서보다 크다.
ㄷ. (가)에서 에탄올의 증발 속도는 응축 속도보다 크다.
ㄹ. (나)에서 에탄올의 응축 속도는 증발 속도보다 크다.

06 그림은 액체 A와 B의 증기 압력 곡선이다.

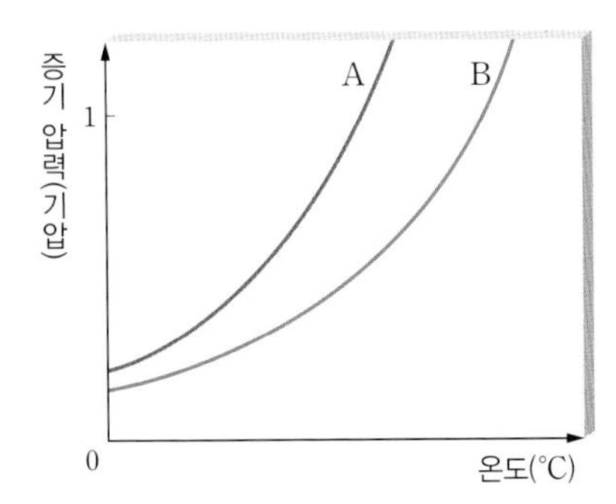

이에 대한 설명으로 옳은 것만을 보기에서 있는 대로 고르시오.

보기
ㄱ. 25 °C에서 증기 압력은 A가 B보다 크다.
ㄴ. 기준 끓는점은 A가 B보다 높다.
ㄷ. 일정한 온도에서 액체 분자 사이의 인력은 B가 A보다 크다.

07 표는 결정 (가)~(다)에 대한 자료이다.

결정	구성 원소	녹는점(°C)	전기 전도성	
			고체	액체
(가)	비금속	3730	없음	없음
(나)	비금속	0	없음	없음
(다)	금속, 비금속	800	없음	있음

이에 대한 설명으로 옳은 것만을 보기에서 있는 대로 고르시오.

보기
ㄱ. (가)는 분자 결정이다.
ㄴ. (가)와 (나)를 이루는 화학 결합은 공유 결합이다.
ㄷ. (다)의 구성 입자는 전하를 띤다.

08 다음은 일상생활에서 금속을 이용한 예 (가)~(다)와 금속의 성질 ㉠~㉢을 나타낸 것이다.

[금속을 이용한 예]
(가) 금실　(나) 알루미늄박　(다) 구리 선

[금속의 성질]
㉠ 전기 전도성　㉡ 연성　㉢ 전성

(가)~(다)에서 이용한 금속의 성질로 가장 적절한 것을 ㉠~㉢에서 찾아 짝 지으시오. (단, (가)~(다)에 해당하는 금속의 성질은 각각 1가지이고, 중복되지 않는다.)

09 그림은 어떤 결정 구조의 단위 세포를 나타낸 것이다.

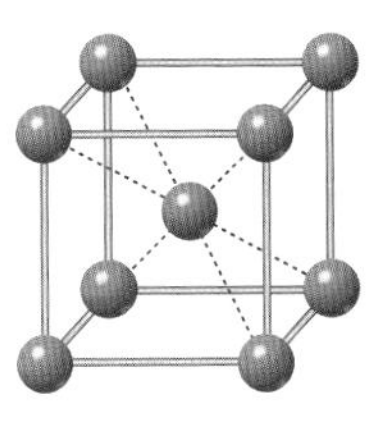

이에 대한 설명으로 옳은 것만을 보기에서 있는 대로 고르시오.

보기
ㄱ. 면심 입방 구조이다.
ㄴ. 단위 세포에 들어 있는 원자 수는 2이다.
ㄷ. 한 원자에 가장 인접한 원자 수는 8이다.

01
> 물의 분자 배열

그림은 온도가 같지만 상태가 다른 H_2O의 배열을 모형으로 나타낸 것이다.

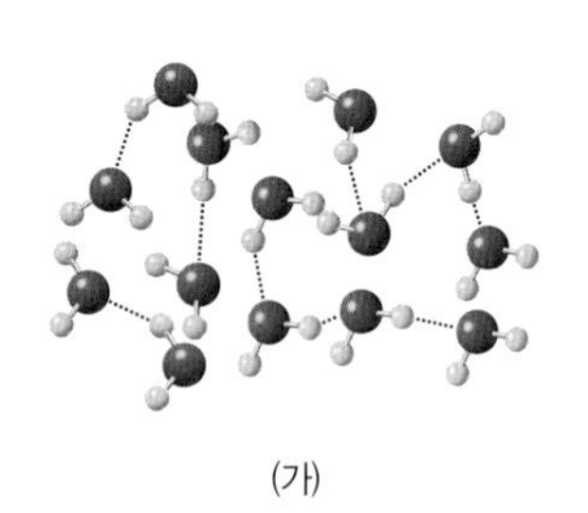
(가)

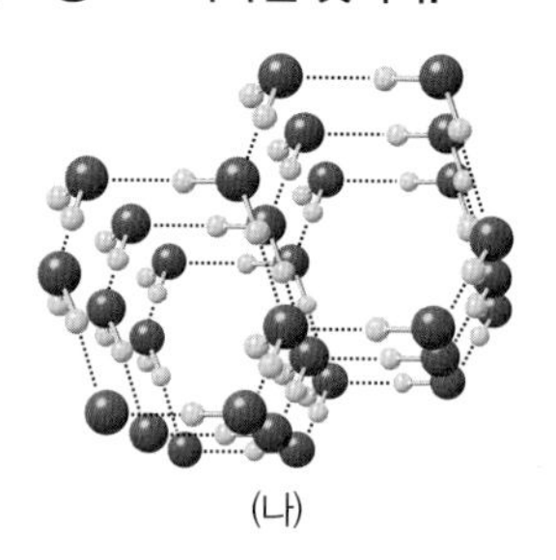
(나)

이에 대한 설명으로 옳은 것만을 보기에서 있는 대로 고른 것은?

보기
ㄱ. 일정량의 H_2O의 부피는 (나)에서가 (가)에서보다 크다.
ㄴ. 1 g에 포함된 수소 결합 수는 (가)에서가 (나)에서보다 크다.
ㄷ. (나)의 온도를 낮추면 밀도는 감소한다.

① ㄱ ② ㄴ ③ ㄷ ④ ㄱ, ㄴ ⑤ ㄱ, ㄷ

• 0 ℃ 얼음에 열에너지를 가하면 빈 육각형 고리를 이루는 수소 결합이 일부 끊어지면서 물로 상태 변화한다.

02
고난도
> 물의 밀도 변화와 가열 곡선

그림 (가)는 일정한 열원으로 얼음을 가열했을 때 시간에 따른 온도를, (나)는 온도에 따른 H_2O의 밀도를 나타낸 것이다.

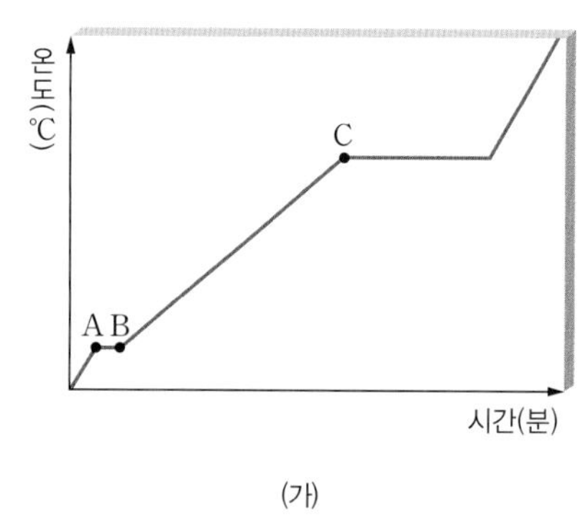

(가)

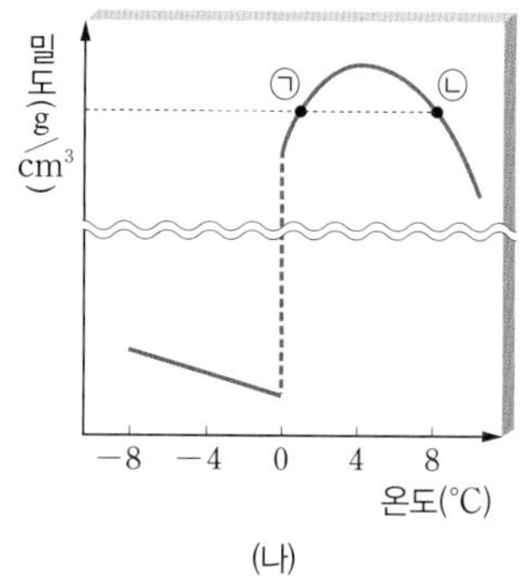

(나)

이에 대한 설명으로 옳은 것만을 보기에서 있는 대로 고른 것은?

보기
ㄱ. 밀도는 B가 A보다 크다.
ㄴ. A~C 중 1 L에 들어 있는 분자 수는 C가 가장 크다.
ㄷ. ㉠ 10 mL에 ㉡ 10 mL를 혼합하면 부피가 20 mL보다 작아진다.

① ㄴ ② ㄷ ③ ㄱ, ㄴ ④ ㄱ, ㄷ ⑤ ㄱ, ㄴ, ㄷ

• 0 ℃ 물을 가열하면 4 ℃까지 밀도가 증가하다가 4 ℃ 이상부터는 밀도가 감소한다. 즉, 0 ℃ 얼음의 밀도가 가장 작고, 4 ℃ 물의 밀도가 가장 크다.

03

> 고체의 가열 곡선

그림은 1기압에서 같은 질량의 고체 A와 B를 일정한 열원으로 가열하였을 때, 시간에 따른 온도를 나타낸 것이다.

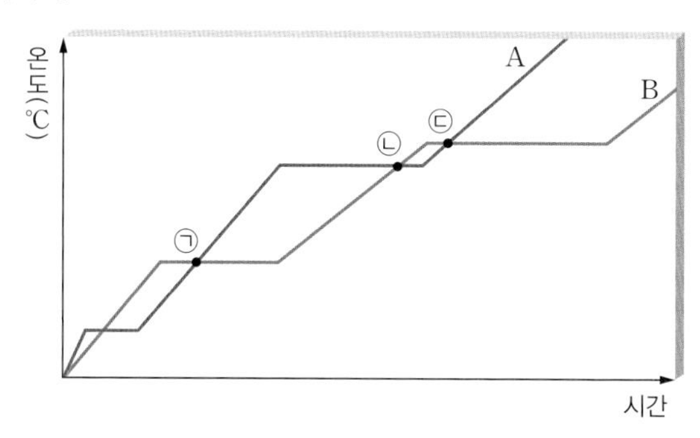

A가 B보다 큰 값을 가지는 것은?

① 융해열

② 액체 상태에서 비열

③ 액체 분자 사이의 인력

④ ㉠에서 ㉡까지 가해 준 열에너지

⑤ ㉢에서의 부피

• 가열 곡선에서 온도가 변하지 않는 구간에서는 상태 변화가 일어나고, 이때 가열 시간은 상태 변화에 필요한 열에너지와 비례한다. 또, 그래프의 기울기가 클수록 비열이 작다.

04

> 물의 표면 장력

그림은 물 1 mL와 A 수용액 1 mL의 몇 가지 조건에 따른 액체 방울의 모습을 나타낸 것이다.

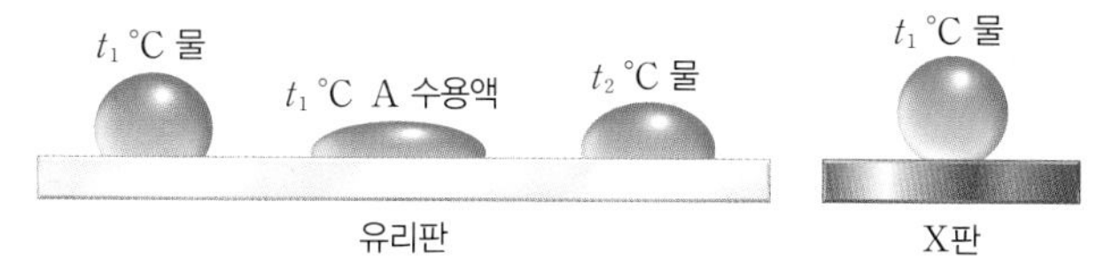

이에 대한 설명으로 옳은 것만을 보기에서 있는 대로 고른 것은?

보기

ㄱ. A는 물의 표면 장력을 감소시킨다.

ㄴ. $t_1 > t_2$이다.

ㄷ. 물과 유리 사이의 인력은 물과 X 사이의 인력보다 크다.

① ㄱ ② ㄴ ③ ㄱ, ㄷ ④ ㄴ, ㄷ ⑤ ㄱ, ㄴ, ㄷ

• 표면 장력이 클수록 액체 방울이 더 둥근 모양이다. 액체는 온도가 높을수록 표면 장력이 감소한다.

고난도

05

> 표면 장력

다음은 표면 장력과 관련된 실험이다.

[실험 Ⅰ]

종이의 한쪽 면에 액체 A를 살짝 적신 후 물에 띄웠더니 종이가 액체 A를 적신 반대쪽으로 움직였다.

[실험 Ⅱ]

(가) 그림과 같이 바람개비 모양으로 종이를 자르고 ㉠ 부분에 수정액을 칠한다.

(나) (가)의 바람개비를 물 위에 띄우고 ㉡ 부분에 액체 A를 떨어뜨렸더니 바람개비가 회전하였다.

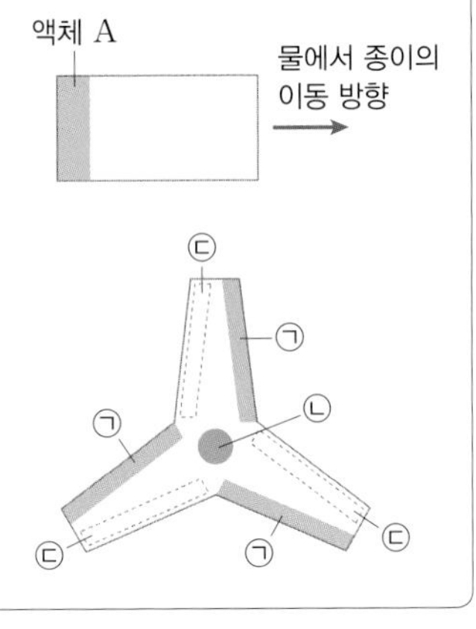

이에 대한 설명으로 옳은 것만을 보기에서 있는 대로 고른 것은?

보기

ㄱ. 표면 장력은 물이 액체 A보다 크다.

ㄴ. 실험 Ⅱ의 (나)에서 액체 A를 떨어뜨리면 액체 A는 ㉢ 부분 쪽으로 이동한다.

ㄷ. (나)에서 바람개비는 시계 반대 방향으로 회전한다.

① ㄱ ② ㄷ ③ ㄱ, ㄴ ④ ㄴ, ㄷ ⑤ ㄱ, ㄴ, ㄷ

• 분자 사이의 힘이 큰 액체일수록 표면 장력이 크고, 분자 사이의 힘이 작은 액체일수록 표면 장력이 작다.

06

> 모세관 현상

그림은 25 ℃ 물에 관 지름이 r mm인 유리 모세관을 넣었을 때 모세관 내 수면이 올라간 것을 나타낸 것이다.

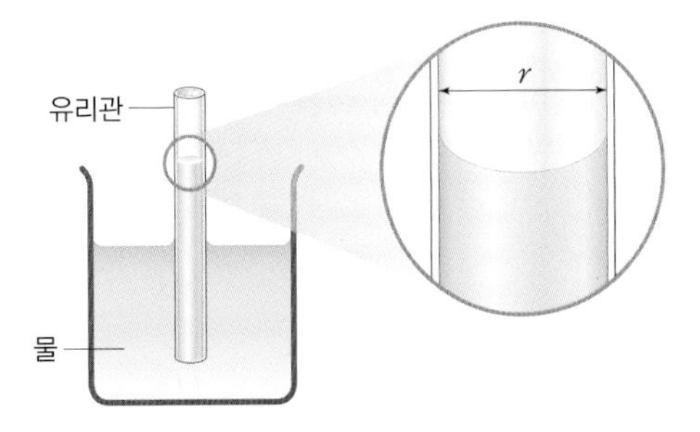

이에 대한 설명으로 옳은 것만을 보기에서 있는 대로 고른 것은?

보기

ㄱ. 물 분자 사이의 응집력이 물 분자와 유리 사이의 부착력보다 크다.

ㄴ. 25 ℃보다 높은 온도에서 실험하면 모세관 내 수면이 더 높이 올라간다.

ㄷ. 관의 지름이 r mm보다 작은 모세관으로 실험하면 모세관 내 수면은 더 높이 올라간다.

① ㄱ ② ㄷ ③ ㄱ, ㄴ ④ ㄴ, ㄷ ⑤ ㄱ, ㄴ, ㄷ

• 온도가 높아지면 액체 분자 사이의 거리가 멀어져서 분자 사이의 힘이 작아지고, 표면 장력이 작아진다.

고난도

07

> 증기 압력 곡선

그림은 25 ℃, 1기압에서 액체 A와 B를 일정한 열원으로 각각 가열하였을 때 시간에 따른 증기 압력을 나타낸 것이다.

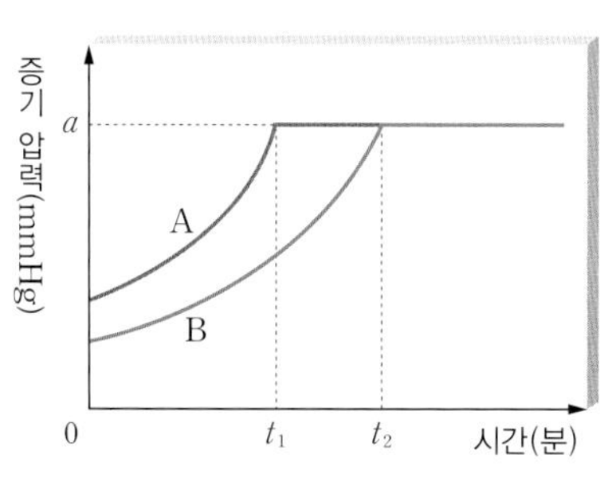

이에 대한 설명으로 옳은 것만을 보기에서 있는 대로 고른 것은?

보기
ㄱ. a는 760이다.
ㄴ. 같은 온도에서 액체 분자 사이의 인력은 A가 B보다 크다.
ㄷ. t_1분에서 A의 온도와 t_2분에서 B의 온도는 같다.

① ㄱ ② ㄴ ③ ㄱ, ㄷ ④ ㄴ, ㄷ ⑤ ㄱ, ㄴ, ㄷ

• 증기 압력과 대기압이 같을 때 액체가 끓는다. 끓는점에서는 액체가 기체로 상태 변화하고, 온도가 일정하게 유지된다.

08

> 찬물로 물 끓이기

다음은 1기압에서 찬물로 물을 끓이는 실험이다.

(가) 둥근바닥 플라스크에 물을 넣고 끓인다.
(나) 물이 끓으면 가열을 중단하고 플라스크 입구를 마개로 막는다.
(다) (나)의 플라스크를 거꾸로 세우고 플라스크에 찬물을 부으면 물이 다시 끓는다.

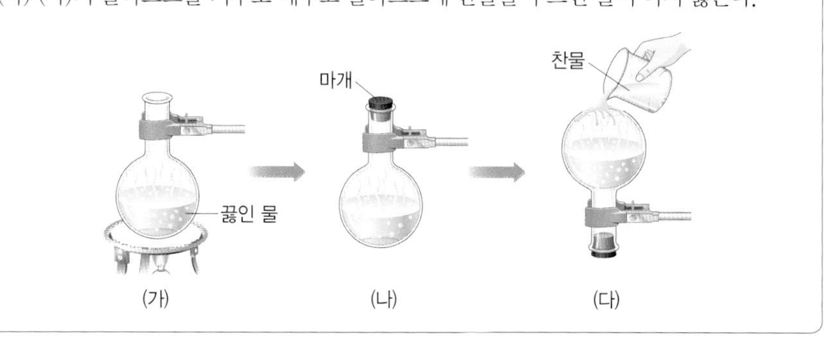

이에 대한 설명으로 옳은 것만을 보기에서 있는 대로 고른 것은?

보기
ㄱ. (다)에서 찬물을 부으면 플라스크 속 수증기가 응축된다.
ㄴ. 플라스크 속 물의 외부 압력은 (가) 과정 후가 (다) 과정 후보다 크다.
ㄷ. 물의 끓는점은 (나) 과정 후가 (다) 과정 후보다 높다.

① ㄱ ② ㄷ ③ ㄱ, ㄴ ④ ㄴ, ㄷ ⑤ ㄱ, ㄴ, ㄷ

• 외부 압력이 클수록 물의 끓는점은 높아지고, 외부 압력이 작을수록 물의 끓는점은 낮아진다.

09

> 주기율표와 고체의 분류

그림은 주기율표의 일부를, 표는 순물질 (가)~(라)의 구성 원소를 나타낸 것이다. (가)~(라)의 결정은 각각 이온 결정, 공유 결정, 분자 결정, 금속 결정 중 하나이다.

주기 \ 족	1	2	13	14	15	16	17
2				A		B	
3	C						D

물질	구성 원소
(가)	A
(나)	A, B
(다)	C
(라)	C, D

(가)~(라)에 대한 설명으로 옳은 것만을 보기에서 있는 대로 고른 것은? (단, A~D는 임의의 원소 기호이다.)

보기

ㄱ. 녹는점은 (가)가 가장 높다.
ㄴ. (나)의 결정은 이온 결정이다.
ㄷ. (다)와 (라)는 액체 상태에서 전기 전도성이 있다.

① ㄱ ② ㄷ ③ ㄱ, ㄴ ④ ㄱ, ㄷ ⑤ ㄴ, ㄷ

• 공유 결정과 분자 결정의 구성 원소는 비금속 원소이고, 금속 결정의 구성 원소는 금속 원소이며, 이온 결정의 구성 원소는 금속 원소와 비금속 원소이다.

10

> 고체의 분류

그림은 고체 (가)와 (나)의 결합 모형을, 표는 (가)와 (나)에서 구성 입자를 나타낸 것이다.

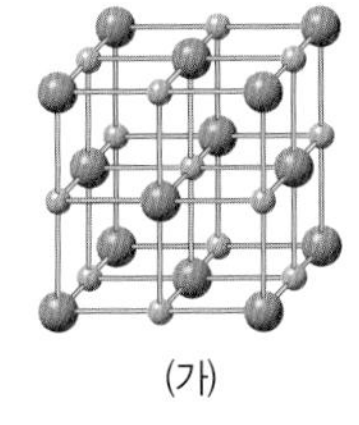
(가)

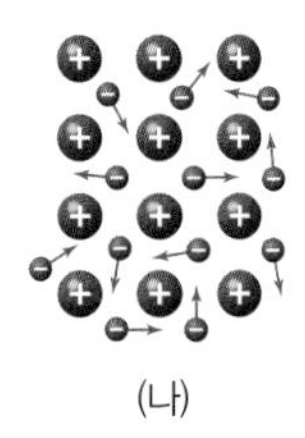
(나)

고체	구성 입자
(가)	X^+, Y^-
(나)	Z^+, e^-

(가)와 (나)에 대한 설명으로 옳은 것만을 보기에서 있는 대로 고른 것은? (단, X~Z는 임의의 원소 기호이다.)

보기

ㄱ. (가)와 (나) 모두 구성 입자 사이에 전기적 인력이 작용한다.
ㄴ. 힘을 가하면 (나)는 (가)보다 쉽게 부서진다.
ㄷ. 고체 상태에서 직류 전원을 연결하면 (가)에서는 Y^-이, (나)에서는 e^-가 이동한다.

① ㄱ ② ㄴ ③ ㄱ, ㄴ ④ ㄱ, ㄷ ⑤ ㄴ, ㄷ

• 이온 결정은 양이온과 음이온 사이의 이온 결합에 의해 이루어지고, 금속 결정은 금속 양이온과 자유 전자 사이의 금속 결합에 의해 이루어진다.

11

> 결정 구조의 단위 세포

그림은 고체 (가)~(다)의 결정 구조를 모형으로 나타낸 것이다. (가)~(다)의 모형에서 단위 세포는 한 변의 길이가 각각 a, b, c인 정육면체이다.

(가) (나) (다)

(가)~(다)에 대한 설명으로 옳은 것만을 보기에서 있는 대로 고른 것은?

보기

ㄱ. 단위 세포에 들어 있는 원자 수는 (나)가 (가)의 2배이다.

ㄴ. 한 원자에 가장 인접한 원자 수는 (다)가 (가)의 2배이다.

ㄷ. 단위 세포 내 빈 공간의 비율이 가장 작은 결정 구조는 (다)이다.

① ㄱ　② ㄷ　③ ㄱ, ㄴ　④ ㄴ, ㄷ　⑤ ㄱ, ㄴ, ㄷ

• 단순 입방 구조는 정육면체의 8개의 꼭짓점에 원자가 있고, 체심 입방 구조는 정육면체의 8개의 꼭짓점과 중심에 원자가 있으며, 면심 입방 구조는 정육면체의 8개의 꼭짓점과 6개의 면심에 원자가 있다.

고난도

12

> 이온 결정 구조와 화학식

그림은 고체 (가)와 (나)의 결정 구조를 모형으로 나타낸 것이다. (가)와 (나)의 모형에서 단위 세포는 한 변의 길이가 각각 a, b인 정육면체이다.

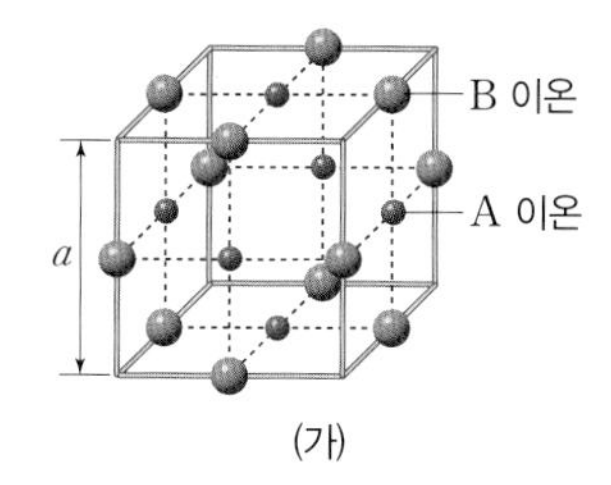

(가)

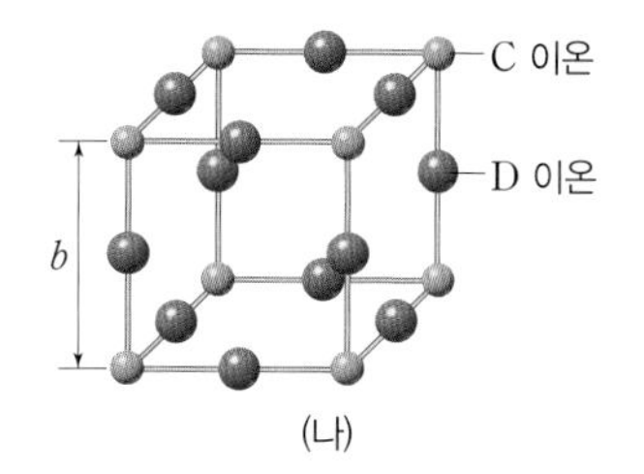

(나)

(가)와 (나)의 화학식으로 옳은 것은? (단, A~D는 임의의 원소 기호이다.)

	(가)	(나)
①	AB	CD_2
②	AB	CD_3
③	AB	C_2D
④	AB_2	CD_3
⑤	AB_2	C_2D

• 결정 구조에서 꼭짓점에 있는 입자는 $\frac{1}{8}$이 단위 세포에 포함되고, 모서리에 있는 입자는 $\frac{1}{4}$이 단위 세포에 포함되며, 면 중심에 있는 입자는 $\frac{1}{2}$이 단위 세포에 포함된다.

2 용액

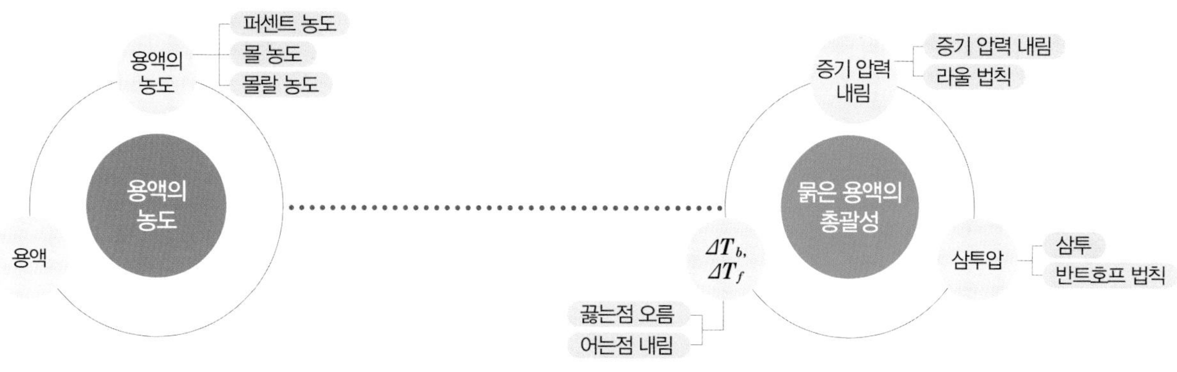

용액의 농도

묽은 용액의 총괄성

01 용액의 농도

학습 Point 물질의 분류 > 용해와 용액 > 퍼센트 농도, ppm 농도 > 몰 농도, 몰랄 농도

1 용액

우리 주변에 존재하는 대부분의 물질들은 혼합물이다. 공기는 질소와 산소 등의 기체 혼합물이고, 혈액은 여러 가지 성분들이 섞여 있는 액체 혼합물이며, 암석은 여러 가지 무기물들의 고체 혼합물이다. 이러한 혼합물 중 균일한 혼합물을 용액이라고 한다.

1. 물질의 분류

물질은 크게 순물질과 혼합물로 구분할 수 있다. 순물질은 한 가지 원소로 이루어진 물질(원소)과 2가지 이상의 원소로 이루어진 화합물로 나누어지며, 혼합물은 균일 혼합물과 불균일 혼합물로 나누어진다.

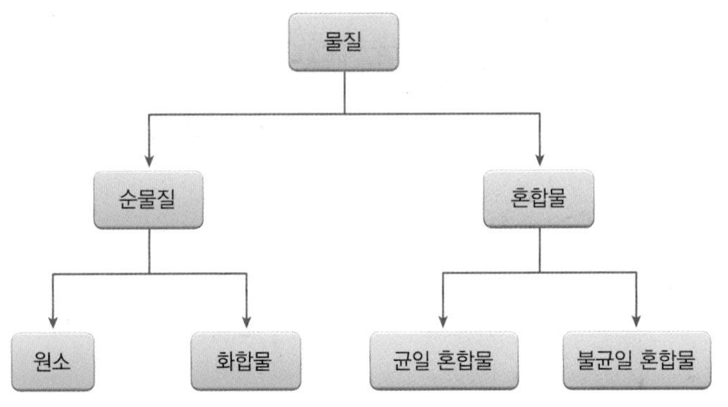

▲ **물질의 분류**

(1) **순물질:** 물리적인 방법으로 더 이상 분리할 수 없는 물질

① **원소:** 한 가지 원소로만 이루어진 물질이다.

예 수소(H_2), 산소(O_2), 구리(Cu), 오존(O_3)

② **화합물:** 2가지 이상의 원소로 이루어진 물질이다.

예 물(H_2O), 염화 나트륨(NaCl), 이산화 탄소(CO_2)

(2) **혼합물:** 냉각, 가열, 거름 등의 물리적 방법에 의해 각 성분으로 분리할 수 있는 물질

① **균일 혼합물:** 2가지 이상의 순물질이 서로 반응하지 않고 균일하게 섞여 있는 혼합물이다.

예 공기, 소금물, 설탕물

② **불균일 혼합물:** 2가지 이상의 순물질이 균일하지 않게 섞여 있는 혼합물이다.

예 암석, 흙탕물

화합물과 혼합물

구분	화합물	혼합물
성분비	일정함	일정하지 않음
녹는점, 끓는점	일정함	일정하지 않음
분리 방법	화학적 방법	물리적 방법

원소와 화합물의 구별 방법

연소 생성물이 한 가지이면 원소이고, 2가지 이상이면 화합물이다.

2. 용해와 용액

(1) **용해와 용액:** 두 종류 이상의 물질이 균일하게 섞이는 현상을 용해라 하고, 용해 결과 생성되는 균일 혼합물을 용액이라고 한다. 이때 용액에서 녹이는 물질을 용매라 하고, 녹는 물질을 용질이라고 한다.

액체에 고체 또는 기체가 용해된 경우에는 액체가 용매, 고체 또는 기체가 용질이다. 액체에 액체가 녹아 있어 용매와 용질의 구분이 명확하지 않은 경우에는 보통 양이 적은 성분을 용질이라 하고, 양이 많은 성분을 용매라고 한다. 또, 용매가 물인 용액을 특별히 수용액이라고 한다. 용해와 반대로 용액에서 용매와 용질이 분리되는 현상을 석출이라고 한다.

$$\text{용매} + \text{용질} \underset{\text{석출}}{\overset{\text{용해}}{\rightleftarrows}} \text{용액}$$

▲ 용액의 형성

용매와 용질의 구분

구분	용매	용질
기체+기체	양이 많은 기체	양이 적은 기체
액체+기체	액체	기체
액체+액체	양이 많은 액체	양이 적은 액체
액체+고체	액체	고체
고체+고체	양이 많은 고체	양이 적은 고체

(2) **용해의 원리:** 용해의 원리를 설명하기 위해서는 용액을 구성하는 성분 입자 사이의 힘이 매우 중요하다. 이러한 입자 사이의 힘은 용매 입자와 용매 입자 사이의 인력, 용질 입자와 용질 입자 사이의 인력, 용매 입자와 용질 입자 사이의 인력이 있다. 용해는 용매-용질 입자 사이의 인력이 용매-용매, 용질-용질 입자들 사이의 인력보다 더 크거나 비슷한 경우에 잘 일어난다. 따라서 용질 입자와 용매 입자의 분자 구조가 비슷한 경우 용해가 잘 일어난다.

① 용질-용매 입자 사이의 인력≥용매-용매, 용질-용질 입자 사이의 인력인 경우: 용해가 잘 일어난다. 예 물과 알코올, 물과 암모니아, 물과 설탕

② 용질-용매 입자 사이의 인력<용매-용매, 용질-용질 입자 사이의 인력인 경우: 용해가 거의 일어나지 않는다. 예 물과 벤젠, 물과 석유, 물과 아이오딘

분자의 극성과 용해

일반적으로 극성 분자는 극성 분자끼리, 무극성 분자는 무극성 분자끼리 잘 섞인다. 예를 들어 무극성인 벤젠과 극성이 큰 물은 거의 섞이지 않는다. 무극성인 벤젠은 무극성인 사염화 탄소에 잘 녹는다. 극성 용매에는 물, 에탄올, 아세트산 등이 있고, 무극성 용매에는 벤젠, 석유, 사염화 탄소 등이 있다.

시야 확장 + 용액, 콜로이드, 서스펜션

혼합물은 구성하는 입자의 크기에 따라 다음과 같이 용액, 콜로이드, 서스펜션으로 나눌 수 있다. 분류의 경계선이 항상 분명한 것은 아니지만 이러한 분류의 개념은 유용하게 이용된다.

혼합물	입자의 크기(nm)	예	특징
용액(solution)	2.0 이하	공기, 바닷물, 포도주	빛에 투명, 방치해도 분리되지 않는다.
콜로이드(colloid)	2.0~1000	우유, 안개, 버터	빛에 불투명, 방치해도 분리되지 않으며, 여과할 수 없다.
서스펜션(suspension)	1000 이상	혈액, 스프레이, 에어로졸	빛에 불투명, 방치하면 분리되며, 여과할 수 있다.

혼합물의 분류

탄산음료는 용해된 분자를 포함하는 용액이고, 우유는 방치해도 분리되지 않는 콜로이드이며, 스프레이는 눈으로 볼 수 있는 작은 입자들의 서스펜션이다.

(3) **수화:** 물은 극성 분자로, 다른 극성 분자들과 서로 잘 섞이며, 염화 나트륨과 같은 이온 결합 물질을 잘 녹이는 성질이 있다. 이것은 이온 결정을 이루는 양이온, 음이온과 극성 분자의 부분적인 양전하(δ^+)나 부분적인 음전하(δ^-)를 띠는 부분 사이에 정전기적 인력이 작용하여 결정에서 잘 떨어져 나오기 때문이다.

염화 나트륨(NaCl)을 물에 녹이면 NaCl의 Na^+을 물 분자에서 부분적인 음전하(δ^-)를 띠는 산소 원자가 끌어당기고, Cl^-을 물 분자에서 부분적인 양전하(δ^+)를 띠는 수소 원자가 끌어당기기 때문에 Na^+과 Cl^- 사이의 인력이 약해져 이온들이 떨어져 나오게 되는데, 이와 같이 용질 입자가 물 분자에 의해 둘러싸이는 현상을 수화라고 한다. 설탕과 같은 분자성 물질의 경우에는 물 분자가 설탕 분자를 둘러싸서 설탕 분자 사이의 인력을 약화시켜 물에 녹게 된다.

용매화
용해가 일어날 때 용매 분자들이 용질 분자를 둘러싸는 현상을 용매화라 하며, 특히 용매가 물인 경우를 수화라고 한다.

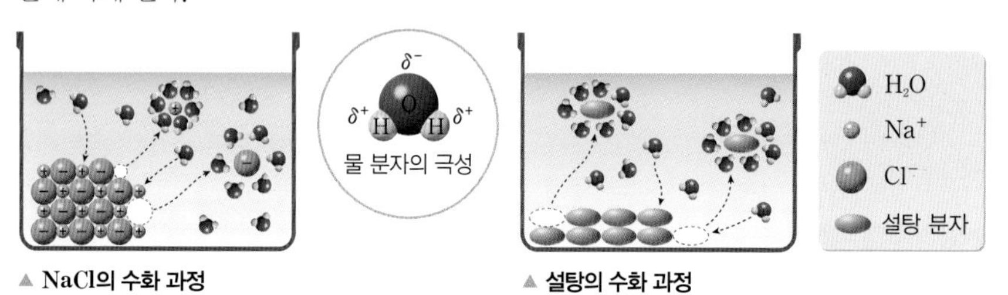

▲ NaCl의 수화 과정
▲ 설탕의 수화 과정

(4) **여러 가지 물질의 용해성**

① **이온성 물질:** 극성 용매인 물에는 잘 녹고, 무극성 용매인 벤젠이나 사염화 탄소에는 잘 녹지 않는다. 예 NaCl, $NaNO_3$, KCl, KNO_3

② **극성 물질:** 극성 용매인 물에는 잘 녹고, 무극성 용매인 벤젠이나 사염화 탄소에는 잘 녹지 않는다. 예 CH_3OH, HCl, NH_3, HF

③ **무극성 물질:** 무극성 용매인 벤젠이나 사염화 탄소에는 잘 녹고, 극성 용매인 물에는 잘 녹지 않는다. 예 Cl_2, Br_2, I_2, $C_{10}H_8$(나프탈렌)

앙금 형성
모든 이온성 물질이 물에 잘 녹는 것은 아니다. 염화 은(AgCl)이나 아이오딘화 납(PbI_2), 황산 바륨($BaSO_4$) 등은 물에 녹지 않고 앙금을 형성한다. 이것은 양이온과 음이온 사이에 결정을 이루는 것이 수화되는 것보다 더 안정하기 때문이다.

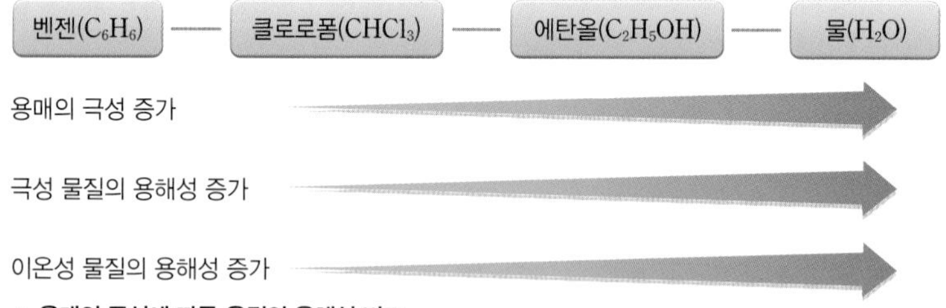

▲ 용매의 극성에 따른 용질의 용해성 비교

극성 분자와 무극성 분자
같은 원자끼리 결합한 이원자 분자의 경우는 모두 무극성 분자이다. 그러나 다른 원자끼리 결합한 다원자 분자라도 대칭 구조이면 무극성 분자이다.
• 극성 분자: CH_3Cl, NF_3 등
• 무극성 분자: CH_4, CCl_4 등

(5) **여러 가지 용액:** 보통 용액은 고체가 액체에 녹아 있는 혼합물이나 액체가 액체에 녹아 있는 혼합물만을 생각하지만 실제로는 모든 상태의 물질들 간에 용액이 형성될 수 있다.

여러 가지 용액	예
기체+기체	공기(N_2, O_2, Ar)
기체+액체	탄산수(CO_2+H_2O)
기체+고체	팔라듐 금속 내의 수소 기체
액체+액체	에탄올 수용액($H_2O+C_2H_5OH$)
액체+고체	바닷물($H_2O+NaCl$)
고체+고체	14캐럿 금반지(Au+Ag)

용액의 농도

우리는 국이 짜거나 싱겁다는 말을 하는데, 이는 소금이 적정량보다 많이 들어가거나 적게 들어갔기 때문이다. 또, 국을 계속 끓이면 물이 졸아서 짜게 된다. 이처럼 용액의 농도는 용질과 용매의 비율과 관련이 있다.

1. 용액의 농도

심화 089쪽

용액은 용매와 용질의 혼합물이므로 용매와 용질의 비율에 따라 일정량의 용액에 들어 있는 용매와 용질의 양이 다르다. 용액에서 용매와 용질의 비율을 나타낸 것을 용액의 농도라고 한다. 용액의 농도가 크면 용매에 비해 용질의 비율이 크다. 즉, 용액의 농도가 크면 용액 속에 포함된 용질의 상대적인 양이 많다.

2. 퍼센트 농도와 ppm 농도

(1) **퍼센트 농도:** 용액 100 g 속에 녹아 있는 용질의 질량(g)을 나타낸 농도를 퍼센트 농도(%)라고 하며, 질량 퍼센트 농도라고도 한다.

$$\text{퍼센트 농도(\%)} = \frac{\text{용질의 질량(g)}}{\text{용액의 질량(g)}} \times 100 = \frac{\text{용질의 질량(g)}}{\text{용질의 질량(g)} + \text{용매의 질량(g)}} \times 100$$

예 10 % 설탕 수용액은 물 90 g에 설탕 10 g을 녹인 용액이다.

예제

LiCl 1.60 g을 포함하고 있는 8 % LiCl 수용액의 질량은 몇 g인지 구하시오.

해설 LiCl 수용액의 퍼센트 농도가 8 %이므로 용액 100 g 속에 용질(LiCl) 8 g이 존재한다.
따라서 8 g : 100 g = 1.6 g : x, $x = \frac{100 \times 1.6}{8} = 20$(g)이다.

정답 20 g

(2) **ppm 농도:** ppm은 'parts per million'의 약자로, 용액 10^6 g 속에 녹아 있는 용질의 질량(g)을 나타낸 농도를 ppm 농도라고 한다. 공기 중에 포함된 이산화 황이나 오존 등과 같은 대기 오염 물질의 농도는 매우 작다. 이 경우에는 퍼센트 농도로 양을 나타내면 값이 너무 작기 때문에 ppm 농도를 사용한다.

$$\text{ppm 농도(ppm)} = \frac{\text{용질의 질량(g)}}{\text{용액의 질량(g)}} \times 10^6$$

예 지하수에 녹아 있는 산소의 양이 1 ppm이면, 지하수 10^6 g 속에는 산소 1 g이 녹아 있다.

예제

물 100 kg에 산소(O_2) 0.02 g이 녹아 있을 때 이 용액의 ppm 농도는 얼마인지 구하시오.

해설 ppm 농도는 $\frac{\text{용질의 질량(g)}}{\text{용액의 질량(g)}} \times 10^6 = \frac{0.02\text{ g}}{(100 \times 10^3 + 0.02)\text{ g}} \times 10^6 \fallingdotseq 0.2$이다.

정답 약 0.2 ppm

퍼센트 농도의 장단점

퍼센트 농도는 용질과 용액의 질량을 이용하여 농도를 표현하기 때문에 온도가 변해도 농도 값이 변하지 않는다는 장점이 있다. 그러나 액체의 양을 측정할 때 일반적으로 질량보다는 부피를 측정하기 때문에 부피를 질량으로 환산하기 위해 밀도가 필요하다는 단점이 있다.

부피 퍼센트 농도

액체와 액체를 섞는 경우에 용액 속에 녹아 있는 용질의 양은 부피 퍼센트 농도로 나타낸다.

$$\text{부피 퍼센트 농도(\%)} = \frac{\text{용질의 부피}}{\text{용액의 부피}} \times 100$$

3. 몰 농도와 몰랄 농도

탐구 085쪽, 086쪽 집중 분석 087~088쪽

(1) **몰 농도(M, mol/L):** 용액 1 L 속에 녹아 있는 용질의 양(mol)을 나타낸 농도

$$\text{몰 농도(M)}=\frac{\text{용질의 양(mol)}}{\text{용액의 부피(L)}}=\frac{\text{용질의 질량}}{\text{용질의 화학식량}\times\text{용액의 부피}}$$

예 0.1 M 수산화 나트륨 수용액 2 L에는 수산화 나트륨 0.2 mol(=8.0 g)이 녹아 있다.

예제

황산 196 g을 물에 녹여 수용액 2 L를 만들었다. 이 수용액의 몰 농도를 구하시오. (단, H_2SO_4의 분자량은 98이다.)

해설 황산의 양(mol)은 $\frac{\text{질량}}{\text{분자량}}=\frac{196}{98}=2\text{(mol)}$이다.

따라서 몰 농도$=\frac{\text{용질의 양(mol)}}{\text{용액의 부피(L)}}=\frac{2\text{ mol}}{2\text{ L}}=1\text{ mol/L}=1\text{ M}$이다.

정답 1 M

(2) **몰랄 농도(m, mol/kg):** 용매 1 kg 속에 녹아 있는 용질의 양(mol)을 나타낸 농도

$$\text{몰랄 농도}(m)=\frac{\text{용질의 양(mol)}}{\text{용매의 질량(kg)}}=\frac{\text{용질의 질량}}{\text{용질의 화학식량}\times\text{용매의 질량}}$$

예 물 1000 g에 수산화 나트륨 4 g(화학식량 40)을 녹여 만든 수산화 나트륨 수용액의 몰랄 농도는 0.1 m이다.

예제

설탕($C_{12}H_{22}O_{11}$) 3.42 g을 물 100 mL에 녹인 용액의 몰랄 농도를 구하시오. (단, 설탕의 분자량은 342이고, 물의 밀도는 1 g/mL이다.)

해설 설탕 3.42 g의 양(mol)$=\frac{3.42}{342}=0.01\text{(mol)}$이고, 물의 부피를 질량으로 환산하면 $100\text{ mL}\times1\text{ g/mL}=100\text{ g}$ $=0.1\text{ kg}$이다. 따라서 몰랄 농도$=\frac{0.01\text{ mol}}{0.1\text{ kg}}=0.1\text{ mol/kg}=0.1\ m$이다.

정답 0.1 m

시야 확장 ⊕ 몰 분율의 이용

1. 몰 분율은 용액에서 양(mol)을 이용하여 농도를 구하는 데 이용할 수 있다.
2. 몰 분율은 용액에서 특정 성분의 양(mol)을 용액을 이루는 전체 성분의 양(mol)으로 나눈 비율이다.

   $$\text{몰 분율}(X)=\frac{\text{특정 성분의 양(mol)}}{\text{용액을 이루는 전체 성분의 양(mol)}}$$

   예 물 n_1몰과 포도당 n_2몰을 혼합한 용액에서 물의 몰 분율은 $\frac{n_1}{n_1+n_2}$이고, 포도당의 몰 분율은 $\frac{n_2}{n_1+n_2}$이다. ➡ 각 성분의 몰 분율의 합은 1이다.
3. 몰 분율은 계산 과정에서 단위가 상쇄되므로 단위가 없으며, 온도에 의해 변하지 않는다.
4. 몰 분율은 혼합 기체에서 기체의 부분 압력을 구할 때나 증기 압력 내림에 관련된 내용을 다룰 때 주로 이용한다.

몰 농도의 장단점

몰 농도는 질량이 아닌 양(몰)을 사용하여 농도를 표시하므로 화학 반응의 양적 계산에 매우 유용하게 이용된다. 용액의 양을 질량이 아닌 부피로 나타내므로 화학 실험에서 측정 시 매우 편리한 장점이 있다.

그러나 액체의 부피는 온도가 높아지면 팽창하고, 온도가 내려가면 수축하므로 몰 농도는 온도에 의해 변하게 된다. 즉, 온도가 높아지면 몰 농도가 작아지고, 온도가 낮아지면 몰 농도가 커진다. 또, 수용액의 밀도를 모르면 용매의 정확한 질량을 구할 수 없다는 단점이 있다.

몰랄 농도의 장단점

몰랄 농도는 용매의 질량을 기준으로 농도를 표시하므로 온도가 변해도 농도가 변하지 않는다는 장점이 있다. 따라서 용액의 끓는점 오름이나 어는점 내림을 정량적으로 계산할 때 이용된다.

그러나 용액의 양을 부피가 아닌 질량으로 표현하기 때문에 측정에 어려움이 있고, 몰 농도로 환산하기 위해서는 용액의 밀도를 알아야 한다는 단점이 있다.

과정이 살아 있는 **탐구**

1 m 수산화 나트륨 수용액 만들기

일정한 몰랄 농도의 수산화 나트륨 수용액을 만들 수 있다.

과정

1 비커에 4.0 g의 고체 NaOH(수산화 나트륨)을 전자저울로 정확하게 측정하여 넣는다.
2 과정 1의 비커에 증류수를 약간 넣어 유리 막대로 저으면서 NaOH을 녹여 NaOH 수용액을 만든다.
3 100 mL 부피 플라스크를 전자저울에 올려놓고 영점 조정을 한 후 플라스크에 과정 2의 NaOH 수용액을 넣는다.
4 NaOH 수용액이 들어 있는 비커를 증류수로 씻고, 씻어 낸 용액을 플라스크에 넣는다.
5 플라스크의 질량이 104 g이 될 때까지 증류수를 조금씩 넣는다.

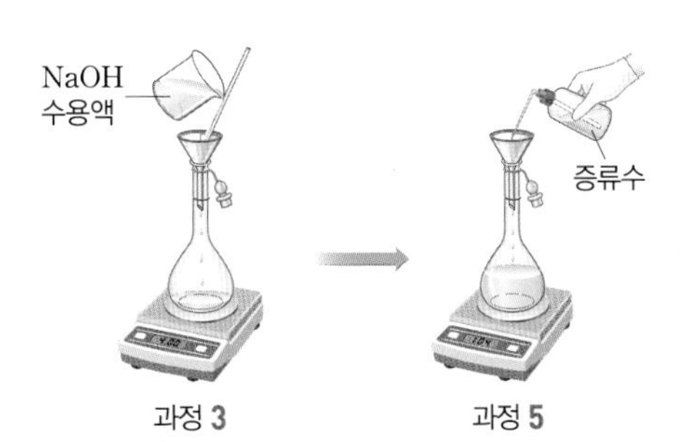

유의점

- NaOH은 인체에 해롭기 때문에 진한 수용액이나 고체가 피부에 닿지 않도록 한다.
- 전자저울을 사용할 때 반드시 영점 조정을 한 후 사용한다.
- 비커를 증류수로 씻을 때 2~3회 가량 반복한다.

결과 및 해석

1 **이 실험에서 만든 NaOH 수용액의 몰랄 농도는 얼마인가?**

➡ NaOH의 화학식량이 40이므로 NaOH 4.0 g의 양(mol)은 0.1 mol이다. NaOH 0.1 mol을 물 100 g에 녹였으므로 NaOH 수용액의 몰랄 농도는 $\frac{0.1\text{ mol}}{0.1\text{ kg}}=1\ m$이다.

2 **실험으로 만든 수용액에 NaOH 4.0 g을 더 녹이고, 물 300 g을 더 넣어 수용액을 만들었을 때 이 NaOH 수용액의 몰랄 농도는 얼마인가?**

➡ NaOH 수용액에 들어 있는 NaOH의 양(mol)은 $0.1+0.1=0.2$(mol)이고 물의 질량은 400 g이므로 NaOH 수용액의 몰랄 농도는 $\frac{0.2\text{ mol}}{0.4\text{ kg}}=0.5\ m$이다.

몰랄 농도와 온도

몰랄 농도는 용질의 양(mol)과 용매의 질량을 이용하여 구한 농도이므로 수용액의 온도를 높여도 일정한 값을 가진다. 즉, 온도를 높여도 몰랄 농도는 변하지 않고 일정하다.

정리

몰랄 농도는 $\frac{\text{용질의 양(mol)}}{\text{용매의 질량(kg)}}$으로 구할 수 있고, 용매의 질량=용액의 질량−용질의 질량이다.

탐구 확인 문제

> 정답과 해설 137쪽

01 위 실험에 대한 설명으로 옳은 것만을 보기에서 있는 대로 고르시오.

보기

ㄱ. 실험 후 몰랄 농도를 구하기 위해 필요한 자료는 NaOH의 화학식량이다.
ㄴ. 과정 4에서 씻어 낸 용액을 플라스크에 넣지 않고 수용액을 만들면 몰랄 농도가 감소할 수 있다.
ㄷ. 과정 5에서 플라스크의 부피가 100 mL일 때까지 증류수를 조금씩 넣어 수용액을 만들면 수용액의 몰 농도는 1 M보다 작다.

02 위 실험에서 **NaOH 4.0 g** 대신 포도당 **9.0 g**을 사용하고, 과정 5에서 플라스크의 질량이 **109 g**이 될 때까지 증류수를 넣었다. 이 실험으로 만든 포도당 수용액의 몰랄 농도를 구하면? (단, 포도당의 분자량은 **180**이다.)

① 0.2 m ② 0.5 m ③ 1 m
④ 2 m ⑤ 5 m

과정이 살아 있는 **탐구**

다른 농도의 용액 만들기

퍼센트 농도 용액을 특정 몰 농도와 몰랄 농도의 용액으로 만들 수 있다.

과정

[준비 단계]

1 18 % 포도당 수용액을 준비한다.

[0.5 M 포도당 수용액 100 mL 만들기]

2 0.5 M 포도당 수용액 100 mL를 만들기 위해 필요한 18 % 포도당 수용액의 질량을 계산한다.

3 비커를 전자저울에 올리고 영점 조정을 한 후 과정 2에서 구한 질량이 될 때까지 비커에 포도당 수용액을 넣는다.

4 과정 3의 포도당 수용액을 100 mL 부피 플라스크에 넣고, 눈금선까지 증류수를 넣어 0.5 M 포도당 수용액을 만든다.

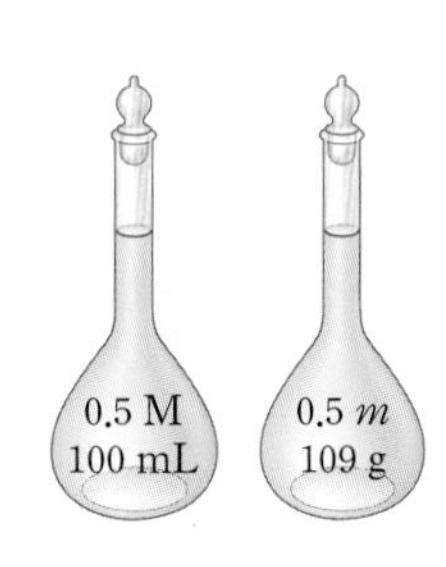

[0.5 *m* 포도당 수용액 109 g 만들기]

5 0.5 *m* 포도당 수용액 109 g을 만들기 위해 필요한 18 % 포도당 수용액의 질량을 계산한다.

6 비커를 전자저울에 올리고 영점 조정을 한 후 과정 5에서 구한 질량이 될 때까지 비커에 포도당 수용액을 넣는다.

7 100 mL 부피 플라스크를 전자저울에 올려놓고 영점 조정을 한 후 플라스크에 과정 6의 포도당 수용액을 넣고 플라스크 질량이 109 g이 될 때까지 플라스크에 증류수를 넣어 0.5 *m* 포도당 수용액을 만든다.

유의점

- 준비하는 18 % 포도당 수용액의 질량은 100 g 이상이어야 한다.

결과 및 해석

1 과정 2에서 0.5 M 포도당 수용액 100 mL를 만들기 위해 필요한 18 % 포도당 수용액의 질량은 얼마인가? (단, 포도당의 분자량은 180이다.)

➡ 0.5 M 포도당 수용액 100 mL에 들어 있는 포도당의 양(mol)은 0.05 mol이므로 포도당 9 g이 필요하다. 18 % 포도당 수용액 50 g에는 포도당 9 g이 들어 있으므로 필요한 포도당 수용액의 질량은 50 g이다.

2 과정 5에서 0.5 *m* 포도당 수용액 109 g을 만들기 위해 필요한 18 % 포도당 수용액의 질량은 얼마인가?

➡ 0.5 *m* 포도당 수용액 109 g에 들어 있는 포도당의 양(mol)은 0.05 mol이다. 즉, 포도당 9 g이 필요하므로 필요한 포도당 수용액의 질량은 50 g이다.

용액의 농도

- 퍼센트 농도(%) $= \frac{\text{용질의 질량(g)}}{\text{용액의 질량(g)}} \times 100$
- 몰 농도(M) $= \frac{\text{용질의 양(mol)}}{\text{용액의 부피(L)}}$
- 몰랄 농도(m) $= \frac{\text{용질의 양(mol)}}{\text{용매의 질량(kg)}}$

탐구 확인 문제

> 정답과 해설 137쪽

01 위 실험에 대한 설명으로 옳은 것만을 보기에서 있는 대로 고르시오. (단, 포도당의 분자량은 180이고, 실험 온도에서 0.5 M 포도당 수용액의 밀도는 1.1 g/mL이다.)

보기

ㄱ. 18 % 포도당 수용액 100 g에 들어 있는 물의 질량은 82 g이다.

ㄴ. 0.5 M 포도당 수용액 100 mL에 들어 있는 물의 질량은 101 g이다.

ㄷ. 온도가 높아지면 0.5 M 포도당 수용액의 몰 농도는 증가한다.

02 위 실험에서 0.5 M 포도당 수용액 800 mL를 만들기 위해 필요한 18 % 포도당 수용액의 질량은 얼마인지 구하시오. (단, 포도당의 분자량은 180이다.)

여러 가지 농도의 환산

농도의 종류에는 여러 가지가 있고, 각 농도마다 표현하는 방법이 조금씩 다르기 때문에 상황에 따라 사용하는 농도가 다르다. 상황에 맞는 농도를 적절하게 사용하기 위해서는 어떤 농도를 다른 농도로 환산하는 과정이 중요하다. 여러 가지 농도를 서로 환산하는 방법을 연습해 보자.

① 퍼센트 농도(%)를 몰 농도(M)로 환산하기

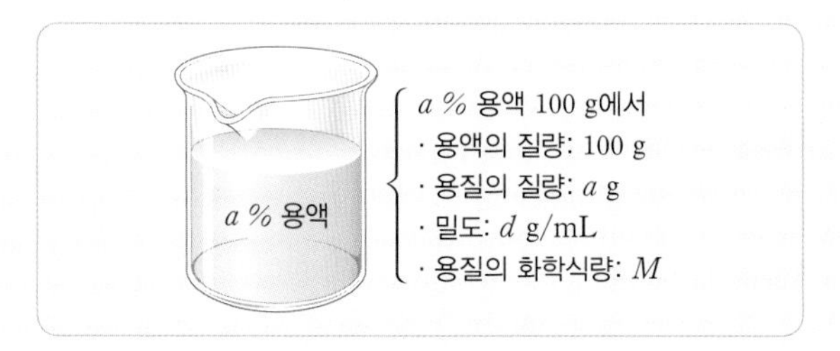

단계 1 몰 농도를 구하기 위해서는 용질의 양(mol)과 용액의 부피(L)를 알아야 한다.

단계 2 a % 용액 100 g에는 용질 a g이 있으므로 용질의 양(mol)과 용액의 부피(L)는 다음과 같이 구할 수 있다.

(1) $\text{용질의 양(mol)}=\dfrac{\text{용질의 질량}}{\text{용질의 화학식량}}=\dfrac{a}{M}$

(2) $\text{용액의 부피(L)}=\dfrac{\text{용액의 질량(g)}}{\text{용액의 밀도(g/mL)}\times1000\text{(mL/L)}}$

$=\dfrac{100}{1000d}=\dfrac{1}{10d}$

단계 3 용액의 몰 농도를 구한다.

➡ $\text{용액의 몰 농도(M)}=\dfrac{\text{용질의 양(mol)}}{\text{용액의 부피(L)}}=\dfrac{\frac{a}{M}}{\frac{1}{10d}}=\dfrac{10ad}{M}$

② 퍼센트 농도(%)를 몰랄 농도(m)로 환산하기

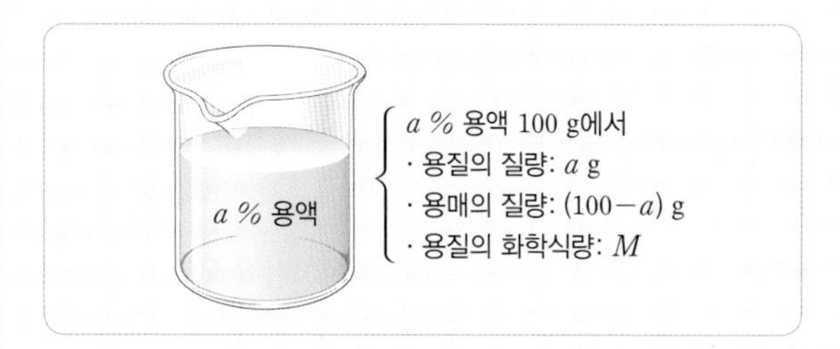

단계 1 몰랄 농도를 구하기 위해서는 용질의 양(mol)과 용매의 질량(kg)을 알아야 한다.

단계 2 a % 용액 100 g에는 용질 a g과 용매 $(100-a)$ g이 있으므로 용질의 양(mol)과 용매의 질량(kg)은 다음과 같이 구할 수 있다.

(1) $\text{용질의 양(mol)}=\dfrac{\text{용질의 질량}}{\text{용질의 화학식량}}=\dfrac{a}{M}$

(2) $\text{용매의 질량(kg)}=\dfrac{(100-a)}{1000}$

단계 3 용액의 몰랄 농도를 구한다.

➡ $\text{용액의 몰랄 농도}(m)=\dfrac{\text{용질의 양(mol)}}{\text{용매의 질량(kg)}}=\dfrac{\frac{a}{M}}{\frac{(100-a)}{1000}}$

$=\dfrac{1000a}{(100-a)M}$

예제

① 20 % NaOH 수용액의 몰 농도를 구하시오. (단, NaOH의 화학식량은 40이고, 이때 NaOH 수용액의 밀도는 1 g/mL이다.)

해설 20 % NaOH 수용액 100 g에는 20 g의 NaOH이 있으므로 NaOH의 양(mol)은 $\dfrac{20}{40}=0.5$(mol)이다. 수용액의 밀도는 1 g/mL이므로 수용액의 부피는 100 g×1 mL/g=100 mL이다. 따라서 수용액의 몰 농도는 $\dfrac{0.5\text{ mol}}{0.1\text{ L}}=5$ M이다.

정답 5 M

예제

② 20 % NaOH 수용액의 몰랄 농도를 구하시오. (단, NaOH의 화학식량은 40이다.)

해설 20 % NaOH 수용액 100 g에는 20 g의 NaOH이 있으므로 NaOH의 양(mol)은 $\dfrac{20}{40}=0.5$(mol)이다. 수용액 100 g에는 물 80 g이 있으므로 수용액의 몰랄 농도는 $\dfrac{0.5\text{ mol}}{0.080\text{ kg}}=6.25$ m이다.

정답 6.25 m

❸ 몰 농도(M)를 퍼센트 농도(%)로 환산하기

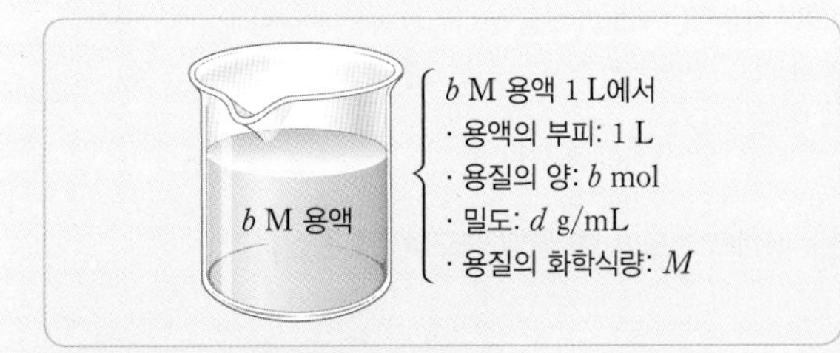

단계 1 퍼센트 농도를 구하기 위해서는 용질의 질량(g)과 용액의 질량(g)을 알아야 한다.

단계 2 b M 용액 1 L에는 용질 b mol이 있으므로 용질의 질량과 용액의 질량은 다음과 같이 구할 수 있다.

(1) 용질의 질량(g)=용질의 양(mol)×용질의 화학식량=bM

(2) 용액의 질량(g)=용액의 부피(L)×1000×용액의 밀도(g/mL)=$1000d$

단계 3 용액의 퍼센트 농도를 구한다.

➡ 용액의 퍼센트 농도$=\dfrac{\text{용질의 질량(g)}}{\text{용액의 질량(g)}}\times 100$

$=\dfrac{bM}{1000d}\times 100=\dfrac{bM}{10d}$

❸ 1 M NaOH 수용액의 퍼센트 농도를 구하시오. (단, NaOH의 화학식량은 40이고, 이때 NaOH 수용액의 밀도는 1 g/mL이다.)

해설 1 M NaOH 수용액 1 L에 들어 있는 NaOH의 양(mol)은 1 mol이므로 NaOH의 질량은 40 g이다. NaOH 수용액 1 L의 질량은 1000 mL×1 g/mL=1000 g이다. 따라서 수용액의 퍼센트 농도는 $\dfrac{40\text{ g}}{1000\text{ g}}\times 100=4$ %이다.

정답 4 %

❹ 몰 농도(M)를 몰랄 농도(m)로 환산하기

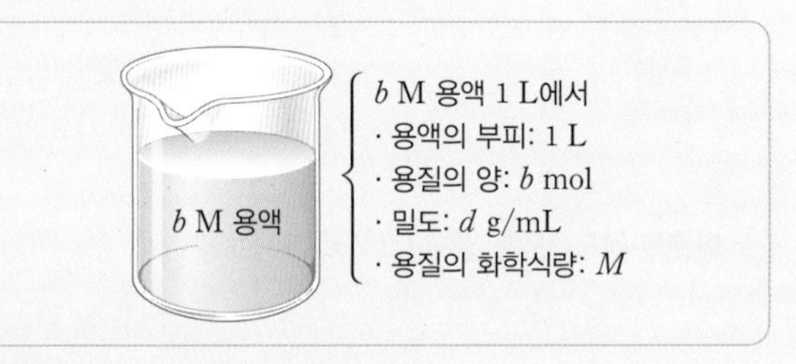

단계 1 몰랄 농도를 구하기 위해서는 용질의 양(mol)과 용매의 질량(kg)을 알아야 한다.

단계 2 b M 용액 1 L에는 용질 b mol이 있으므로 용매의 질량은 다음과 같이 구할 수 있다.

➡ 용매의 질량(kg)$=\dfrac{\text{용액의 질량(g)}-\text{용질의 질량(g)}}{1000}$

$=\dfrac{1000d-bM}{1000}$

단계 3 용액의 몰랄 농도를 구한다.

➡ 용액의 몰랄 농도$=\dfrac{\text{용질의 양(mol)}}{\text{용매의 질량(kg)}}$

$=\dfrac{b}{\dfrac{1000d-bM}{1000}}=\dfrac{1000b}{1000d-bM}$

예제

❹ 1 M NaOH 수용액의 몰랄 농도를 구하시오. (단, NaOH의 화학식량은 40이고, 이때 NaOH 수용액의 밀도는 1 g/mL이다.)

해설 1 M NaOH 수용액 1 L에 들어 있는 NaOH의 양(mol)은 1 mol이므로 NaOH의 질량은 40 g이다. NaOH 수용액 1 L의 질량은 1000 mL×1 g/mL=1000 g이므로 물의 질량은 1000 g−40 g=960 g이다. 따라서 수용액의 몰랄 농도는 $\dfrac{1\text{ mol}}{0.96\text{ kg}}\fallingdotseq 1.04$ m이다.

정답 약 1.04 m

› 정답과 해설 138쪽

유제

그림은 1 m NaOH 수용액을 나타낸 것이다. 1 m NaOH 수용액의 밀도는 1.3 g/mL이고, NaOH의 화학식량은 40이다.

이에 대한 설명으로 옳은 것만을 보기에서 있는 대로 고르시오.

보기

ㄱ. 이 수용액 100 g 속 NaOH의 질량은 $\dfrac{50}{13}$ g이다.

ㄴ. 이 수용액의 퍼센트 농도는 $\dfrac{50}{13}$ %이다.

ㄷ. 이 수용액의 몰 농도는 1.25 M이다.

차이를 만드는

여러 가지 농도의 사용

용액에서 용매와 용질의 양을 나타내기 위해 퍼센트 농도, 몰 농도, 몰랄 농도 등이 사용되지만, 그 외에 다른 농도들도 우리 주변에서 종종 사용된다. ppb 농도, 퍼밀 농도, 당도와 같은 농도를 구하는 식과 이러한 농도들이 어떻게 사용되는지 알아보자.

❶ ppb 농도

ppb는 'parts per billion'의 약자로, 용액 10^9 g 속에 녹아 있는 용질의 질량(g)을 나타낸 것이다. ppb 농도를 구하는 식은 다음과 같다.

$$\text{ppb 농도(ppb)} = \frac{\text{용질의 질량(g)}}{\text{용액의 질량(g)}} \times 10^9$$

ppb는 ppm과 마찬가지로 공기나 물속에 존재하는 극미량 불순물의 농도를 나타내는 데 사용된다. 예를 들면 식수로 이용되는 물의 경우 납의 최대 허용 농도는 50 ppb이다. 이것은 물 2×10^7 g 속에 납 1 g까지를 허용한다는 것을 뜻한다.

❷ 퍼밀 농도(‰)

용액 1000 g 속에 녹아 있는 용질의 질량(g)을 나타낸 것이다. 퍼밀 농도를 구하는 식은 다음과 같다.

$$\text{퍼밀 농도(‰)} = \frac{\text{용질의 질량(g)}}{\text{용액의 질량(g)}} \times 1000$$

퍼센트 농도를 백분율, 퍼밀 농도를 천분율이라고 한다. 퍼밀 농도는 퍼센트 농도처럼 사용할 수 있지만, 용질의 질량이 퍼센트 농도보다 작을 때 사용하면 효과적이다. 예를 들어 바닷물 1000 g 속에 녹아 있는 염분이 35 g이라면 바닷물의 염분 농도는 35 ‰이다.

❸ 당도, 브릭스(brix)

브릭스(brix)는 용액 100 g 속에 들어 있는 당의 질량(g)을 나타낸 것이다.

$$\text{당도(brix)} = \frac{\text{당의 질량(g)}}{\text{용액의 질량(g)}} \times 100$$

브릭스는 백분율과 같은 형태로 표현되고, 브릭스가 클수록 당도가 큰 용액이다. 주로 과일이나 음료에 들어 있는 당도를 나타낼 때 사용한다. 예를 들어 용액 100 g 속에 3 g의 당이 들어 있으면 3 brix이다.

❹ ppm의 넓은 의미

ppm은 용액 10^6 g 속에 들어 있는 용질의 질량(g)을 나타낼 때 사용하지만, 질량 대신 개수나 부피를 이용하여 나타낼 때도 사용할 수 있다. 예를 들어 총 물질 10^6개 중에서 용질의 개수를 나타내거나 총 부피 10^6 L 중에서 용질의 부피를 나타낼 때도 사용할 수 있다.

농도
용액 속에 들어 있는 용질의 양이나 용매 속에 들어 있는 용질의 양을 나타낸다. 용질의 양은 보통 질량이나 몰(mol)이 사용된다.

psu(실용염분)
psu는 바닷물의 염분을 질량으로 계산하는 대신 바닷물의 전기 전도도를 측정하여 염분의 정도를 산출할 때 사용하는 단위이다. 현재 염분 단위는 퍼밀에서 psu로 바뀌었다.

정답과 해설 138쪽

01 용액의 농도

① 용액

1. **물질의 분류** 물질은 크게 순물질과 (❶)로 구분할 수 있다.
- 순물질: 한 가지 원소로만 이루어진 물질(원소)과 2가지 이상의 원소로 이루어진 (❷)로 나누어진다.
- 혼합물: 2가지 이상의 순물질이 서로 반응하지 않고 균일하게 섞여 있는 균일 혼합물과 균일하지 않게 섞여 있는 불균일 혼합물로 나누어진다.

2. **용해와 용액** 두 종류 이상의 물질이 균일하게 섞이는 현상을 용해, 용해 결과 생성되는 균일 혼합물을 용액이라고 한다. 이때 녹이는 물질을 (❸)라 하고, 녹는 물질을 (❹)이라고 한다.

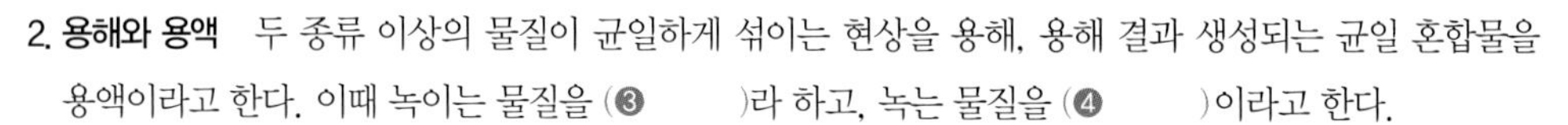

- 용해의 원리: 용해는 용매－용질 입자 사이의 인력이 용매－용매, 용질－용질 입자들 사이의 인력보다 더 크거나 비슷한 경우에 잘 일어난다.
- 수화: 염화 나트륨(NaCl)을 물에 녹이면 NaCl의 Na^+을 물 분자에서 부분적인 음전하를 띠는 (❺) 원자가 끌어당기고, Cl^-을 부분적인 양전하를 띠는 수소 원자가 끌어당기기 때문에 Na^+과 Cl^- 사이의 인력이 약해져 이온들이 떨어져 나오게 되는데, 이와 같이 용질 입자가 물 분자에 의해 둘러싸이는 현상을 수화라고 한다.
- 여러 가지 물질의 용해성: 이온성 물질은 극성 용매에는 잘 녹고, (❻) 용매에는 잘 녹지 않는다. 극성 물질은 극성 용매에 잘 녹지만 무극성 용매에 잘 녹지 않고, 무극성 물질은 극성 용매에 잘 녹지 않지만 무극성 용매에 잘 녹는다.

② 용액의 농도

1. **퍼센트 농도(%)** 용액 (❼)g 속에 녹아 있는 용질의 질량(g)을 나타낸 것으로, 단위는 %로 표시한다.

$$\text{퍼센트 농도(\%)}=\frac{\text{용질의 질량(g)}}{\text{용액의 질량(g)}}\times 100=\frac{\text{용질의 질량(g)}}{\text{용질의 질량(g)}+\text{용매의 질량(g)}}\times 100$$

2. **ppm 농도(ppm)** 용액 (❽)g 속에 녹아 있는 용질의 질량(g)을 나타낸 것으로, 단위는 ppm으로 표시한다.

$$\text{ppm 농도(ppm)}=\frac{\text{용질의 질량(g)}}{\text{용액의 질량(g)}}\times 10^6=\frac{\text{용질의 질량(g)}}{\text{용질의 질량(g)}+\text{용매의 질량(g)}}\times 10^6$$

3. **몰 농도(M)** 용액 1 L 속에 녹아 있는 용질의 양(❾)을 나타낸 것으로, 단위는 M 또는 mol/L로 표시한다.

$$\text{몰 농도(M)}=\frac{\text{용질의 양(mol)}}{\text{용액의 부피(L)}}=\frac{\text{용질의 질량}}{\text{용질의 화학식량}\times\text{용액의 부피}}$$

4. **몰랄 농도(m)** (❿) 1 kg 속에 녹아 있는 용질의 양(mol)을 나타낸 것으로, 단위는 m 또는 mol/kg으로 표시한다.

$$\text{몰랄 농도}(m)=\frac{\text{용질의 양(mol)}}{\text{용매의 질량(kg)}}=\frac{\text{용질의 질량}}{\text{용질의 화학식량}\times\text{용매의 질량}}$$

01 표는 균일 혼합물 (가)~(다)를 구성하는 물질들을 나타낸 것이다.

혼합물	구성 물질
(가)	$NaCl(s)$, $H_2O(l)$
(나)	$I_2(s)$, $CCl_4(l)$
(다)	$H_2O(l)$, $HCl(g)$

(가)~(다)의 구성 물질이 잘 섞이는 이유를 보기에서 각각 찾아 짝 지어 쓰시오.

보기
ㄱ. 용매와 용질이 모두 극성 물질이다.
ㄴ. 용매와 용질이 모두 무극성 물질이다.
ㄷ. 용매와 용질 사이에 이온-쌍극자 힘이 작용한다.

02 어떤 수용액 10 g에서 A의 농도는 40 ppm이다. 이 수용액에 대한 설명으로 옳은 것만을 보기에서 있는 대로 고르시오.

보기
ㄱ. 수용액 1 g에 포함된 A의 질량은 0.04 mg이다.
ㄴ. 퍼센트 농도(%)는 0.4 %이다.
ㄷ. 온도가 높아지면 A의 ppm 농도는 감소한다.

03 그림은 H_2SO_4 4.90 g이 녹아 있는 묽은 황산 500 mL를 나타낸 것이다. (단, H_2SO_4의 분자량은 98이다.)

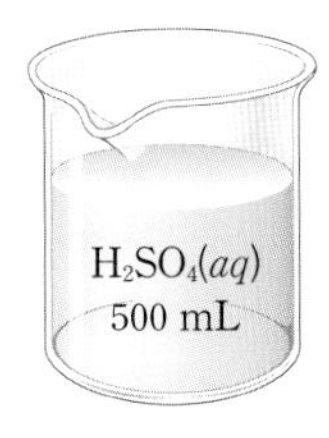

(1) $H_2SO_4(aq)$의 몰 농도는 얼마인지 구하시오.
(2) $H_2SO_4(aq)$의 밀도가 1.4 g/mL라면 $H_2SO_4(aq)$의 퍼센트 농도(%)는 얼마인지 구하시오.

04 그림은 플라스크에 들어 있는 수용액의 온도를 30 °C에서 20 °C로 낮추었을 때 수용액의 부피 변화를 나타낸 것이다.

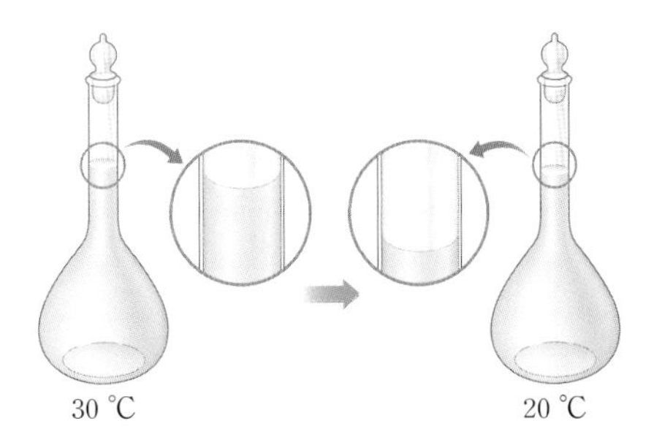

이 과정에서 퍼센트 농도, 몰 농도, 몰랄 농도의 변화를 쓰시오.

05 다음은 진한 황산이 들어 있는 용기의 라벨과 진한 황산에 대한 자료이다.

[자료]
(가) H_2SO_4의 분자량
(나) $H_2SO_4(aq)$의 질량
(다) $H_2SO_4(aq)$의 부피
(라) $H_2SO_4(aq)$의 밀도

(1) (가)~(라) 중에서 진한 황산의 몰랄 농도를 구하기 위해 반드시 필요한 자료만을 골라 쓰시오.
(2) (가)~(라) 중에서 진한 황산의 몰 농도를 구하기 위해 반드시 필요한 자료만을 골라 쓰시오.

06 염화 마그네슘($MgCl_2$) 19 g을 물에 녹여 수용액 200 mL를 만들었다. 이 용액의 몰 농도와 몰랄 농도 중 더 큰 값을 가지는 것을 쓰시오. (단, Mg, Cl의 원자량은 각각 24, 35.5이고, 수용액의 밀도는 1 g/mL이다.)

정답과 해설 139쪽

01

물질의 용해

다음은 물질의 용해에 대한 실험이다. X와 Y는 각각 분자 결정, 이온 결정 중 하나이다.

[실험]

(가) 그림과 같이 시험관 A와 B에 물과 사이클로헥세인을 넣고 유리 막대로 저어준 후 충분한 시간이 흘렀더니 물 층과 사이클로헥세인 층으로 나뉘었다.

(나) 시험관 A에 X를 넣고 유리 막대로 저어준 후 충분한 시간이 흘렀더니 물 층은 푸른색으로 변하였고, 사이클로헥세인 층은 아무 변화가 없었다.

(다) 시험관 B에 Y를 넣고 유리 막대로 저어준 후 충분한 시간이 흘렀더니 물 층은 아무런 변화가 없었고, 사이클로헥세인 층은 보라색으로 변하였다.

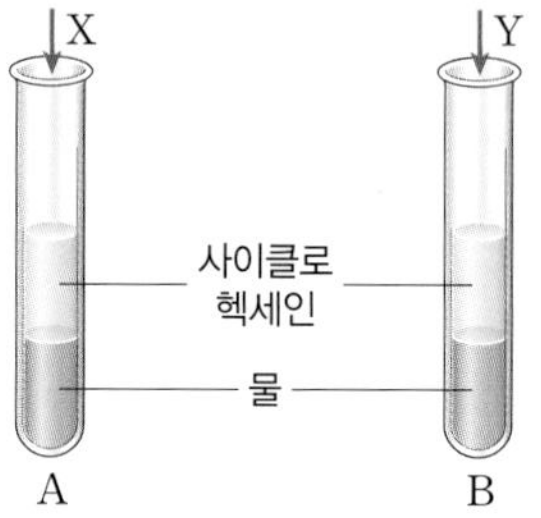

X
Y
사이클로헥세인
물
A
B

이에 대한 설명으로 옳은 것만을 보기에서 있는 대로 고른 것은?

보기

ㄱ. 밀도는 물이 사이클로헥세인보다 크다.
ㄴ. X는 분자 결정이다.
ㄷ. 쌍극자 모멘트는 Y가 물보다 크다.

① ㄱ ② ㄴ ③ ㄷ ④ ㄱ, ㄴ ⑤ ㄱ, ㄷ

• 극성 용매에는 극성 분자로 이루어진 물질과 이온성 물질이 용해되고, 무극성 용매에는 무극성 분자로 이루어진 물질이 용해된다.

02

액체 혼합물에서 용매와 용질

표는 용액 A를 구성하는 물질의 상태와 질량을 나타낸 것이다.

구성 물질	에탄올(C_2H_5OH)	물(H_2O)
물질의 상태	액체	액체
질량(g)	92	9

용액 A에 대한 설명으로 옳은 것만을 보기에서 있는 대로 고른 것은? (단, 물과 에탄올의 분자량은 각각 18, 46이다.)

보기

ㄱ. 용액 A는 용매가 물이다.
ㄴ. 용액 A에서 에탄올의 몰 분율은 $\frac{4}{5}$이다.
ㄷ. 용액 A에 물 129 g을 혼합하여 용액을 만들면 이 용액의 퍼센트 농도는 40 %이다.

① ㄱ ② ㄴ ③ ㄱ, ㄷ ④ ㄴ, ㄷ ⑤ ㄱ, ㄴ, ㄷ

• 액체와 액체가 혼합되어 있는 경우 양이 많은 성분을 용매라 하고, 양이 적은 성분을 용질이라고 한다.

03

> ppm 농도와 퍼센트 농도

표는 어떤 음료수 240 mL에 들어 있는 Na^+과 바이타민 C의 질량을 나타낸 것이다. 음료수의 밀도는 1 g/mL이다.

용질	240 mL에 들어 있는 질량
Na^+	48 mg
바이타민 C	240 mg

이에 대한 설명으로 옳은 것만을 보기에서 있는 대로 고른 것은?

보기

ㄱ. 음료수 1 L에 들어 있는 Na^+과 바이타민 C의 질량의 합은 1.2 g이다.

ㄴ. 이 음료수에서 Na^+의 농도는 200 ppm이다.

ㄷ. 이 음료수에서 바이타민 C의 농도는 0.1 %이다.

① ㄱ ② ㄷ ③ ㄱ, ㄴ ④ ㄴ, ㄷ ⑤ ㄱ, ㄴ, ㄷ

• ppm 농도 $= \frac{\text{용질의 질량(g)}}{\text{용액의 질량(g)}} \times 10^6$이고, 1 mg $= 1 \times 10^{-3}$ g이다.

04

> 농도의 환산

다음은 20 % NaOH 수용액의 농도를 몰랄 농도로 환산하는 과정이다.

[환산 과정]

(가) 20 % NaOH 수용액 [㉠] g에 포함된 NaOH의 질량은 20 g이고, 물의 질량은 [㉡] g이다.

(나) NaOH의 화학식량은 40이므로 NaOH 20 g의 양(mol)은 [㉢] mol이다.

(다) 20 % NaOH 수용액의 몰랄 농도는 [㉣] m이다.

이에 대한 설명으로 옳은 것만을 보기에서 있는 대로 고른 것은?

보기

ㄱ. ㉠+㉡=180이다.

ㄴ. ㉢=0.5이다.

ㄷ. ㉣=50이다.

① ㄱ ② ㄷ ③ ㄱ, ㄴ ④ ㄴ, ㄷ ⑤ ㄱ, ㄴ, ㄷ

• 퍼센트 농도를 몰 농도나 몰랄 농도로 환산할 때는 일반적으로 수용액의 질량이 100 g일 때 용질의 질량을 구하고, 몰 농도를 퍼센트 농도나 몰랄 농도로 환산할 때는 일반적으로 수용액의 부피가 1 L일 때 용질의 양(mol)을 구한다.

고난도

> 퍼센트 농도와 몰랄 농도

05

그림은 25 ˚C에서 서로 다른 농도의 NaOH 수용액 (가)와 (나)를 나타낸 것이다.

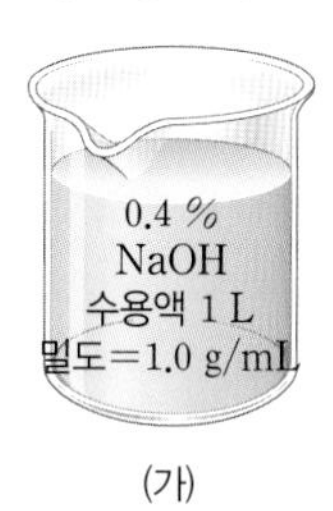

(가)

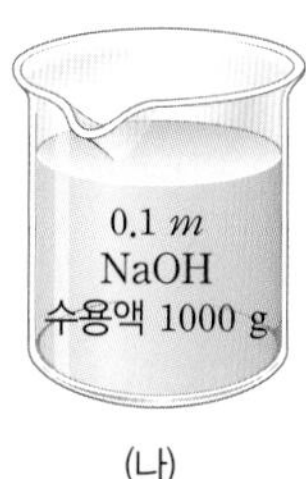

(나)

이에 대한 설명으로 옳은 것만을 보기에서 있는 대로 고른 것은? (단, NaOH의 화학식량은 40이다.)

보기

ㄱ. 수용액에 녹아 있는 NaOH의 질량은 (가)와 (나)가 같다.
ㄴ. 퍼센트 농도는 (가)가 (나)보다 크다.
ㄷ. 온도를 높이면 (가)의 퍼센트 농도는 변하지 않지만, (나)의 몰랄 농도는 증가한다.

① ㄱ ② ㄴ ③ ㄱ, ㄷ ④ ㄴ, ㄷ ⑤ ㄱ, ㄴ, ㄷ

- NaOH 4 g의 양(mol)은 0.1 mol이므로 NaOH 4 g을 물 1000 g에 녹인 수용액의 몰랄 농도는 0.1 *m*이다.

고난도

> 농도의 환산

06

그림은 물 25 g에 고체 A *w* g이 녹아 있는 수용액 (가)에 물 50 g과 A *w* g을 첨가하여 수용액 (나)를 만드는 것을 나타낸 것이다. 용액의 밀도는 (가)가 (나)보다 작다.

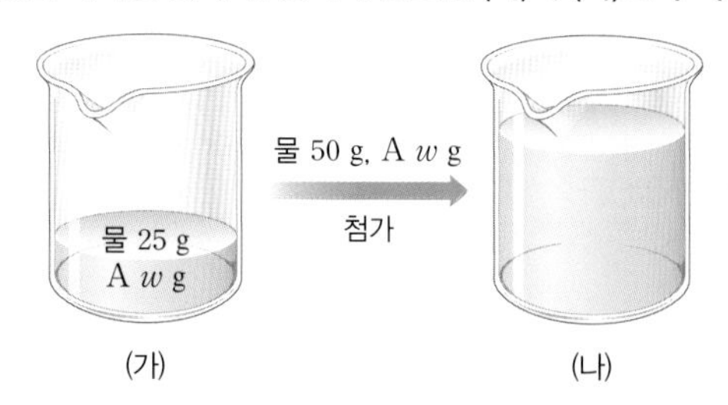

(가) (나)

이에 대한 설명으로 옳은 것만을 보기에서 있는 대로 고른 것은?

보기

ㄱ. 퍼센트 농도는 (가)가 (나)의 2배이다.
ㄴ. 몰랄 농도는 (가)가 (나)의 $\frac{3}{2}$배이다.
ㄷ. 몰 농도는 (가)가 (나)의 $\frac{3}{2}$배보다 크다.

① ㄱ ② ㄴ ③ ㄷ ④ ㄱ, ㄴ ⑤ ㄴ, ㄷ

- 용액의 부피$=\frac{\text{용액의 질량}}{\text{용액의 밀도}}$이므로 용액의 밀도가 클수록 용액의 부피는 작고, 용액의 밀도가 작을수록 용액의 부피는 크다.

07

> 혼합 용액의 농도

그림은 서로 다른 포도당 수용액 (가)와 (나)를 혼합한 후 물을 넣어 포도당 수용액 (다)를 만드는 과정을 나타낸 것이다.

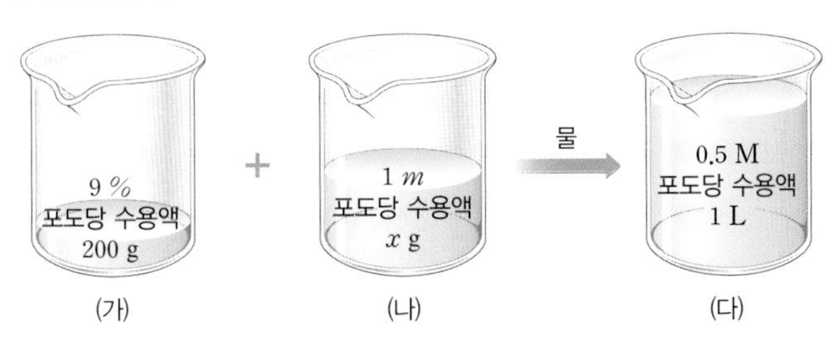

이에 대한 설명으로 옳은 것만을 보기에서 있는 대로 고른 것은? (단, 포도당의 분자량은 180이다.)

보기

ㄱ. (가)에 들어 있는 물의 질량은 182 g이다.
ㄴ. (나)에서 x는 400 g이다.
ㄷ. (다)에 들어 있는 포도당의 질량은 90 g이다.

① ㄱ ② ㄴ ③ ㄱ, ㄷ ④ ㄴ, ㄷ ⑤ ㄱ, ㄴ, ㄷ

• 몰 농도 $= \frac{\text{용질의 양(mol)}}{\text{용액의 부피(L)}}$이므로 용질의 질량 = 몰 농도 × 용액의 부피(L) × 용질의 화학식량이다.

08

> 농도의 환산

그림은 염산 시약병에 붙어 있는 라벨을 나타낸 것이다.

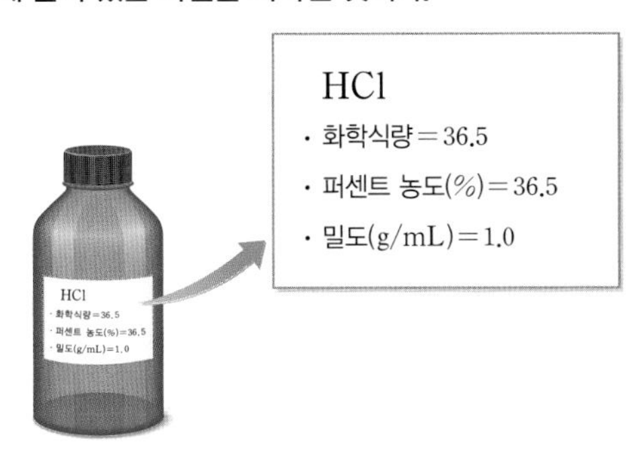

이에 대한 설명으로 옳은 것만을 보기에서 있는 대로 고른 것은?

보기

ㄱ. 염산 100 g에 포함된 HCl의 양(mol)은 1 mol이다.
ㄴ. 염산 36.5 g을 플라스크에 넣고 용액의 부피가 1 L가 되도록 물을 넣으면 염산의 몰 농도는 1 M이 된다.
ㄷ. 염산 100 mL를 비커에 넣고 물 936.5 g을 넣으면 염산의 몰랄 농도는 1 m이 된다.

① ㄱ ② ㄷ ③ ㄱ, ㄴ ④ ㄱ, ㄷ ⑤ ㄴ, ㄷ

• 1 M 수용액 1 L에 녹아 있는 용질의 양(mol)과 1 m 수용액에서 물 1000 g에 녹아 있는 용질의 양(mol)은 1 mol이고, 녹아 있는 용질의 질량은 용질의 화학식량과 같다.

02 묽은 용액의 총괄성

학습 Point 증기 압력 내림 > 끓는점 오름, 어는점 내림 > 삼투압 > 용액의 총괄성

1 용액의 증기 압력 내림

같은 크기의 비커에 같은 양의 물과 설탕물을 각각 넣고 수증기로 포화된 밀폐된 용기 안에 넣어 일정한 시간 동안 놓아두면 물의 양은 줄어들고 설탕물의 양은 늘어난다. 이는 순수한 액체일 때와 용액일 때의 증기 압력이 달라지기 때문에 나타나는 현상이다.

1. 증기 압력 내림

집중 분석 103~104쪽

순수한 용매에 비휘발성 용질을 넣으면 용액의 증기 압력이 낮아지는데, 이 현상을 용액의 증기 압력 내림이라고 한다.

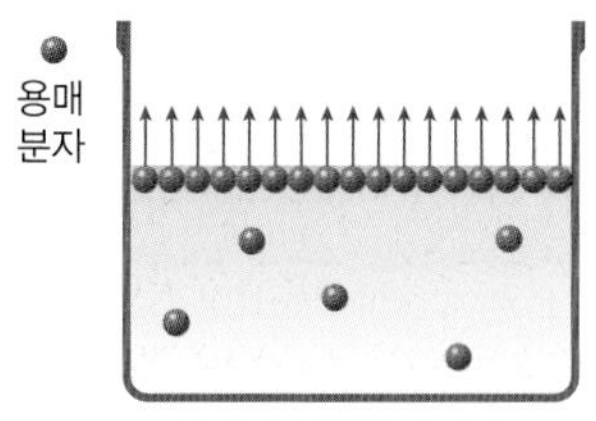

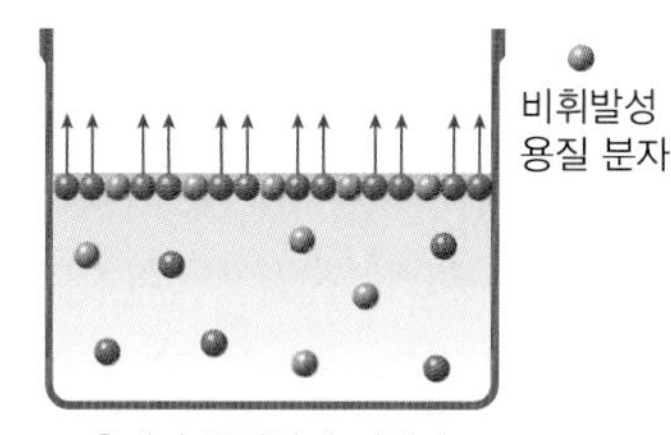

▲ **액체 표면에서 용매 분자의 증발 모형** 비휘발성 용질이 녹은 용액은 용매가 증발하기 어렵다.

예를 들면 20 ℃에서 순수한 물의 증기 압력은 17.6 mmHg이지만 물 0.9몰에 비휘발성 용질인 설탕 0.1몰을 녹인 용액의 증기 압력은 15.84 mmHg이다. 이와 같이 순수한 용매에 비해 비휘발성 용질을 녹인 용액의 증기 압력이 낮아지는 이유는 용액 표면의 일부를 용질이 차지하고 있어 표면에서 증발하는 용매 입자 수가 순수한 용매에 비해 적어지기 때문이다. 용액의 농도가 진해지면 증기 압력은 더 낮아진다.

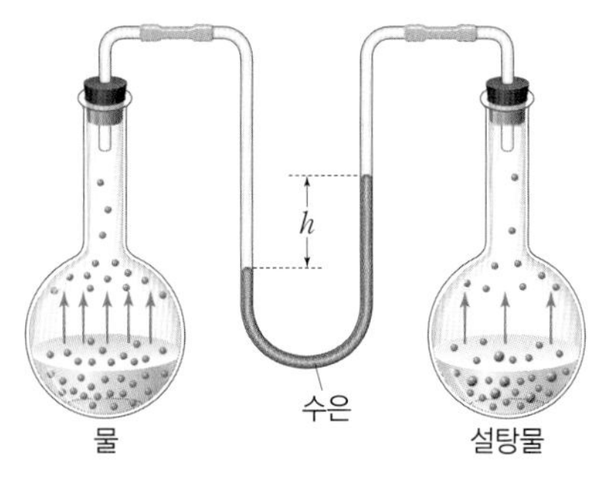

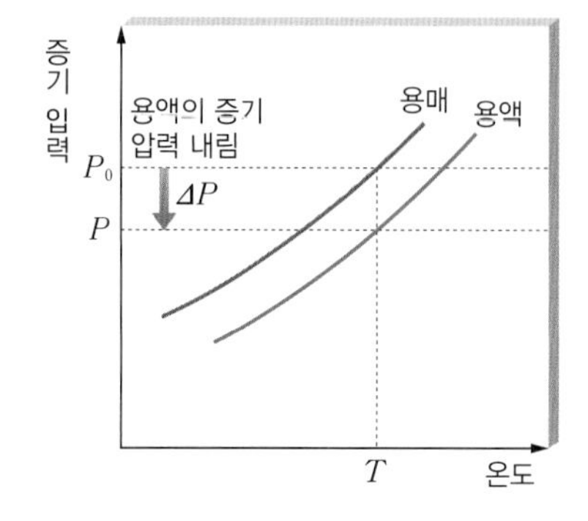

▲ **용매와 용액의 증기 압력 비교** 같은 온도에서 설탕물의 증기 압력은 물의 증기 압력보다 ΔP만큼 더 낮다.

증기 압력(증기압)
일정한 온도에서 밀폐된 용기에 들어 있는 액체와 그 기체가 동적 평형 상태에 있을 때 기체가 나타내는 압력

휘발성 용질이 녹아 있는 경우
만일 용질이 휘발성이고, 용질 자신이 높은 증기 압력을 가지고 있는 액체라면 혼합 용액의 증기 압력은 섞인 두 액체의 증기가 나타내는 부분 압력의 합과 같다.

2. 라울 법칙

1882년 프랑스의 과학자 라울(Raoult, F. M., 1830~1901)은 "비휘발성, 비전해질인 용질이 녹아 있는 묽은 용액의 증기 압력은 순수한 용매의 증기 압력에 용매의 몰 분율을 곱한 값과 같다."는 것을 발견하였는데, 이것을 라울 법칙이라고 하며 다음과 같다.

$$P_{용액}=P_{용매}\times X_{용매}$$

($P_{용액}$: 용액의 증기 압력, $P_{용매}$: 순수한 용매의 증기 압력, $X_{용매}$: 용매의 몰 분율)

따라서 용액의 증기 압력 내림(ΔP)은 다음과 같이 구할 수 있다.

용액의 증기 압력 내림(ΔP)$=P_{용매}-P_{용액}=P_{용매}-P_{용매}\times X_{용매}$

$=P_{용매}(1-X_{용매})=P_{용매}\times X_{용질}$

즉, 용액의 증기 압력 내림은 용매의 증기 압력에 용질의 몰 분율을 곱한 값과 같다.

용액에서 용질과 용매의 몰 분율

$X_{용질}=\frac{n_{용질}}{n_{용질}+n_{용매}}$

$X_{용매}=\frac{n_{용매}}{n_{용질}+n_{용매}}$

$X_{용질}+X_{용매}=1$

라울 법칙을 이용한 용질의 분자량 측정

일정량의 화합물을 용매에 녹여 용액의 증기 압력을 측정하면 용액에 존재하는 용질의 양(몰)을 알 수 있고, 이 양(몰)에 해당하는 용질의 질량을 알고 있으므로 용질의 분자량을 구할 수 있다.

3. 이상 용액과 비이상 용액

(1) **이상 용액:** 라울 법칙이 그대로 적용되는 용액을 이상 용액이라고 한다. 실제 용액은 농도가 묽을수록 이상 용액에 가까워진다.

(2) **비이상 용액:** 용액의 증기 압력은 라울 법칙으로 예상한 값보다 작거나 크게 나타날 수 있다. 증기 압력이 낮아지는 경우는 용질 분자가 용매 분자를 강하게 끌어당기는 경우이고, 증기 압력이 높아지는 경우는 용매와 용질 분자 사이의 인력이 작은 경우이다.

이상 용액과 비이상 용액

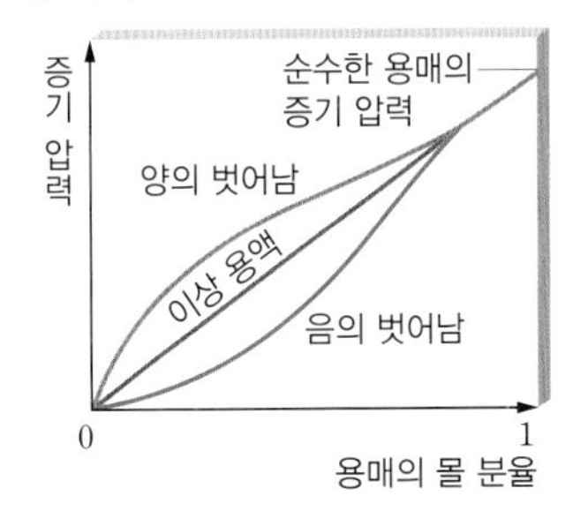

예제

t ℃에서 물의 증기 압력은 P_1기압이다. 물 4몰에 포도당 1몰을 녹인 수용액의 증기 압력과 증기 압력 내림은 얼마인지 각각 구하시오.

해설 $P_{용액}=P_{용매}\times X_{용매}=P_1\times\frac{4}{4+1}=\frac{4}{5}P_1$(기압), $\Delta P=P_{용매}-P_{용액}=P_1-\frac{4}{5}P_1=\frac{1}{5}P_1$(기압)

정답 용액의 증기 압력: $\frac{4}{5}P_1$기압, 용액의 증기 압력 내림: $\frac{1}{5}P_1$기압

시야 확장 ⊕ 휘발성 용질이 녹아 있는 용액과 전해질 용액의 증기 압력

❶ **휘발성 용질이 녹아 있는 용액의 증기 압력:** 두 휘발성 액체 A와 B가 섞여 있는 혼합 용액의 전체 증기 압력은 액체 A의 증기가 나타내는 부분 압력(P_A)과 액체 B의 증기가 나타내는 부분 압력(P_B)을 합한 것과 같다. 혼합 용액 중 액체 A의 증기가 나타내는 부분 압력은 순수한 액체 A의 증기 압력에 액체 A의 몰 분율을 곱한 것과 같고, 액체 B의 증기가 나타내는 부분 압력은 순수한 액체 B의 증기 압력에 액체 B의 몰 분율을 곱한 것과 같다.

$$P_{전체}=P_A+P_B=P_A^{\circ}\times X_A+P_B^{\circ}\times X_B$$

($P_{전체}$: 혼합 용액의 전체 증기 압력
P_A, P_B: 혼합 용액 속 액체 A, B의 증기가 나타내는 부분 압력
P_A°, P_B°: 순수한 액체 A, B의 증기 압력
X_A, X_B: 혼합 용액 속 액체 A, B의 몰 분율)

❷ **전해질 용액의 증기 압력:** 용액의 증기 압력은 용액 중에 녹아 있는 용질 입자 수에 의해 결정된다. 전해질 용액은 이온화되지 못한 용질 입자 수와 이온화되어 이온으로 존재하는 입자의 총 수에 의해 증기 압력이 결정된다.

전해질 용액

전해질 용질이 녹아 있는 용액이다. 용질은 용액에서 이온화하여 이온으로 존재하므로 용액에 전기를 통하면 전류가 흐른다.

용액의 끓는점 오름과 어는점 내림

자동차의 냉각수에 에틸렌 글리콜이 들어 있는 부동액을 넣으면 물의 어는점이 낮아져 겨울철에 냉각수가 얼지 않고, 물의 끓는점이 높아져 여름철에는 냉각수가 끓어 넘치지 않는다.

1. 끓는점 오름

(1) **끓는점 오름:** 비휘발성 용질이 녹아 있는 용액의 끓는점은 순수한 용매의 끓는점보다 높은데, 이것은 비휘발성 용질이 녹아 있는 용액은 주어진 온도에서 순수한 용매보다 낮은 증기 압력을 갖기 때문이다. 용액을 끓게 하기 위해서는 순수한 용매보다 높은 온도로 가열해야 하기 때문에 용액의 끓는점은 높아지게 된다. 이와 같은 현상을 끓는점 오름이라고 한다.

(2) **끓는점 오름과 몰랄 농도:** 용액의 끓는점 오름(ΔT_b)은 용액의 끓는점(T_b')과 순수한 용매의 끓는점(T_b)의 차($\Delta T_b = T_b' - T_b$)이며, 용질의 입자 수에 의존한다. 비휘발성, 비전해질 용질이 녹아 있는 용액의 끓는점 오름은 몰랄 농도에 비례한다.

$$\Delta T_b(\text{끓는점 오름}) = m(\text{몰랄 농도}) \times K_b(\text{몰랄 오름 상수})$$

2. 어는점 내림

(1) **어는점 내림:** 비휘발성 용질이 녹아 있는 용액을 얼리기 위해서는 더 낮은 온도로 냉각시켜야 하기 때문에 용액의 어는점은 낮아지게 된다. 이와 같은 현상을 어는점 내림이라고 한다.

(2) **어는점 내림과 몰랄 농도:** 용액의 어는점 내림(ΔT_f)은 순수한 용매의 어는점(T_f)과 용액의 어는점(T_f')의 차($\Delta T_f = T_f - T_f'$)이며, 용질의 입자 수에 의존한다. 비휘발성, 비전해질 용질이 녹아 있는 용액의 어는점 내림은 몰랄 농도에 비례한다.

$$\Delta T_f(\text{어는점 내림}) = m(\text{몰랄 농도}) \times K_f(\text{몰랄 내림 상수})$$

3. 몰랄 오름 상수와 몰랄 내림 상수

1 m 용액에서 끓는점 오름 값을 몰랄 오름 상수(K_b)라 하고, 1 m 용액에서 어는점 내림 값을 몰랄 내림 상수(K_f)라고 한다. 표에서와 같이 몰랄 오름 상수와 몰랄 내림 상수는 용질의 종류에 관계없이 용매의 종류에 따라 일정한 값을 가진다.

용매	끓는점(°C)	K_b(°C/m)	어는점(°C)	K_f(°C/m)
물	100	0.52	0	1.86
사염화 탄소	77	5.07	−23	29.8
벤젠	80.2	2.61	5.5	5.07
클로로폼	61.2	3.63	−63.5	4.70
이황화 탄소	46.3	2.37	−111	3.76
아세트산	118.5	3.07	16.6	3.90
사이클로헥세인	80.7	2.79	6.6	20.0

▲ 용매로 사용되는 몇 가지 물질의 몰랄 오름 상수(K_b)와 몰랄 내림 상수(K_f)

끓는점 오름, 어는점 내림과 관련된 현상

- 자동차 부동액: 자동차 냉각수에 들어가는 부동액은 물과 에틸렌 글리콜을 섞은 용액으로, 겨울철에는 냉각수가 얼지 않고, 여름철에는 냉각수가 끓어 넘치지 않게 해 준다.
- 제설제: 겨울철 눈이 쌓인 도로에 염화 칼슘을 뿌려 눈이나 얼음을 제거하는데, 염화 칼슘이 녹은 물은 어는점이 낮아져 영하의 온도에서도 얼지 않는다.

어는점 내림의 입자적인 해석

액체의 온도를 낮추면 어는점에서 용매 분자와 용매 분자 사이의 거리가 가까워져 용매 분자 사이의 힘이 작용하므로 고체가 된다. 용액에서는 용질이 용매 분자 사이에 존재하기 때문에 용매 분자와 용매 분자 사이의 거리가 더 가까워져야 용매 분자 사이의 힘이 작용하여 고체가 된다. 따라서 용액의 어는점은 낮아진다.

시선 집중 ★ 증기 압력 곡선과 끓는점 오름, 어는점 내림

그림은 순수한 용매와 용액의 증기 압력 곡선을 나타낸 것이다.

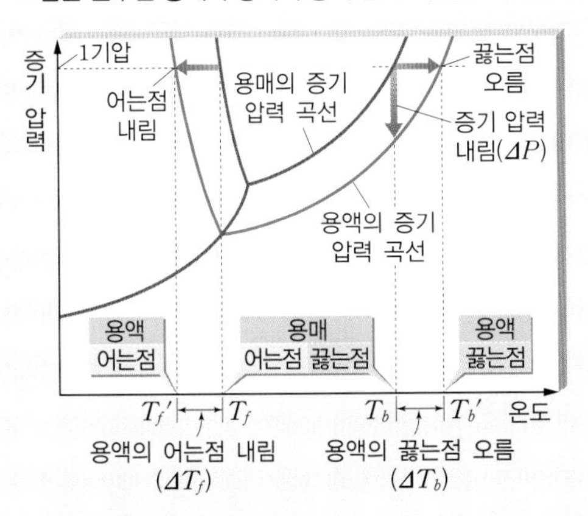

❶ **용매와 용액의 끓는점:** 증기 압력 곡선에서 증기 압력이 대기압(1기압)과 같아지는 온도가 끓는점이다. ➡ 용매의 끓는점은 T_b이고, 용액의 끓는점은 T_b'이다.

❷ **용매와 용액의 어는점:** 융해 곡선에서 대기압(1기압)에서의 온도가 어는점이다. ➡ 용매의 어는점은 T_f이고, 용액의 어는점은 T_f'이다.

❸ 용액의 끓는점은 용매의 끓는점보다 높아지고, 용액의 어는점은 용매의 어는점보다 낮아진다.
➡ 용액의 끓는점 오름: ΔT_b, 용액의 어는점 내림: ΔT_f

시야 확장 ⊕ 전해질 용액의 끓는점 오름과 어는점 내림

끓는점 오름과 어는점 내림은 용질의 종류와 관계없고, 용액 속에 존재하는 입자의 총 수에 의해 결정된다. 따라서 농도가 같은 경우 전해질 용액이 비전해질 용액보다 끓는점 오름이나 어는점 내림이 크게 나타난다.

❶ **이온화도(α)가 1인 전해질 용액:** 입자 1개가 이온화할 때 생성되는 이온 수를 n이라고 하면 끓는점 오름 $\Delta T_b = n \times m \times K_b$이고, 어는점 내림 $\Delta T_f = n \times m \times K_f$이다.

❷ **이온화도(α)가 1이 아닌 전해질 용액:** 몰랄 농도가 m인 전해질 AB_2 용액의 경우 다음과 같다.

	AB_2 $\rightleftharpoons$	A^{2+}	+ $2B^-$
반응 전	m		
이온화	$-m\alpha$	$+m\alpha$	$+2m\alpha$
반응 후	$m(1-\alpha)$	$m\alpha$	$2m\alpha$

이 용액 속에 존재하는 입자의 총 몰랄 농도는 $m(1-\alpha)+m\alpha+2m\alpha=m(1+2\alpha)$이므로 끓는점 오름 $\Delta T_b = m(1+2\alpha)\times K_b$이고, 어는점 내림 $\Delta T_f = m(1+2\alpha)\times K_f$이다.

용질 입자 수와 끓는점 오름, 어는점 내림

수용액	용질 입자의 총 수(몰)	끓는점 오름(°C)
0.1 m 포도당	0.1	0.052
0.1 m 설탕	0.1	0.052
0.1 m 염화 나트륨	0.1×2=0.2	0.104
0.1 m 염화 칼슘	0.1×3=0.3	0.156

같은 농도일 때 비전해질인 포도당과 설탕의 수용액보다 전해질인 염화 나트륨과 염화 칼슘의 수용액의 끓는점 오름이 더 크다. 염화 나트륨은 $NaCl \longrightarrow Na^+ + Cl^-$으로 이온화하므로 총 입자 수가 2배이고, 염화 칼슘은 $CaCl_2 \longrightarrow Ca^{2+} + 2Cl^-$으로 이온화하므로 총 입자 수가 3배이다.

4. 끓는점 오름과 어는점 내림을 이용한 분자량 측정

어떤 용매 W g에 비전해질이고 비휘발성인 용질 w g이 녹아 있는 용액은 용매 1 kg 중에 $\frac{1000w}{W}$ g의 용질이 녹아 있다. 따라서 이 용액의 끓는점 오름 또는 어는점 내림을 ΔT라 하고, 용질의 분자량을 M이라고 하면 다음과 같은 관계식이 성립한다.

$$\Delta T = m \times K = \frac{1000w}{WM} \times K \ (K\text{는 } K_b \text{ 또는 } K_f),\ M = \frac{1000wK}{\Delta T W}$$

3 삼투압

손이나 발을 오랫동안 물에 담그면 쭈글쭈글해진다. 이 현상은 피부 바깥쪽 물이 손이나 발의 피부 안쪽에 있는 체액, 즉 농도가 진한 용액 쪽으로 이동하기 때문에 나타난다. 이때 물이 표피 아래쪽까지는 침투하지 못해 표피 쪽 부피만 증가한다.

1. 삼투

반투막을 사이에 두고 농도가 서로 다른 두 용액을 넣으면 묽은 용액의 용매 분자가 반투막을 통해 진한 용액 쪽으로 이동하는데, 이러한 현상을 삼투라고 한다.

반투막
물과 같은 작은 용매 분자는 자유로이 통과하지만 설탕과 같은 큰 용질 분자는 통과하지 못하는 막을 반투막이라고 한다. 셀로판 종이, 동물의 방광막, 식물의 세포막 등이 있다.

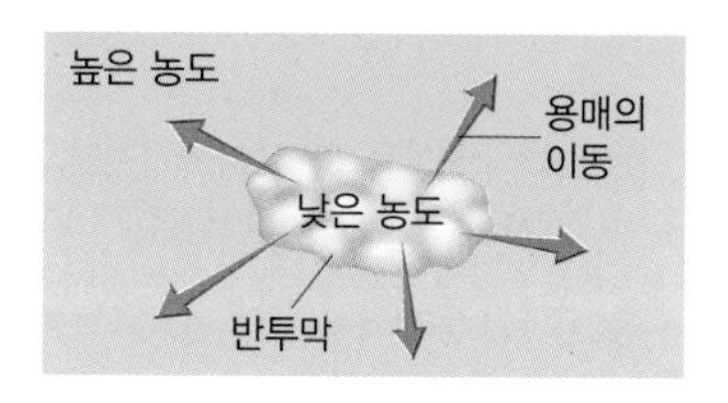

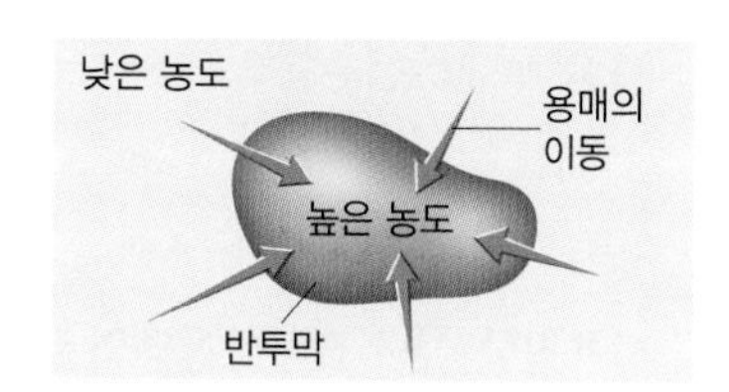

2. 삼투압

탐구 102쪽

삼투 현상을 막기 위하여 용액에 가하는 압력을 삼투압이라고 한다. 그림에서와 같이 설탕 분자는 반투막을 통과하지 못하지만 물 분자는 통과할 수 있으므로 물이 설탕 수용액 쪽으로 이동하여 액면의 높이 차(h)가 생기는데, 이때 양쪽 수면의 높이가 같아지도록 하기 위해서는 설탕 수용액 쪽에 압력을 가해 주어야 한다. 이 압력이 삼투압이다.

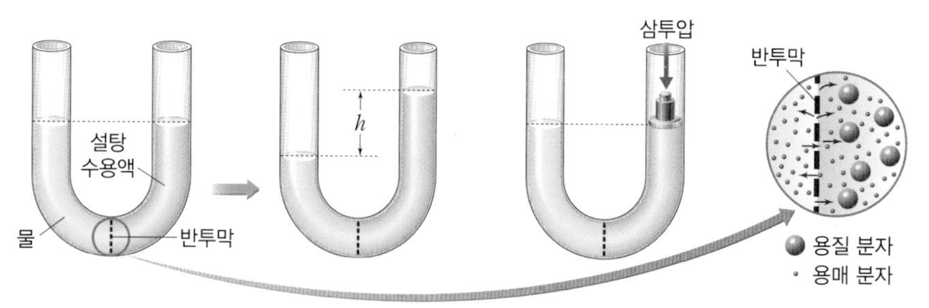

▲ 삼투압 측정

3. 반트호프 법칙

심화 105쪽

(1) **반트호프 법칙:** 1885년 네덜란드의 과학자 반트호프(van't Hoff, J. H., 1852~1911)는 삼투압에 관련한 실험을 통해 "비휘발성, 비전해질 용질이 녹아 있는 묽은 용액에서 삼투압(π)은 용매와 용질의 종류에 관계없이 용액의 몰 농도(C)와 절대 온도(T)에 비례한다."는 사실을 알아냈다. 이것을 반트호프 법칙이라 하고, 이 관계를 식으로 나타내면 다음과 같다.

$$\pi = CRT$$

(π: 삼투압, C: 몰 농도, R: 기체 상수(0.082 atm·L/(mol·K)), T: 절대 온도)

(2) **삼투압과 분자량:** 반트호프 법칙을 이용하면 고분자 물질의 분자량을 구할 수 있다.

몰 농도는 단위 부피당 용질의 양(mol)$\left(C=\frac{n}{V}\right)$이므로 삼투압의 식은 $\pi=\frac{n}{V}RT$와 같이 나타낼 수 있다. 또, 분자량이 M인 용질을 w g만큼 녹였을 때 양(mol)은 $n=\frac{w}{M}$이므로 위 식을 다음과 같이 나타낼 수 있다.

$$\pi=\frac{w}{MV}RT,\ M=\frac{w}{\pi V}RT$$

삼투압과 관련된 현상
- 배추에 소금을 뿌리면 배추의 물기가 빠지면서 절여진다.
- 시든 식물에 물을 뿌리면 싱싱해진다.
- 적혈구를 묽은 용액에 담그면 부풀어 올라 터지게 된다.

4. 삼투압의 측정

그림과 같이 설탕 수용액을 깔때기관에 넣고 깔때기관을 물에 담가 수면의 높이를 같게 한 후 충분한 시간 동안 놓아두면 반투막은 용매는 통과시키지만 용질은 통과시키지 않으므로 반투막을 통해 용매가 설탕 수용액 쪽으로 더 많이 이동하게 된다. 따라서 평형이 이루어질 때까지 깔때기관의 수면이 높아지다가 평형 상태가 되면 용매 분자가 양쪽에서 같은 속도로 막을 이동하기 때문에 수면의 높이가 더 이상 변하지 않는다. 이때 물기둥의 높이 차(h)에 해당하는 압력이 삼투압이다.

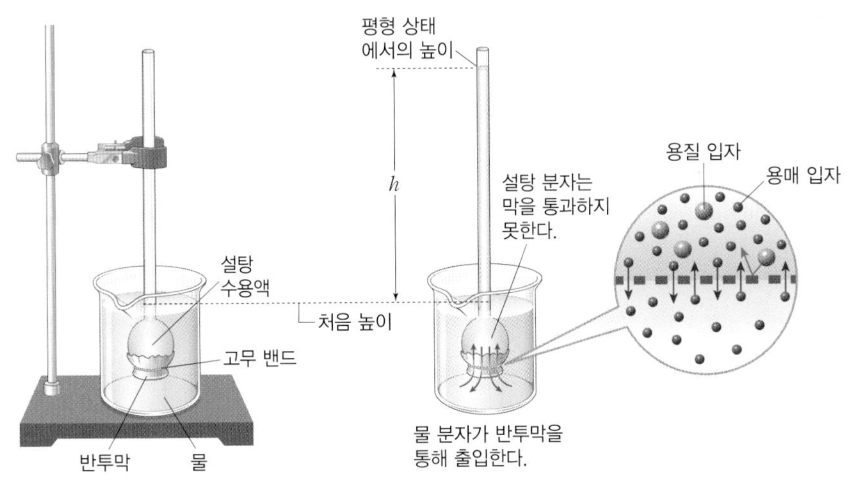

▲ 묽은 설탕 수용액의 삼투압 측정

예를 들어 설탕 물기둥의 높이가 0.8 m라면 삼투압(π)은 밀도(ρ), 중력 가속도(g), 물기둥의 높이(h)의 곱으로 나타낼 수 있다.

$$삼투압(\pi)=\rho gh=1000\ kg/m^3\times 9.80\ m/s^2\times 0.80\ m=7.84\times 10^3\ kg/(m\cdot s^2)$$
$$=7.84\times 10^3\ Pa=7.84\times 10^3\ Pa\times(1\ atm/(1.013\times 10^5)\ Pa)\fallingdotseq 0.0774\ atm$$

압력

압력은 $P=\frac{F}{S}=\frac{mg}{S}$이고 물질의 질량은 밀도×부피이므로 $m=\rho\times Sh$이다.

따라서 $P=\frac{\rho Sh\times g}{S}=\rho gh$이다.

(F: 물질이 누르는 힘, S: 물질의 단면적, m: 물질의 질량, g: 중력 가속도, ρ: 밀도, h: 물질의 높이)

4 용액의 총괄성

증기 압력 내림, 끓는점 오름, 어는점 내림, 삼투압과 같은 묽은 용액의 성질을 이용하여 용질의 분자량을 결정할 수 있다. 이러한 묽은 용액의 성질은 용질 입자의 농도에만 영향을 받는다.

묽은 용액의 몇 가지 성질들은 특정한 용질의 성질에 영향을 받는 것이 아니고 용질 입자의 농도에만 영향을 받는데, 이러한 특성들을 총괄성이라고 한다. 즉, 비휘발성, 비전해질 용질이 녹아 있는 묽은 용액의 증기 압력 내림, 끓는점 오름, 어는점 내림, 삼투압은 모두 용질의 종류에 관계없이 용질의 입자 수에만 비례한다.

용액의 총괄성	표현식	비례 관계
증기 압력 내림(ΔP)	$\Delta P=P_{용매}\times X_{용질}$	용질의 몰 분율에 비례
끓는점 오름(ΔT_b)	$\Delta T_b=m\times K_b$	용액의 몰랄 농도에 비례
어는점 내림(ΔT_f)	$\Delta T_f=m\times K_f$	
삼투압(π)	$\pi=CRT$	용액의 몰 농도와 절대 온도에 비례

과정이 살아 있는 탐구

삼투 현상

감자를 이용하여 삼투 현상을 관찰하고 이를 용매의 이동으로 설명할 수 있다.

과정

1 1 L 부피 플라스크에 증류수를 절반 정도 넣고 포도당 90 g을 넣은 후 눈금선까지 증류수를 채워 0.5 M 포도당 수용액을 만든다.

2 감자를 정육면체로 잘라 감자의 질량이 10 g이 되도록 2개를 만든다.

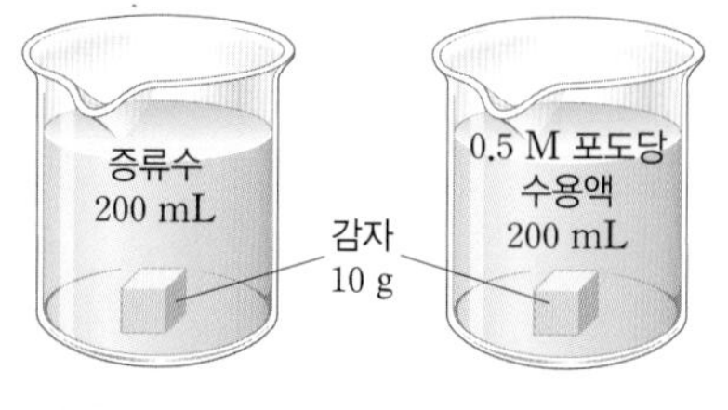

3 비커 2개에 각각 증류수 200 mL와 0.5 M 포도당 수용액 200 mL를 넣은 후, 과정 **2**에서 만든 10 g의 감자 조각을 각 비커에 넣는다.

4 30분 후 비커에 들어 있는 감자를 꺼내어 물기를 제거한 후 감자의 질량을 측정한다.

유의점

- 감자를 자를 때 표면적이 크게 차이나지 않도록 한다.
- 증류수와 포도당 수용액에 넣은 감자가 부서지지 않도록 주의한다.

결과 및 해석

1 30분 후 증류수와 포도당 수용액에서 꺼낸 감자의 질량은 다음과 같다.

구분	증류수	0.5 M 포도당 수용액
질량(g)	10.25	9.52

2 증류수에서 감자의 질량은 어떻게 변하는가?

➡ 감자 내부 액체의 농도가 증류수보다 크므로 물이 감자 내부로 이동하여 감자의 질량이 증가한다.

3 0.5 M 포도당 수용액에서 감자의 질량은 어떻게 변하는가?

➡ 감자 내부 액체의 농도가 포도당 수용액보다 작으므로 감자 내부의 물이 포도당 수용액으로 이동하여 감자의 질량이 감소한다.

정리

- 물이 농도가 낮은 용액에서 농도가 높은 용액 쪽으로 이동한다.
- 감자 외부의 물이 감자 내부로 이동하면 감자의 질량이 증가하고, 감자 내부의 물이 감자 외부로 이동하면 감자의 질량이 감소한다. ➡ 용액의 농도는 0.5 M 포도당 수용액 > 감자 내부 액체 > 증류수이다.

탐구 확인 문제

› 정답과 해설 141쪽

01 위 탐구에 대한 설명으로 옳은 것만을 보기에서 있는 대로 고르시오.

보기

ㄱ. 감자 내부 액체의 몰 농도는 0.5 M보다 작다.

ㄴ. 0.5 M 포도당 수용액에 감자를 넣고 30분이 지나면 포도당 수용액의 농도는 감소한다.

ㄷ. 증류수에 감자를 넣고 30분이 지나면 감자 내부 액체의 삼투압은 증가한다.

02 0.5 M 포도당 수용액 대신 1.0 M 포도당 수용액으로 실험을 하였을 때 감자의 질량은 어떻게 될지 예측하고, 그 이유를 쓰시오.

증기 압력 내림

밀폐된 용기에 액체를 넣으면 동적 평형 상태에 도달하므로 증기 압력과 관련된 내용을 확인하기 쉽다. 또, 증기 압력은 온도에 따라 달라지므로 그래프로 나타내기 쉽다. 증기 압력 내림과 관련된 내용은 주로 실험 형태와 그래프 형태로 제시되는데, 이 자료들을 해석해 보자.

① 수용액이 들어 있는 용기를 연결한 경우

[각각 물과 포도당 수용액이 들어 있는 용기를 연결한 경우]

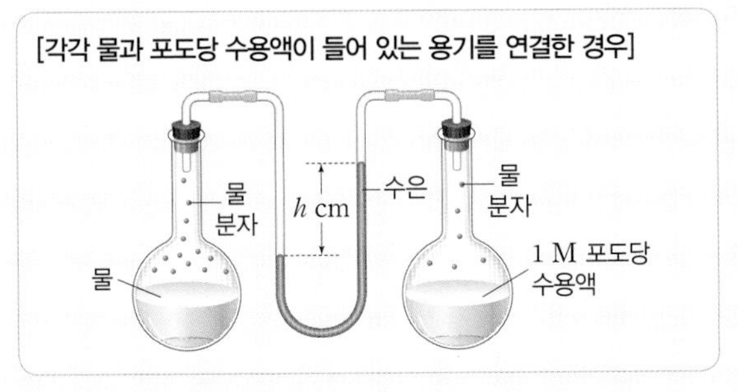

- 온도가 t ℃로 일정할 때 수은 기둥 왼쪽에는 물의 증기 압력이, 수은 기둥 오른쪽에는 1 M 포도당 수용액의 증기 압력이 작용한다.
- t ℃에서 물의 증기 압력이 1 M 포도당 수용액보다 크고, 두 용액의 증기 압력 차는 h cmHg이다.
- 물의 온도만 t ℃보다 높이면 물의 증기 압력이 커지므로 수은 기둥의 높이 차(h)가 커진다.
- 1 M 포도당 수용액의 온도만 t ℃보다 높이면 1 M 포도당 수용액의 증기 압력이 커지므로 수은 기둥의 높이 차(h)가 작아진다.

예제 그림과 같은 장치에 물과 설탕 수용액을 넣고 t ℃에서 충분한 시간이 지났을 때, 수은 기둥의 높이 차가 9.5 cm이었다. 1기압은 76 cmHg이다.

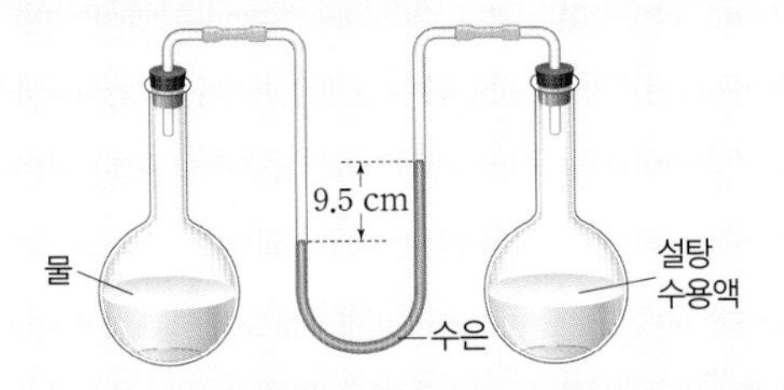

t ℃에서 물의 증기 압력이 0.375기압이라면 t ℃에서 설탕 수용액의 증기 압력을 구하시오.

해설 물과 설탕 수용액의 증기 압력 차는 $\frac{9.5}{76}=0.125$(기압)이다. 즉, 설탕 수용액의 증기 압력은 물의 증기 압력보다 0.125기압만큼 작으므로 $0.375-0.125=0.250$(기압)이다.

정답 0.250기압

② 밀폐된 용기 속에서 용액이 동적 평형을 이루는 경우

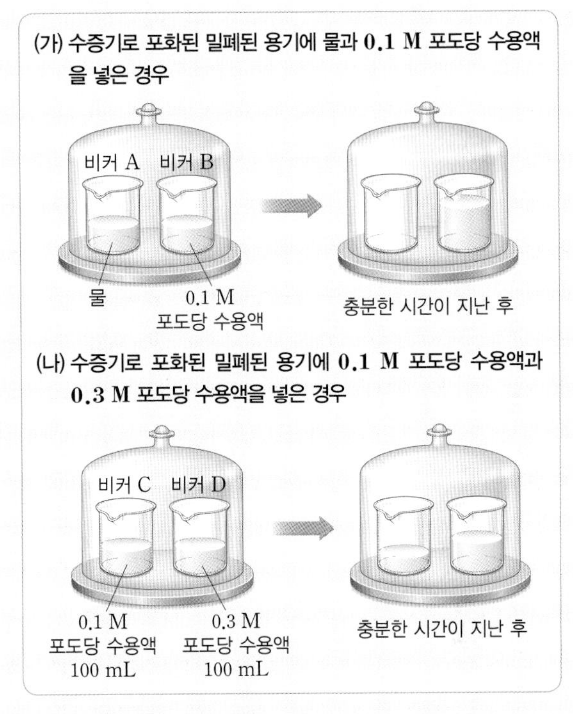

- 물의 증발 속도는 순수한 물이 포도당 수용액보다 크다. 또, 포도당 수용액의 농도가 작을수록 물의 증발 속도가 크다.
- 물의 응축 속도는 밀폐된 용기 내 수증기의 압력에 비례하므로 A와 B에서 응축 속도가 같고, C와 D에서 응축 속도가 같다.
- (가)에서 물의 증발 속도는 A에서가 B에서보다 크고, 응축 속도는 A와 B에서 같으므로 A의 물이 B로 이동하여 충분한 시간이 지난 후 A의 물이 모두 B로 이동한다.
  ➡ 물의 양: A<B
- (나)에서 물의 증발 속도는 C에서가 D에서보다 크고, 응축 속도는 C와 D에서 같으므로 C의 물이 D로 이동하여 충분한 시간이 지난 후 C와 D의 수용액의 농도가 같은 동적 평형 상태가 된다.
  ➡ 물의 양: C<D, 수용액의 농도: C=D

③ 증기 압력 측정 장치를 이용하는 경우

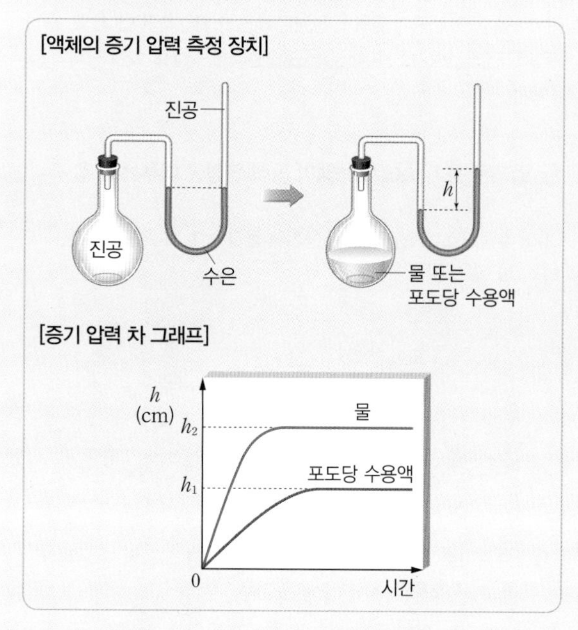

- t ℃에서 증기 압력 측정 장치에 액체를 넣고 충분한 시간이 지난 후 수은 기둥의 높이 차 h가 액체의 증기 압력이다.
  ➡ 일정한 온도에서 물의 증기 압력은 h_2 cmHg이고, 포도당 수용액의 증기 압력은 h_1 cmHg이다.
  ➡ t ℃보다 온도가 높아지면 h_1과 h_2는 모두 커진다.
- 포도당 수용액의 증기 압력 내림은 (h_2-h_1) cmHg이다.
  ➡ 포도당 수용액의 농도가 진할수록 (h_2-h_1)은 커진다.
- 증기 압력 내림 $\Delta P=P_{용매}\times X_{용질}$이다. 같은 농도의 수용액은 온도가 높을수록 $P_{용매}$가 커지므로 ΔP이 커진다.
  ➡ t ℃보다 높은 온도에서 포도당 수용액의 증기 압력 내림 (h_2-h_1) cmHg은 커진다.

④ 온도에 따른 증기 압력 곡선이 주어진 경우

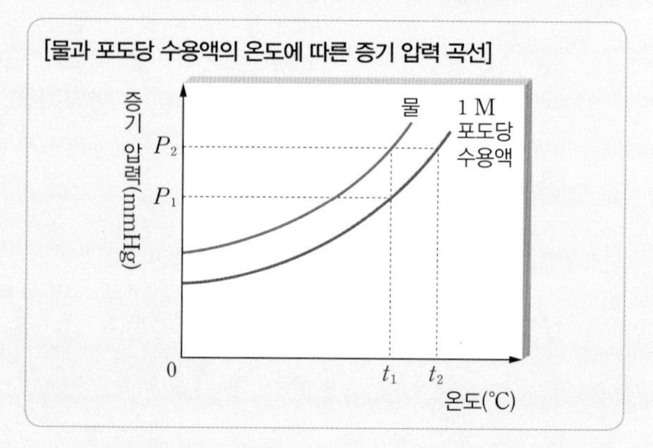

- 같은 온도에서 증기 압력은 물이 1 M 포도당 수용액보다 항상 크다.
- 같은 증기 압력을 가질 때의 온도는 1 M 포도당 수용액이 물보다 항상 높다.
- t_1 ℃에서 물의 증기 압력은 P_2 mmHg이고 1 M 포도당 수용액의 증기 압력은 P_1 mmHg이므로 1 M 포도당 수용액의 증기 압력 내림(ΔP)은 (P_2-P_1) mmHg이다.
- 포도당 수용액의 농도가 진해지면 증기 압력 내림(ΔP)이 커지므로 t_1 ℃에서 포도당 수용액의 몰 농도가 1 M보다 크면 (P_2-P_1)이 커진다.
- 외부 압력과 액체의 증기 압력이 같을 때의 온도가 끓는점이다.
  ➡ 외부 압력이 P_2 mmHg일 때 t_1 ℃에서 물의 증기 압력과 외부 압력이 같으므로 물의 끓는점은 t_1 ℃이고, t_2 ℃에서 포도당 수용액의 증기 압력과 외부 압력이 같으므로 포도당 수용액의 끓는점은 t_2 ℃이다.

정답과 해설 141쪽

그림은 수증기로 포화된 용기 안에 a M 설탕 수용액과 b M 설탕 수용액을 넣은 것을 나타낸 것이다.

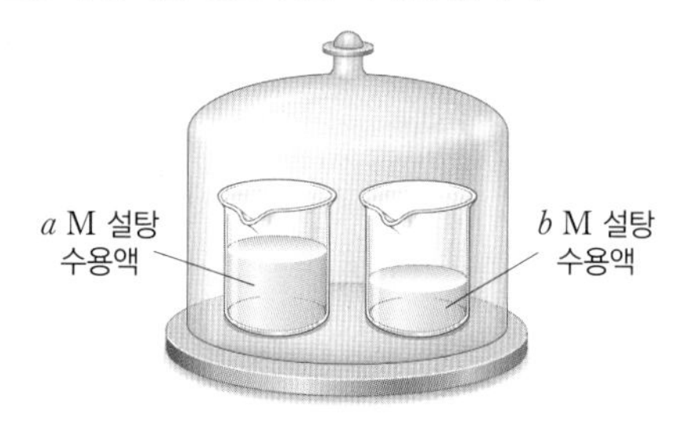

충분한 시간이 지났을 때 두 설탕 수용액의 부피가 같아졌다. 이에 대한 설명으로 옳은 것만을 보기에서 있는 대로 고르시오.

보기
ㄱ. 물의 증발 속도는 a M 설탕 수용액이 b M 설탕 수용액보다 크다.
ㄴ. $b>a$이다.
ㄷ. 두 수용액에 들어 있는 설탕의 질량은 같다.

삼투압 관련 식

목욕탕에서 손과 발이 쭈글쭈글해지고, 채소에 소금이나 설탕을 뿌리면 채소의 숨이 죽는 현상은 우리 주변에서 볼 수 있는 삼투 현상이다. 삼투압은 $\pi=CRT$의 식으로 구할 수 있는데, 이 식은 어떻게 만들어졌는지 삼투압의 원리를 통해 알아보자.

❶ 삼투압 식

삼투압은 1867년 독일의 화학자 트라우베가 발견하였고, 1877년 페퍼가 처음으로 측정하였다. 페퍼는 페로사이안화 구리의 침전막을 가진 질그릇 통을 사용하여 설탕 수용액의 삼투압을 측정하고, 삼투압이 절대 온도에 비례한다는 것을 발견하였다. 그 후 1885년 반트호프는 삼투압의 원인은 용액 속에 녹아 있는 용질 분자가 기체 분자와 같은 법칙으로 운동하여 반투막에 압력을 미치기 때문이라 생각하고, 이 현상을 이론적으로 설명하였다. 즉, 삼투압을 P atm, 용질을 n mol, 용액의 부피를 V L, 용액의 절대 온도를 T K, 기체 상수를 R라고 하면 용액의 농도가 그다지 크지 않은 범위에서 $PV=nRT$의 식이 성립된다. 이 식은 이상 기체 방정식과 같은 형태이다. 그림에서 기체 분자가 용기 벽에 부딪쳐서 나타나는 압력과 반투막에 미치는 용질 분자에 의한 삼투압이 본질적으로 같다는 것을 알 수 있다.

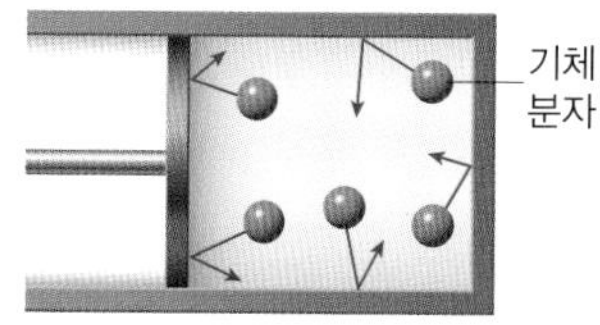

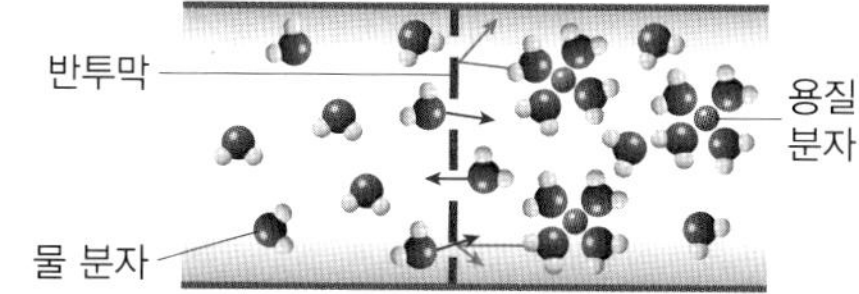

▲ 기체의 압력과 삼투압의 비교

이상 기체 방정식과 삼투압의 관계

$PV=nRT$

$\rightarrow \pi V=nRT$ (π: 삼투압)

$\rightarrow \pi=\frac{n}{V}RT$

$\rightarrow \pi=CRT$ (C: 몰 농도)

❷ 용질이 전해질인 경우의 삼투압

용질이 전해질인 NaCl 수용액에서는 용매인 물 분자는 반투막을 통과하지만 용질인 Na^+과 Cl^-은 반투막을 통과하지 못하기 때문에 삼투압이 나타난다. 그런데 Na^+의 크기는 H_2O보다 작다. 크기가 작은 Na^+이 반투막을 통과하지 못하는 이유는 Na^+이 물속에서 수화된 형태로 존재하여 H_2O보다도 커지기 때문이다.

용질이 전해질인 경우 삼투압을 구하기 위해서는 보정값 i가 필요하며, $PV=inRT$의 식이 적용된다. i는 물질의 종류와 농도에 따라 변하는 값으로, 반트호프 인자라고 한다. 모든 비전해질은 $i=1$이고, NaCl, KNO_3과 같이 2개의 이온으로 나누어지는 강전해질은 $i=2$이며, Na_2SO_4, $CaCl_2$과 같이 3개의 이온으로 나누어지는 강전해질은 $i=3$이다.

$$i=\frac{\text{이온화된 후 용액 내 총 입자 수}}{\text{용액에 녹인 입자 수}}$$

삼투압을 측정하여 용질의 분자량을 결정하거나, 분자량을 알고 있는 물질의 용액 속에서의 이온화도를 구할 수 있다. 특히 고분자 물질의 분자량을 결정하는 데 삼투압을 이용하는 경우가 많다.

수화된 Na^+의 크기

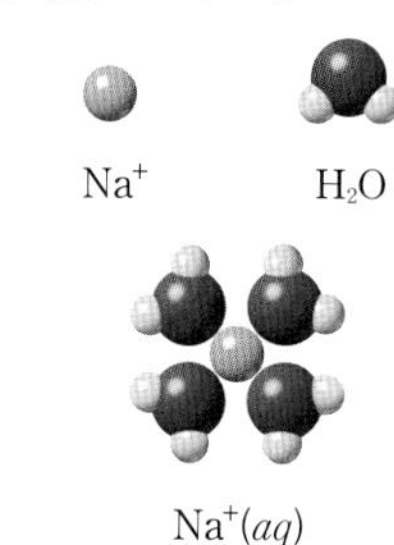

정답과 해설 141쪽

02 묽은 용액의 총괄성

1 용액의 증기 압력 내림

1. 용액의 증기 압력 내림 순수한 용매에 비휘발성 용질을 넣으면 용액의 증기 압력이 낮아진다.

2. (❶) 법칙 비휘발성, 비전해질인 용질이 녹아 있는 묽은 용액의 증기 압력은 순수한 용매의 증기 압력에 용매의 몰 분율을 곱한 값과 같다.

➡ $P_{용액}=P_{용매}\times X_{용매}$ ($P_{용액}$: 용액의 증기 압력, $P_{용매}$: 순수한 용매의 증기 압력, $X_{용매}$: 용매의 몰 분율)

3. 이상 용액과 비이상 용액

- 이상 용액: 라울 법칙이 그대로 적용되는 용액 ➡ 실제 용액은 농도가 (❷)수록 이상 용액에 가까워진다.
- 비이상 용액: 라울 법칙으로 예상한 증기 압력보다 크거나 작은 증기 압력을 나타내는 용액

2 용액의 끓는점 오름과 어는점 내림

1. 용액의 끓는점 오름 비휘발성, 비전해질 용질이 녹아 있는 용액의 끓는점 오름은 (❸) 농도에 비례한다. ➡ ΔT_b(끓는점 오름)$=m$(몰랄 농도)$\times K_b$(몰랄 오름 상수)

2. 용액의 어는점 내림 비휘발성, 비전해질 용질이 녹아 있는 용액의 어는점 내림은 (❹) 농도에 비례한다. ➡ ΔT_f(어는점 내림)$=m$(몰랄 농도)$\times K_f$(몰랄 내림 상수)

3. 끓는점 오름과 어는점 내림을 이용한 분자량 측정 어떤 용매 W g에 비휘발성, 비전해질 용질 w g이 녹아 있는 묽은 용액의 끓는점 오름 또는 어는점 내림을 ΔT라고 할 때 이 용질의 분자량(M)은 다음과 같다.

➡ $M=\dfrac{1000wK}{\Delta TW}$ (K: 몰랄 오름 상수 또는 몰랄 내림 상수)

3 삼투압

1. 삼투 (❺)을 사이에 두고 농도가 다른 두 용액을 넣으면 묽은 용액의 용매 분자가 (❻)을 통해 진한 용액 쪽으로 이동하는 현상이다.

2. 삼투압 (❼) 현상을 막기 위하여 용액에 가하는 압력이다.

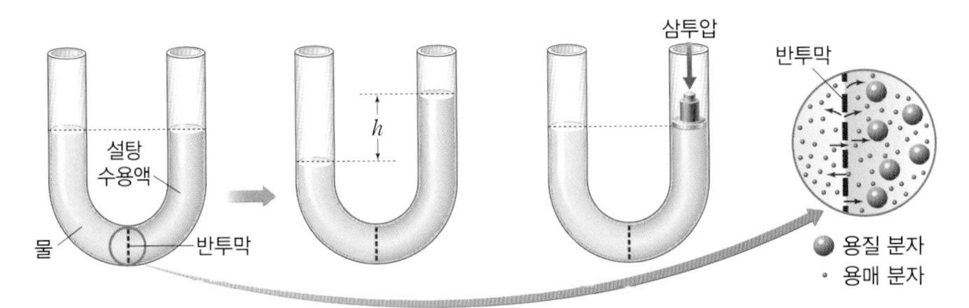

3. 반트호프 법칙 비휘발성, 비전해질 용질이 녹아 있는 묽은 용액에서 삼투압(π)은 용매와 용질의 종류에 관계없이 용액의 (❽) 농도(C)와 절대 온도(T)에 비례한다. ➡ $\pi=CRT$ (R: 기체 상수)

4 용액의 총괄성

묽은 용액의 총괄성 증기 압력 내림, 끓는점 오름, 어는점 내림, 삼투압과 같이 용질의 종류에 관계없이 용질 입자의 농도(수)에만 영향을 받는 용액의 특성이다.

01 그림 (가)는 1 M 설탕 수용액 100 mL와 2 M 설탕 수용액 100 mL를 수증기로 포화된 밀폐된 용기에 넣은 것을, (나)는 충분한 시간이 지난 후를 나타낸 것이다. 온도는 일정하고, (나)에서 수용액의 부피는 나타내지 않았다.

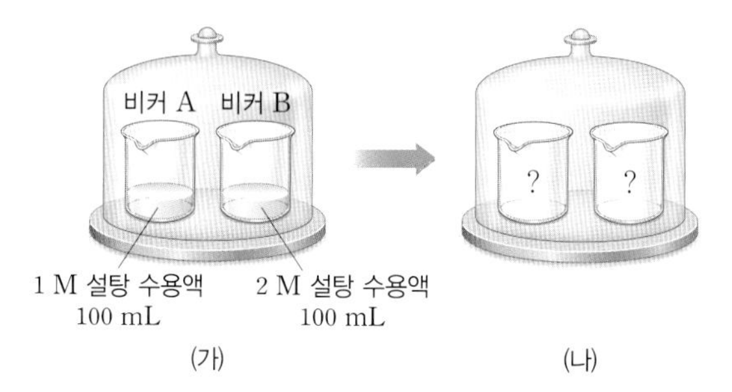

이에 대한 설명으로 옳은 것만을 보기에서 있는 대로 고르시오.

보기

ㄱ. (가)에서 증기 압력은 2 M 설탕 수용액이 1 M 설탕 수용액보다 크다.

ㄴ. (나)에서 물의 응축 속도는 비커 B의 수용액에서가 비커 A의 수용액에서보다 크다.

ㄷ. 비커 A에 들어 있는 설탕 수용액에서 물의 증발 속도는 (가)에서가 (나)에서보다 크다.

02 그림 (가)~(다)는 증류수 200 mL, 1 m 요소 수용액 100 mL, 2 m 포도당 수용액 300 mL를 나타낸 것이다. 물음에 답하시오.

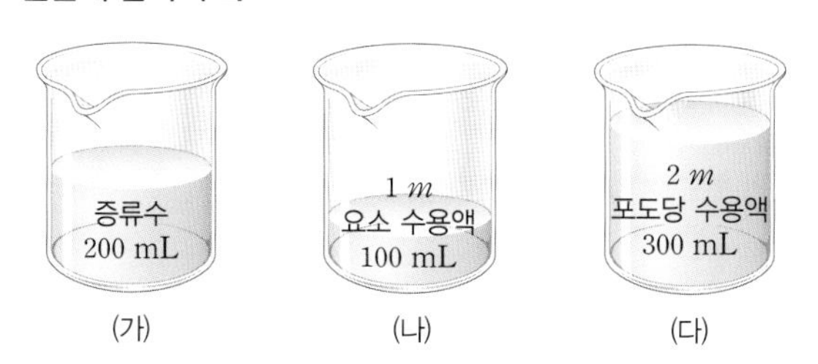

(1) 일정한 온도에서 (가)~(다)의 증기 압력의 크기를 비교하시오.

(2) 일정한 압력에서 (가)~(다)의 끓는점을 비교하시오.

(3) 일정한 압력에서 (가)~(다)의 어는점을 비교하시오.

03 t ˚C에서 물 180 g에 요소 6 g을 혼합한 용액의 증기 압력을 구하시오. (단, t ˚C에서 물의 증기 압력은 20.2 mmHg이고, 물과 요소의 분자량은 각각 18, 60이며, 수용액은 라울 법칙을 따른다.)

04 그림은 1기압에서 물 200 g에 설탕 3.42 g을 녹이는 과정을 나타낸 것이다. 물의 몰랄 오름 상수(K_b)는 0.52 ˚C/m이고, 몰랄 내림 상수(K_f)는 1.86 ˚C/m이며, 설탕의 분자량은 342이다. 물음에 답하시오.

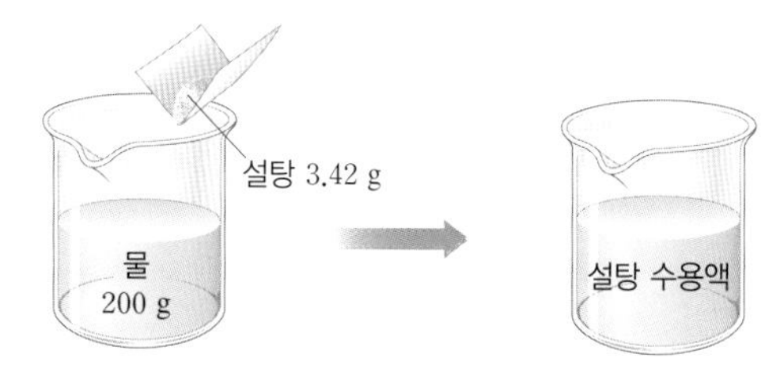

(1) 설탕 수용액의 끓는점 오름을 구하시오.

(2) 설탕 수용액의 어는점을 구하시오.

05 그림 (가)는 U자관에 반투막을 사이에 두고 a M 포도당 수용액과 b M 포도당 수용액을 넣은 것을, (나)는 충분한 시간이 흐른 후의 모습을 나타낸 것이다.

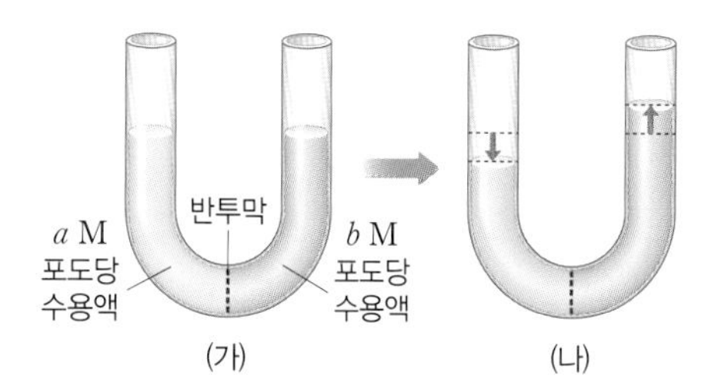

이에 대한 설명으로 옳은 것만을 보기에서 있는 대로 고르시오. (단, 온도는 일정하다.)

보기

ㄱ. (가)에서 a M 포도당 수용액 속 포도당 분자는 반투막을 통과하여 오른쪽으로 이동한다.

ㄴ. (가)에서 반투막을 통과하는 물 분자 수는 a M 포도당 수용액이 b M 포도당 수용액보다 크다.

ㄷ. (나)에서 오른쪽 포도당 수용액에 들어 있는 물 분자는 반투막을 통과하지 않는다.

> 정답과 해설 142쪽

01 > 증기 압력 내림

그림 (가)는 수증기로 포화된 용기에 같은 부피의 포도당 수용액이 들어 있는 비커 A~C를 넣은 것을, (나)는 충분한 시간이 지난 후의 모습을 나타낸 것이다.

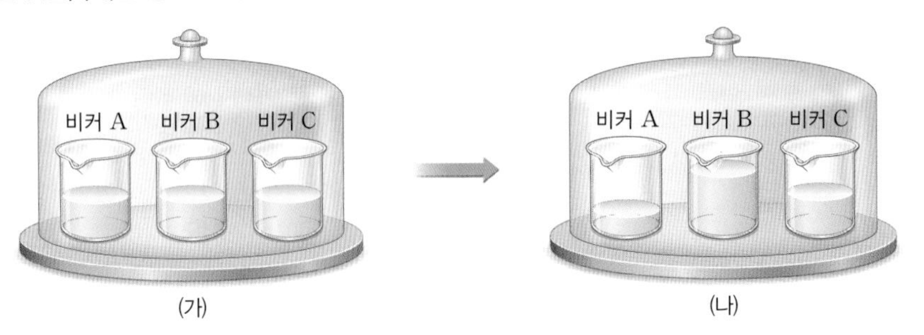

(가) (나)

이에 대한 설명으로 옳은 것만을 보기에서 있는 대로 고른 것은? (단, 온도는 일정하다.)

보기
ㄱ. (가)에서 포도당이 가장 많이 녹아 있는 수용액은 비커 B이다.
ㄴ. 비커 A에 들어 있는 포도당 수용액의 증기 압력은 (가)에서가 (나)에서보다 크다.
ㄷ. (나)에서 포도당 수용액의 증기 압력 내림은 비커 B에서가 비커 C에서보다 크다.

① ㄱ ② ㄷ ③ ㄱ, ㄴ ④ ㄴ, ㄷ ⑤ ㄱ, ㄴ, ㄷ

• 밀폐된 용기에 농도가 다른 포도당 수용액을 넣고 충분한 시간이 지나면 각 포도당 수용액의 농도가 같아진다.

02 > 증기 압력 내림

그림은 t ℃에서 증류수, a M 포도당 수용액, b M 포도당 수용액을 U자관으로 연결된 플라스크에 각각 넣고 충분한 시간이 지난 후 수은 기둥의 높이가 변한 모습을 나타낸 것이다. t ℃에서 물의 증기 압력은 0.5기압이다.

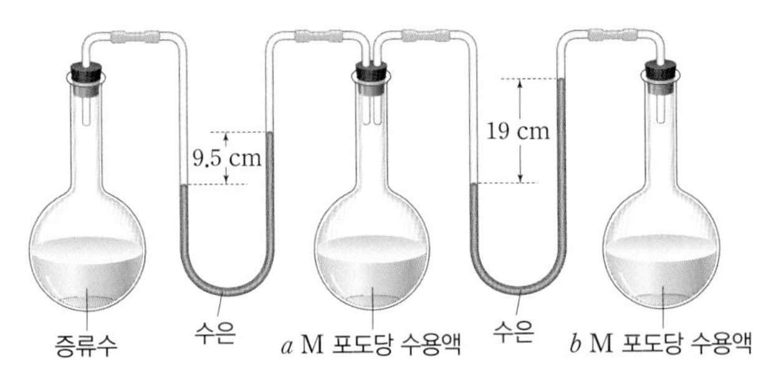

이에 대한 설명으로 옳은 것만을 보기에서 있는 대로 고른 것은? (단, 온도는 일정하고, 1기압은 76 cmHg이다.)

보기
ㄱ. $b>a$이다.
ㄴ. a M 포도당 수용액의 증기 압력 내림은 0.375기압이다.
ㄷ. b M 포도당 수용액의 증기 압력은 0.625기압이다.

① ㄱ ② ㄴ ③ ㄷ ④ ㄱ, ㄴ ⑤ ㄱ, ㄷ

• 수은이 들어 있는 U자관과 두 액체가 들어 있는 플라스크를 연결했을 때, 수은 기둥의 높이 차는 두 액체의 증기 압력 차와 같다.

03

> 증기 압력 측정 장치

그림 (가)는 진공인 용기에 액체를 넣고 수은 기둥의 높이 차 h를 구하는 과정을, (나)는 (가)로 측정한 요소 수용액 A와 요소 수용액 B의 h를 나타낸 것이다.

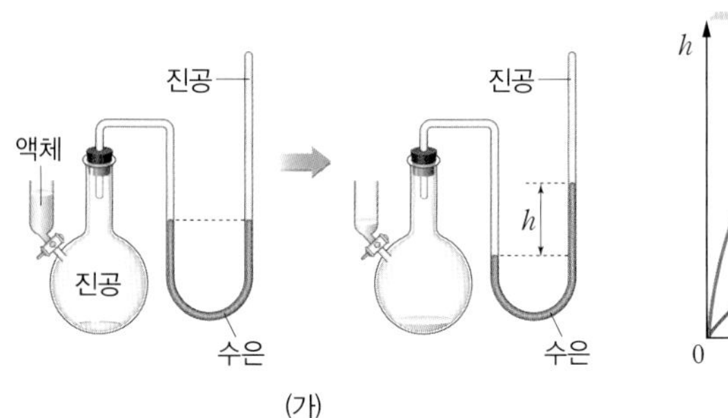

(가)

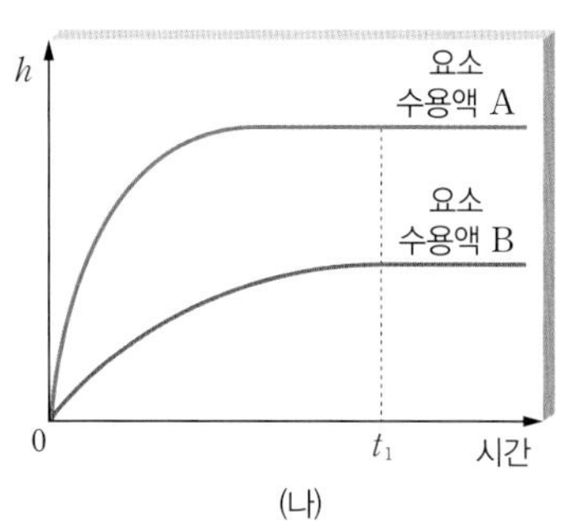

(나)

요소 수용액 A가 요소 수용액 B보다 큰 값을 가지는 것으로 옳은 것만을 보기에서 있는 대로 고른 것은? (단, 온도는 일정하고, 수용액의 부피는 무시한다.)

보기

ㄱ. 증기 압력

ㄴ. 물의 증발 속도

ㄷ. 시간 t_1에서 물의 응축 속도

① ㄱ ② ㄷ ③ ㄱ, ㄴ ④ ㄴ, ㄷ ⑤ ㄱ, ㄴ, ㄷ

- 물의 응축 속도는 용기에 들어 있는 물의 증기 압력에 비례하므로 진공인 용기에 수용액을 넣으면 응축 속도는 점점 증가한다.

고난도

04

> 증기 압력 곡선

그림은 증류수와 요소 수용액 (가)의 온도에 따른 증기 압력을 나타낸 것이다.

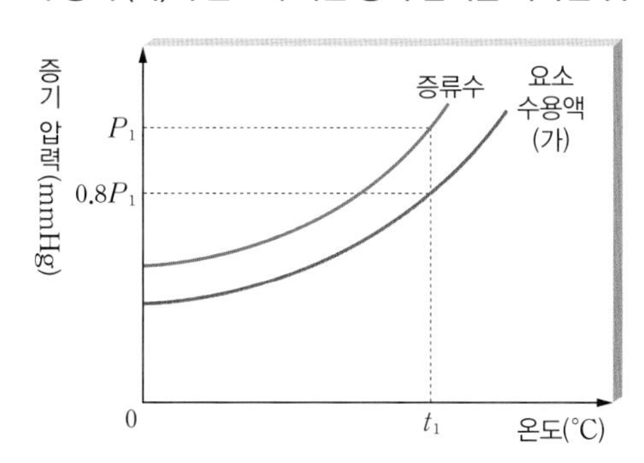

요소 수용액 (가)의 퍼센트 농도(%)는? (단, 수용액은 라울 법칙을 따르고, 물과 요소의 분자량은 각각 18, 60이다.)

① $\frac{2}{5}\times100$ ② $\frac{5}{11}\times100$ ③ $\frac{6}{11}\times100$ ④ $\frac{8}{11}\times100$ ⑤ $\frac{4}{5}\times100$

- 용액의 증기 압력은 $P_{용액}=P_{용매}\times X_{용매}$ 이고, 퍼센트 농도(%)는 $\frac{용질의\ 질량}{용액의\ 질량}\times100$이다.

05

> 증기 압력과 끓는점

그림은 1기압에서 어떤 설탕 수용액을 일정한 열원으로 가열할 때 가열 시간에 따른 온도를 나타낸 것이다.

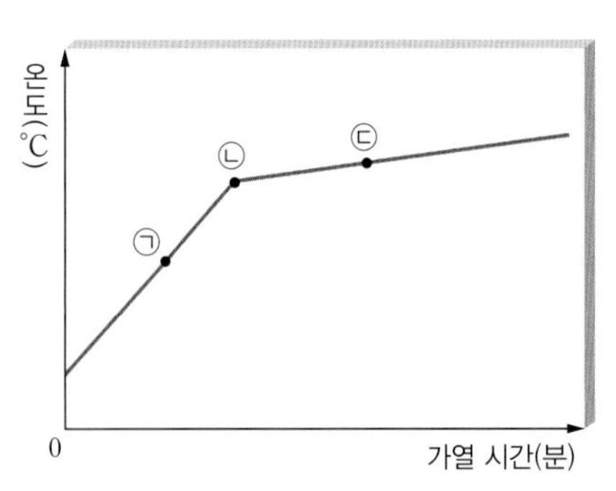

㉠~㉢의 증기 압력을 비교한 것으로 옳은 것은?

① ㉠=㉡=㉢　② ㉡=㉢>㉠　③ ㉡>㉢>㉠　④ ㉢>㉡=㉠　⑤ ㉢>㉡>㉠

• 액체의 온도를 높이면 증기 압력이 증가하고, 액체의 증기 압력과 외부 압력이 같을 때 액체가 끓는다.

06

> 끓는점 오름

그림은 1기압에서 같은 질량의 A와 B를 각각 물 100 g에 녹인 수용액의 가열 곡선을 나타낸 것이다. A와 B는 비휘발성, 비전해질이고, 물의 몰랄 오름 상수(K_b)는 0.52 ℃/m이다.

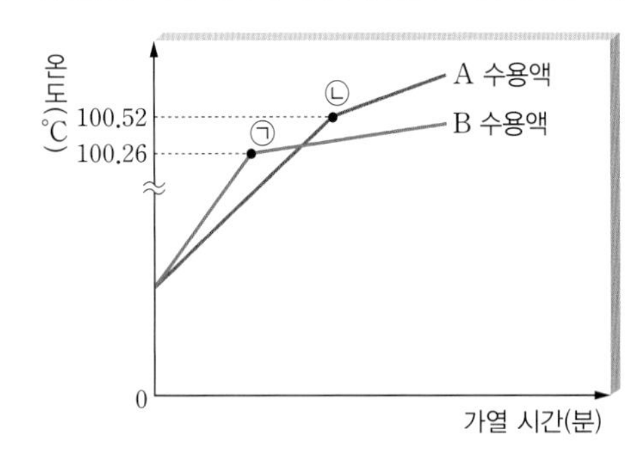

이에 대한 설명으로 옳은 것만을 보기에서 있는 대로 고른 것은?

보기

ㄱ. 분자량은 B가 A의 2배이다.
ㄴ. 1기압에서 어는점은 A 수용액이 B 수용액보다 높다.
ㄷ. 증기 압력은 ㉡에서가 ㉠에서보다 크다.

① ㄱ　② ㄷ　③ ㄱ, ㄴ　④ ㄴ, ㄷ　⑤ ㄱ, ㄴ, ㄷ

• 용액의 끓는점은 순수한 용매보다 높고, 용액의 어는점은 순수한 용매보다 낮다. 끓는점이 높은 용액일수록 어는점이 더 낮다.

고난도

07 > 어는점 내림

그림은 1기압에서 물 100 g에 비휘발성, 비전해질인 용질 A와 B를 각각 녹였을 때, 녹인 용질의 질량에 따른 A 수용액과 B 수용액의 어는점 내림을 나타낸 것이다. A의 분자량은 M이다.

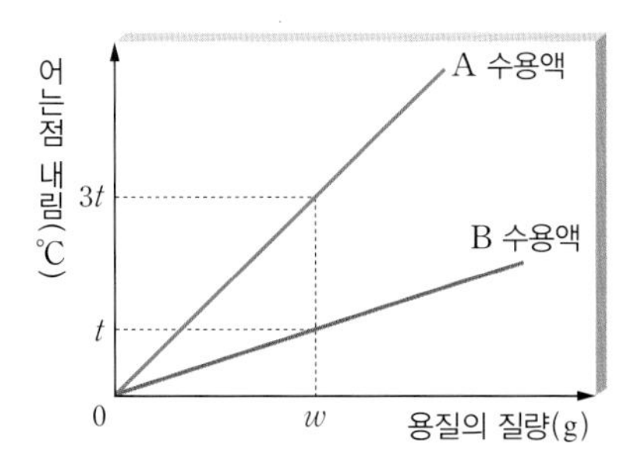

이에 대한 설명으로 옳은 것만을 보기에서 있는 대로 고른 것은? (단, A와 B는 반응하지 않는다.)

보기

ㄱ. B의 분자량은 $\frac{1}{3}M$이다.

ㄴ. 물의 몰랄 내림 상수(K_f)는 $\frac{3Mt}{10w}$ ℃/m이다.

ㄷ. 1기압에서 물 100 g에 A w g과 B w g을 녹인 수용액의 어는점은 $-4t$ ℃이다.

① ㄱ ② ㄴ ③ ㄱ, ㄷ ④ ㄴ, ㄷ ⑤ ㄱ, ㄴ, ㄷ

어는점 내림은 용질의 종류와 관계없이 용질의 몰랄 농도에만 영향을 받으므로 A 1몰, B 1몰을 녹인 수용액의 어는점 내림은 A 2몰을 녹인 수용액의 어는점 내림과 같다.

08 > 삼투압

그림 (가)와 (나)는 농도가 다른 포도당 수용액 A~C를 반투막으로 분리된 U자관에 넣고 충분한 시간이 흘렀을 때 수면의 변화를 나타낸 것이다.

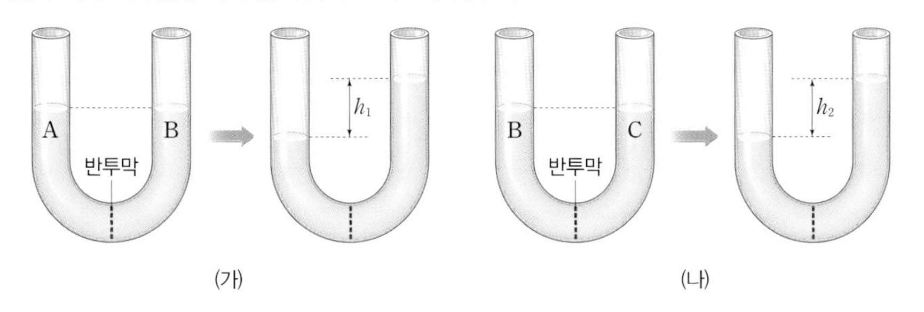

이에 대한 설명으로 옳은 것만을 보기에서 있는 대로 고른 것은?

보기

ㄱ. (가)에서 A의 몰 농도는 감소한다.

ㄴ. (나)에서 온도를 높이면 수면의 높이 차 h_2는 증가한다.

ㄷ. (가)에서 B 대신 C를 넣고 실험하면 수면의 높이 차 h_1은 증가한다.

① ㄱ ② ㄴ ③ ㄱ, ㄷ ④ ㄴ, ㄷ ⑤ ㄱ, ㄴ, ㄷ

용액의 농도가 클수록, 온도가 높을수록 삼투압은 크다. 반투막으로 분리된 U자관에 두 수용액을 넣은 경우 두 수용액의 삼투압 차가 클수록 수면의 높이 차가 커진다.

01

> 분자 간 상호 작용

표는 분자 (가)~(라)에 대한 자료이다. (가)~(라)에서 W~Z는 옥텟 규칙을 만족한다.

분자	(가)	(나)	(다)	(라)
분자식	WH_4	XH_3	YH_4	ZH_3
중심 원자의 주기	2	2	3	3
끓는점(°C)	−161	−33	−112	−87

이에 대한 설명으로 옳은 것만을 보기에서 있는 대로 고른 것은? (단, W~Z는 임의의 원소 기호이다.)

보기

ㄱ. 분산력은 (나)가 (다)보다 크다.
ㄴ. (가)는 수소 결합을 한다.
ㄷ. 쌍극자·쌍극자 힘은 (라)가 (다)보다 크다.

① ㄱ ② ㄴ ③ ㄷ ④ ㄱ, ㄷ ⑤ ㄴ, ㄷ

• 분자 간 상호 작용에는 쌍극자·쌍극자 힘, 분산력, 수소 결합이 있다. 수소 결합은 매우 강한 분자 사이의 힘이며, 분산력은 분자량이 클수록 크다.

02

> 분자 간 상호 작용과 증기 압력

그림은 물질 A~C의 온도에 따른 증기 압력을 나타낸 것이고, 표는 A~C에 대한 자료이다.

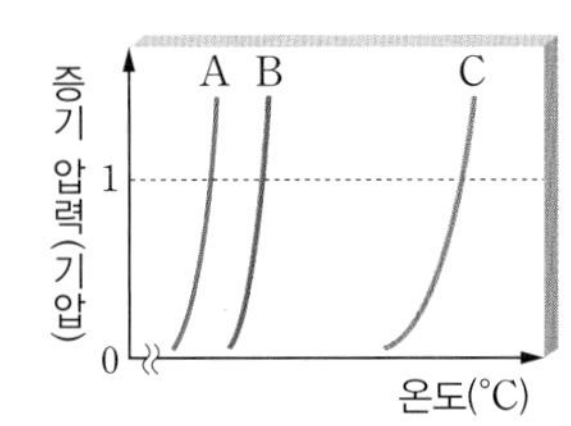

물질	A	B	C
분자량	28	30	17
구성 원소	N	N, O	H, N

이에 대한 설명으로 옳은 것만을 보기에서 있는 대로 고른 것은? (단, 대기압은 1기압이다.)

보기

ㄱ. 액체 분자 사이의 힘은 A가 B보다 크다.
ㄴ. C는 수소 결합을 한다.
ㄷ. 끓는점에서 증기 압력은 C가 B보다 크다.

① ㄱ ② ㄴ ③ ㄱ, ㄷ ④ ㄴ, ㄷ ⑤ ㄱ, ㄴ, ㄷ

• 액체의 끓는점은 외부 압력과 증기 압력이 같아질 때의 온도이고, 일정한 온도에서 분자 사이의 힘이 클수록 증기 압력이 작다.

03

> 기체의 압력

그림은 헬륨 기체와 수은이 들어 있는 J자관에 수은을 더 넣고 온도를 높였을 때의 모습을 나타낸 것이고, 표는 (가)와 (나)에서 헬륨 기체에 대한 자료이다.

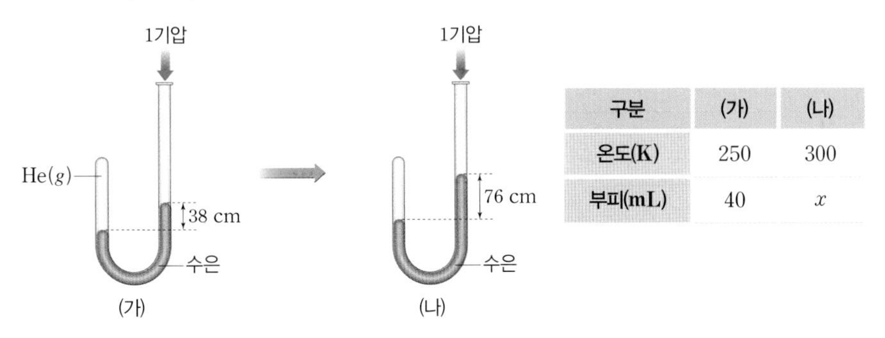

구분	(가)	(나)
온도(K)	250	300
부피(mL)	40	x

x는? (단, 대기압은 76 cmHg이고, 수은의 밀도 변화와 증기 압력은 무시한다.)

① 27 ② 30 ③ 32 ④ 36 ⑤ 42

• 이상 기체 방정식은 $PV=nRT$이므로 기체의 양(몰)이 일정한 경우 $\frac{PV}{T}$ 값은 일정하다.

04

> 이상 기체 방정식

그림은 일정한 압력에서 기체 A~C의 온도와 밀도의 상댓값을 나타낸 것이다. 기체의 분자량은 C가 A의 2배이다.

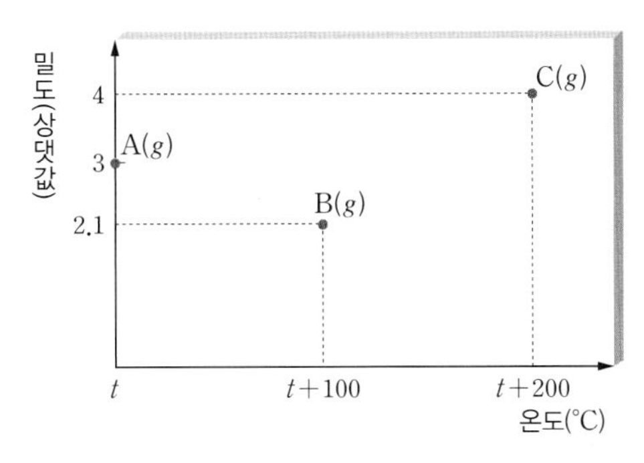

이에 대한 설명으로 옳은 것만을 보기에서 있는 대로 고른 것은?

보기

ㄱ. $t=127$이다.

ㄴ. A(g)의 온도를 ($t+200$) ℃로 높이면 밀도의 상댓값은 2이다.

ㄷ. A와 B의 분자량비는 A : B=8 : 7이다.

① ㄱ ② ㄷ ③ ㄱ, ㄴ ④ ㄴ, ㄷ ⑤ ㄱ, ㄴ, ㄷ

• 이상 기체 방정식 $PV=nRT$를 변형하여 밀도와 관련된 식으로 바꾸면 $PM=dRT$이다. 즉, 기체의 밀도는 기체의 압력과 분자량에 비례하고, 절대 온도에 반비례한다.

05

> 기체의 법칙

다음은 기체 A와 B가 반응하여 기체 C를 생성하는 반응의 화학 반응식이다.

$$A(g) + 2B(g) \longrightarrow cC(g)\ (c\text{는 반응 계수})$$

그림과 같은 장치에 $A(g)$~$C(g)$를 넣은 다음, 꼭지 a를 열고 반응을 완결시킨 후 꼭지 b를 열었다.

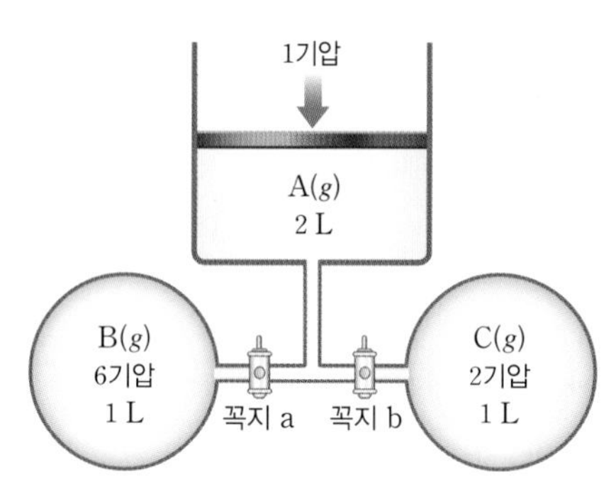

충분한 시간이 흘렀을 때 C의 몰 분율이 $\frac{2}{3}$이고 실린더 속 기체의 부피가 V L이었다면 $c \times V$는? (단, 온도는 일정하고, 연결관의 부피는 무시한다.)

① 3 ② 4 ③ 5 ④ 6 ⑤ 8

• 혼합 기체에서 기체 A의 몰 분율은 $\frac{\text{A의 양(몰)}}{\text{전체 기체의 양(몰)}}$이고, 온도가 일정할 때 기체의 양(몰)은 (압력×부피)에 비례한다.

06

> 물의 공유 결합과 수소 결합

그림 (가)는 H_2O 1 g의 온도에 따른 부피를, (나)는 H_2O의 결합 모형을 나타낸 것이다.

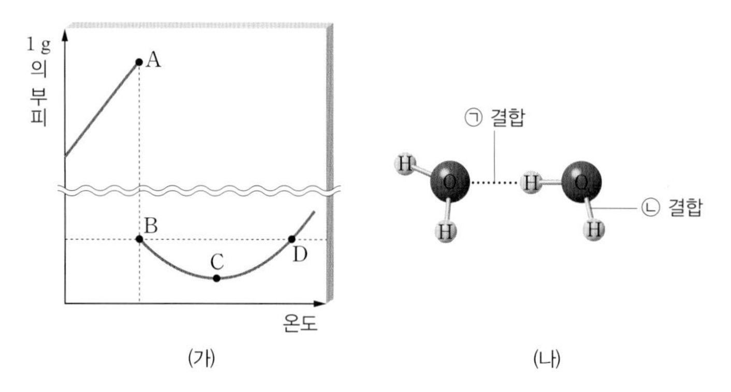

(가) (나)

이에 대한 설명으로 옳은 것만을 보기에서 있는 대로 고른 것은?

보기

ㄱ. H_2O의 밀도는 B에서가 A에서보다 크다.
ㄴ. ㉠ 결합의 수는 B에서와 D에서가 같다.
ㄷ. ㉡ 결합의 수는 B에서가 C에서보다 많다.

① ㄱ ② ㄷ ③ ㄱ, ㄴ ④ ㄴ, ㄷ ⑤ ㄱ, ㄴ, ㄷ

• H_2O 분자를 구성하는 H 원자와 O 원자는 공유 결합을 하고, H_2O 분자 사이에는 수소 결합을 한다. 1 g의 부피는 $\frac{1}{\text{밀도}}$에 해당하므로 1 g의 부피가 클수록 밀도가 작다.

07

> 액체의 표면 장력

그림 (가)는 일정한 온도에서 에탄올 수용액의 퍼센트 농도(%)에 따른 에탄올 수용액의 표면 장력을, (나)는 에탄올과 물의 온도에 따른 표면 장력을 나타낸 것이다. ㉠과 ㉡은 각각 에탄올, 물 중 하나이다.

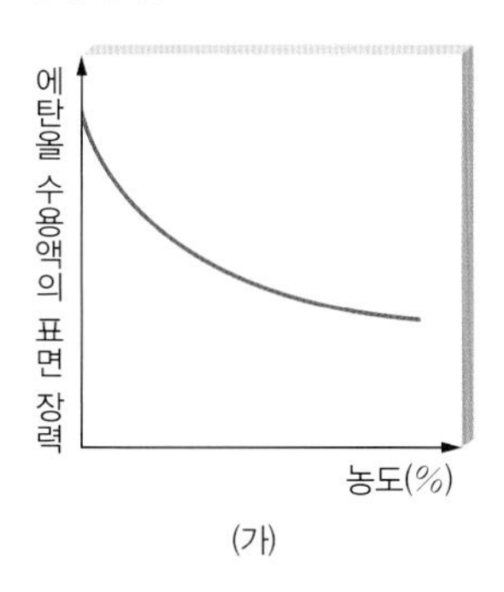

(가)

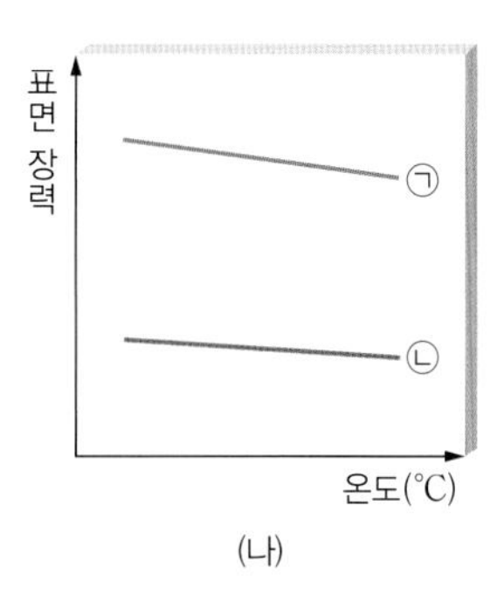

(나)

이에 대한 설명으로 옳은 것만을 보기에서 있는 대로 고른 것은?

보기

ㄱ. ㉠은 물이다.
ㄴ. 온도가 높아지면 에탄올의 표면 장력은 감소한다.
ㄷ. 일정한 온도에서 물 1 mL의 액체 방울은 에탄올 1 mL의 액체 방울보다 더 둥근 모양이다.

① ㄱ ② ㄷ ③ ㄱ, ㄴ ④ ㄴ, ㄷ ⑤ ㄱ, ㄴ, ㄷ

• 표면 장력이 클수록 표면적을 최소로 만드는 힘이 크므로 액체 방울이 더 둥근 모양이다. 온도가 높아지면 분자 사이의 힘이 작아지므로 표면 장력이 감소한다.

08

> 이온 결합 물질의 결정 구조

그림은 염화 세슘(CsCl)과 염화 나트륨(NaCl)의 결정 구조를 나타낸 것이다. (가)와 (나)의 단위 세포는 한 변의 길이가 각각 a_1, a_2인 정육면체이다.

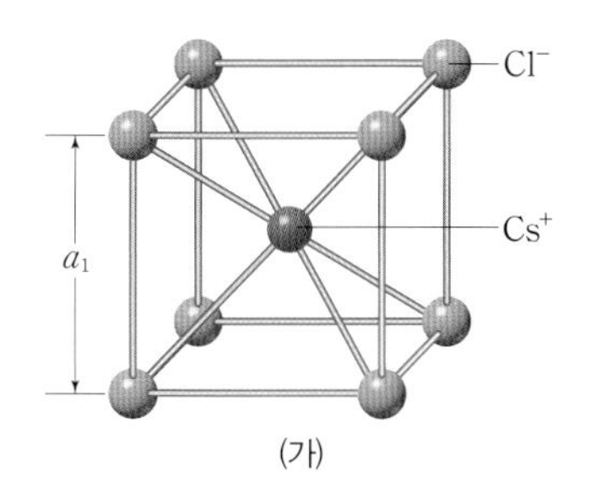

(가)

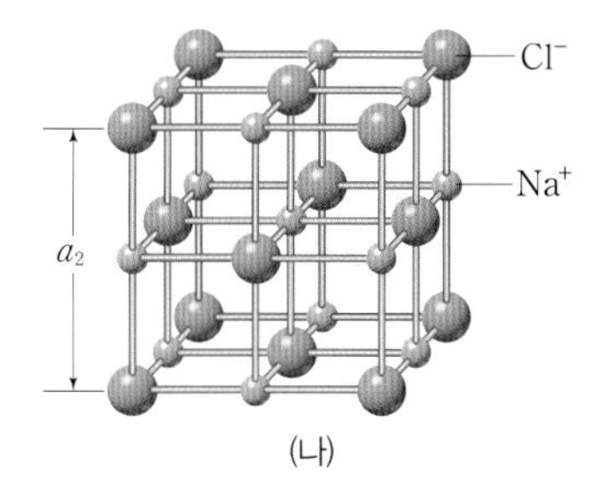

(나)

이에 대한 설명으로 옳은 것만을 보기에서 있는 대로 고른 것은?

보기

ㄱ. (가)는 체심 입방 구조이다.
ㄴ. (나)에서 단위 세포에 들어 있는 이온 수는 4이다.
ㄷ. Cl^-과 가장 인접한 Cl^-의 이온 수비는 (가) : (나)=1 : 2이다.

① ㄱ ② ㄷ ③ ㄱ, ㄴ ④ ㄱ, ㄷ ⑤ ㄴ, ㄷ

• 체심 입방 구조는 단위 세포 꼭짓점과 중심에 입자가 위치한다. 면심 입방 구조는 단위 세포 꼭짓점과 면의 중심에 입자가 위치한다.

09

> 고체의 결정 구조

그림 (가)와 (나)는 금속 X와 Y의 결정에서 단위 세포의 한 면의 모습을 나타낸 것이다. X와 Y의 단위 세포는 각각 한 변의 길이가 a, b인 정육면체이다.

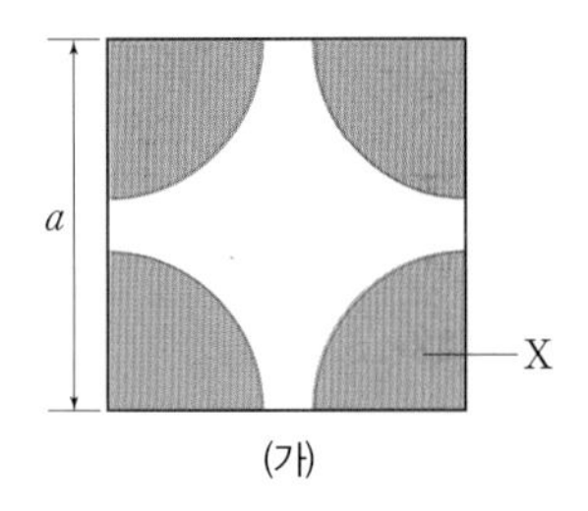

(가)

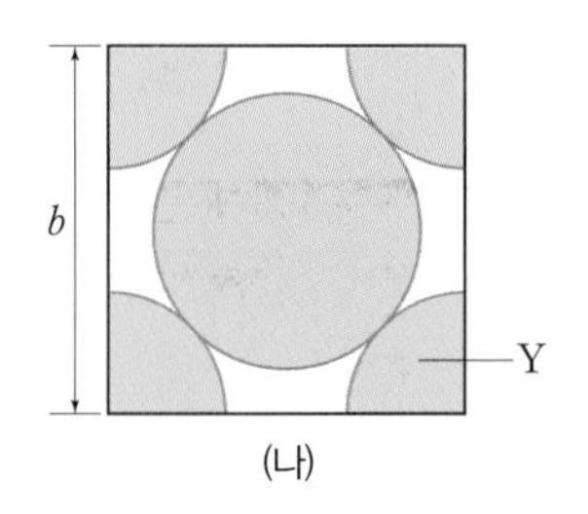

(나)

이에 대한 설명으로 옳은 것만을 보기에서 있는 대로 고른 것은?

보기
ㄱ. (나)의 결정 구조는 면심 입방 구조이다.
ㄴ. 단위 세포에 포함된 입자 수비는 (가) : (나)=1 : 2이다.
ㄷ. 한 원자에 가장 인접한 원자 수비는 (가) : (나)=1 : 2이다.

① ㄱ ② ㄷ ③ ㄱ, ㄴ ④ ㄴ, ㄷ ⑤ ㄱ, ㄴ, ㄷ

• 한 원자에 가장 인접한 원자 수는 단순 입방 구조가 6, 체심 입방 구조가 8, 면심 입방 구조가 12이다.

10

> 용액의 농도

그림은 3가지 NaOH 수용액 (가)~(다)를 나타낸 것이다. NaOH의 화학식량은 40이다.

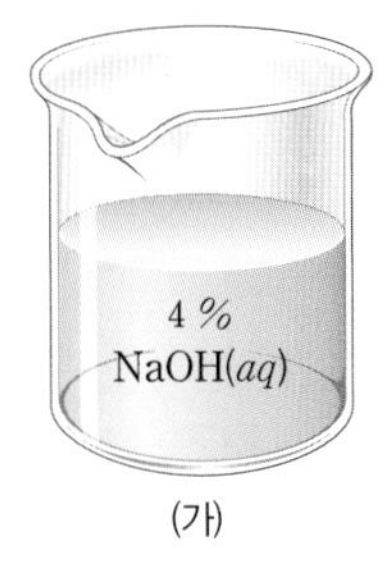

(가)

(나)

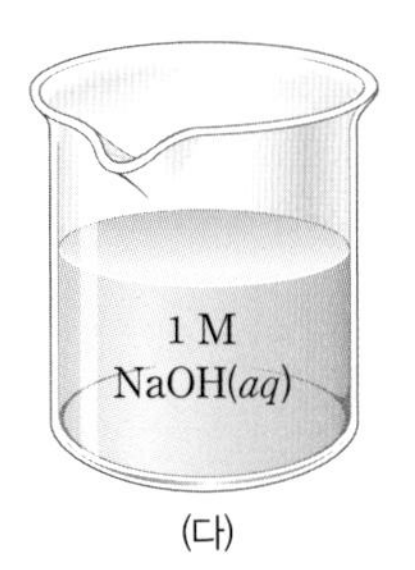

(다)

(가) 200 g, (나) 260 g, (다) 50 mL를 혼합한 용액에 녹아 있는 NaOH의 질량은? (단, 온도는 일정하다.)

① 15 g ② 18 g ③ 20 g ④ 24 g ⑤ 25 g

• 퍼센트 농도(%)는 $\frac{\text{용질의 질량(g)}}{\text{용액의 질량(g)}} \times 100$이고, 몰랄 농도($m$)는 $\frac{\text{용질의 양(mol)}}{\text{용매의 질량(kg)}}$이며, 몰 농도(M)는 $\frac{\text{용질의 양(mol)}}{\text{용액의 부피(L)}}$이다.

11

> 증기 압력 내림

그림은 일정량의 물에 비휘발성, 비전해질인 용질 A를 계속 녹였을 때 A의 몰 분율에 따른 A 수용액의 증기 압력을, 표는 ㉠과 ㉡에서 비커에 들어 있는 물 또는 용액의 질량을 나타낸 것이다.

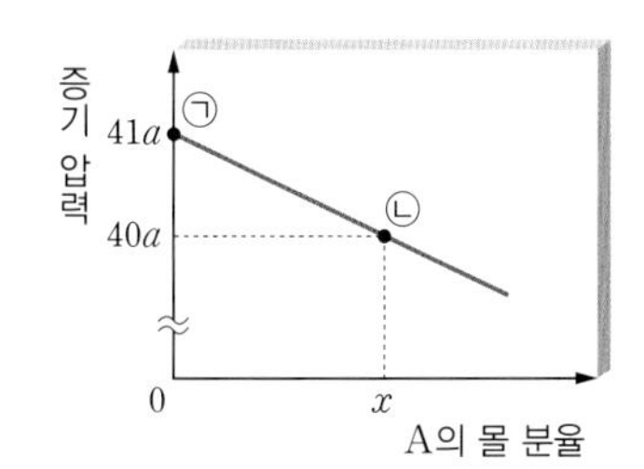

구분	물 또는 용액의 질량(g)
㉠	360
㉡	390

이에 대한 설명으로 옳은 것만을 보기에서 있는 대로 고른 것은? (단, 온도는 일정하고, 수용액은 라울 법칙을 따르며, 물의 분자량은 18이다.)

보기

ㄱ. 끓는점은 ㉡이 ㉠보다 높다.

ㄴ. x는 $\frac{1}{41}$이다.

ㄷ. A의 분자량은 60이다.

① ㄱ ② ㄷ ③ ㄱ, ㄴ ④ ㄴ, ㄷ ⑤ ㄱ, ㄴ, ㄷ

- 증기 압력 내림은 $\Delta P = P_{용매} \times X_{용질}$이다. 용질의 몰 분율($X_{용질}$)은 $\frac{용질의\ 양(몰)}{용매의\ 양(몰)+용질의\ 양(몰)}$이다.

12

> 끓는점 오름과 어는점 내림

표는 1기압에서 비휘발성, 비전해질인 용질 A와 B를 녹인 수용액 (가)와 (나)에 대한 자료이다.

수용액	물의 질량(g)	용질의 질량(g)		끓는점 오름(°C)
		A	B	
(가)	W	5	15	$10a$
(나)	$2W$	10	20	$7a$

이에 대한 설명으로 옳은 것만을 보기에서 있는 대로 고른 것은? (단, 온도는 일정하고, A와 B는 반응하지 않는다.)

보기

ㄱ. 분자량은 A가 B의 3배이다.

ㄴ. 어는점은 (가)가 (나)보다 높다.

ㄷ. 물 $4W$ g에 A 5 g과 B 5 g을 녹인 수용액의 끓는점 오름은 a °C이다.

① ㄴ ② ㄷ ③ ㄱ, ㄴ ④ ㄱ, ㄷ ⑤ ㄱ, ㄴ, ㄷ

- 끓는점 오름은 $\Delta T_b = K_b \times m$이고, 어는점 내림은 $\Delta T_f = K_f \times m$이다. 용액의 끓는점은 (용매의 끓는점+끓는점 오름)이고, 어는점은 (용매의 어는점−어는점 내림)이다.

01

그림 (가)는 할로젠 원소 X~Z의 이원자 분자의 끓는점을, (나)는 할로젠의 수소 화합물 HX~HZ의 끓는점을 나타낸 것이다. X~Z는 임의의 원소 기호이다.

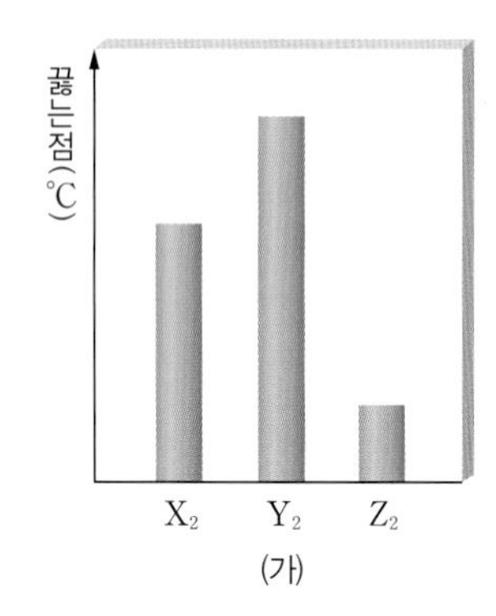

(가)

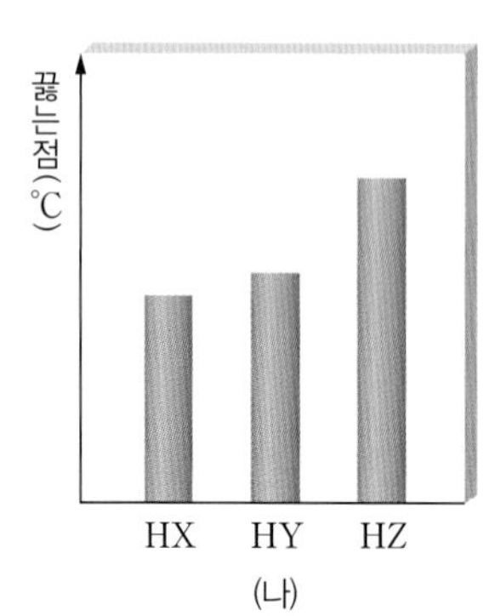

(나)

(1) X~Z의 주기를 비교하시오.

(2) (나)에서 끓는점이 HZ > HY > HX인 이유를 서술하시오.

KEY WORDS
(1) 분산력, 분자량
(2) 수소 결합, 분산력

02

그림과 같이 꼭지로 연결된 2개의 실린더에 헬륨(He) 기체, 네온(Ne) 기체, 아르곤(Ar) 기체가 들어 있다.

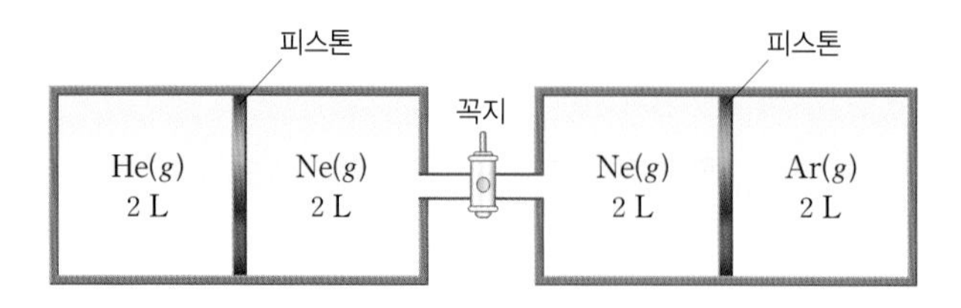

꼭지를 열어 충분한 시간이 흘렀을 때, Ar(g)의 부피가 3 L였다. 중간 계산 과정을 포함하여 $\frac{\text{Ne}(g)\text{의 전체 양(mol)}}{\text{Ar}(g)\text{의 양(mol)}}$을 구하시오. (단, 온도는 일정하고, 연결관의 부피와 피스톤의 마찰은 무시한다.)

KEY WORDS
• 아보가드로 법칙

03

다음은 기체 A~C에 관련된 화학 반응식과 실험이다. 온도는 일정하고, 연결관의 부피는 무시한다.

[화학 반응식] $A(g) + bB(g) \longrightarrow 2C(g)$ (b는 반응 계수)

[실험 과정]

(가) 그림과 같이 $A(g)$와 $B(g)$가 들어 있는 상태에서 꼭지 a와 b를 열었다가 닫는다.

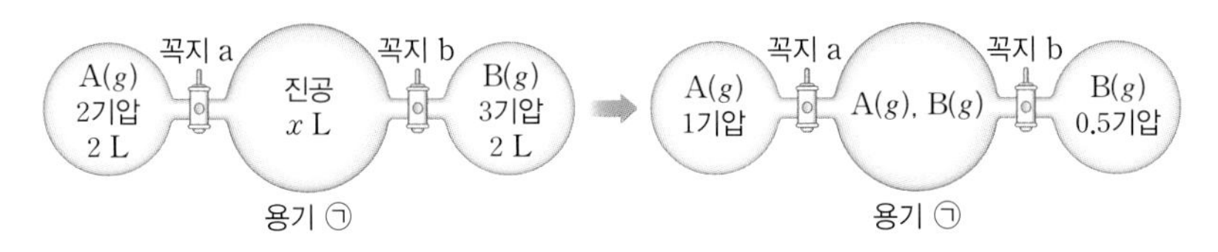

(나) 용기 ㉠에 들어 있는 $A(g)$와 $B(g)$를 반응시킨다.

[실험 결과]

각 과정 후 용기 ㉠에 들어 있는 $B(g)$의 부분 압력은 표와 같다.

과정	(가)	(나)
$B(g)$의 부분 압력(기압)	$\frac{5}{4}$	$\frac{1}{4}$

(1) 계산 중간 과정을 포함하여 용기 ㉠의 부피 x를 구하시오.

(2) 계산 중간 과정을 포함하여 반응 계수 b와 (나) 과정 후 용기 ㉠ 속 기체의 압력을 구하시오.

KEY WORDS
(1) 이상 기체 방정식, 부분 압력 법칙
(2) 이상 기체 방정식, 부분 압력 법칙

04

그림 (가)는 액체 A 1 mL와 액체 B 1 mL를 밀폐된 용기 속 유리판 위에 떨어뜨린 것을, (나)는 동적 평형 상태에 도달한 모습을 나타낸 것이다. 액체 1 mL에 들어 있는 분자 수는 A가 B보다 크고, 온도는 t ˚C로 일정하다.

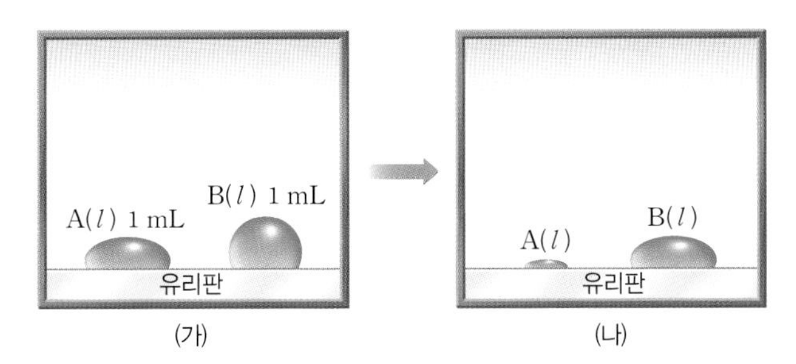

(가) (나)

(1) (가)에서 A와 B의 표면 장력을 비교하고, (나)에서 A와 B의 응축 속도를 비교하시오.

(2) t ˚C에서 A와 B의 증기 압력을 비교하고, 그 이유를 서술하시오.

KEY WORDS
(1) 표면적, 증기 압력
(2) 증발 속도, 응축 속도

05

그림은 고체 (가)와 (나)의 결정 구조를 나타낸 것이다. (가)와 (나)의 단위 세포는 각각 한 변의 길이가 a, b인 정육면체이다. A와 B, X~Z는 임의의 원소 기호이다.

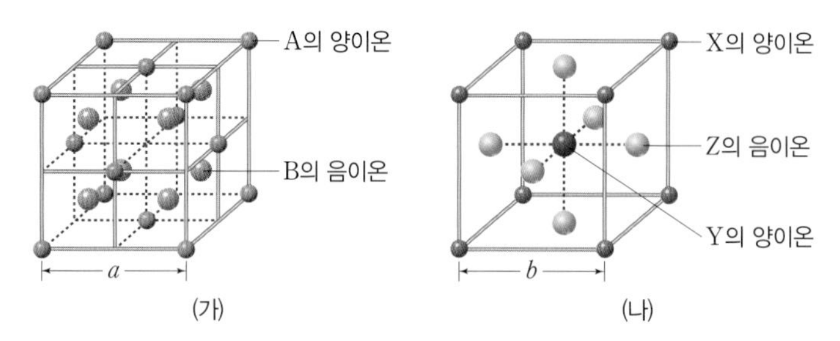

(1) 중간 계산 과정을 포함하여 (가)와 (나)의 단위 세포에 들어 있는 이온 수비를 구하시오.

(2) 구성 이온 수비를 이용하여 (가)와 (나)의 화학식을 구하시오.

KEY WORDS
(1) 단위 세포, 단순 입방 구조, 체심 입방 구조, 면심 입방 구조
(2) 이온 결정의 화학식, 구성 이온 수비

06

표는 X 수용액 (가)와 (나)에 대한 자료이다. X의 분자량은 60이다.

수용액	(가)	(나)
몰랄 농도(m)	1	3
X의 질량(g)	$6w$	$9w$

중간 계산 과정을 포함하여 (가)와 (나)를 혼합한 용액의 퍼센트 농도(%)를 구하시오.

KEY WORDS
• 몰랄 농도, 퍼센트 농도

07

그림은 t °C에서 용질 X와 Y를 일정량의 물에 녹인 X 수용액과 Y 수용액의 증기 압력을 녹인 용질의 질량에 따라 나타낸 것이다. X와 Y는 비휘발성, 비전해질이고, 수용액은 라울 법칙을 따른다.

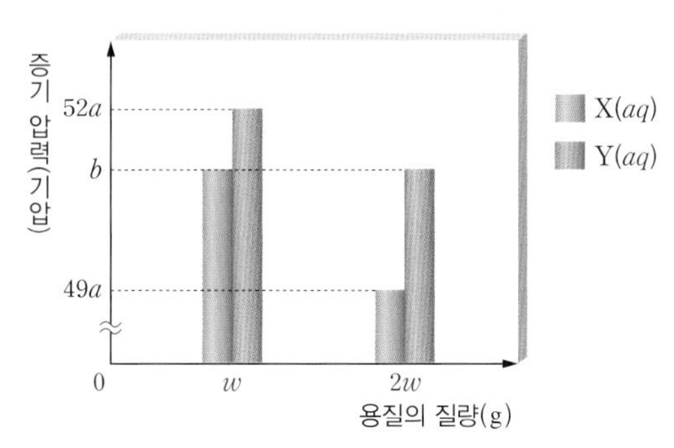

(1) X와 Y의 분자량을 비교하시오.

---

(2) 중간 계산 과정을 포함하여 t °C에서 b를 이용하여 물의 증기 압력을 구하시오.

KEY WORDS
(1) 증기 압력 내림
(2) 증기 압력 내림, 몰 분율

08

표는 용매 A 또는 용매 A에 용질을 녹인 용액 (가)~(다)의 자료이고, 그림은 1기압에서 (가)~(다)를 각각 일정한 열원으로 가열할 때 시간에 따른 온도를 나타낸 것이다. X와 Y는 비휘발성, 비전해질이다.

용매 또는 용액	A의 질량(g)	녹인 용질	
		종류	질량(g)
(가)	50	–	–
(나)	100	X	w
(다)	150	Y	w

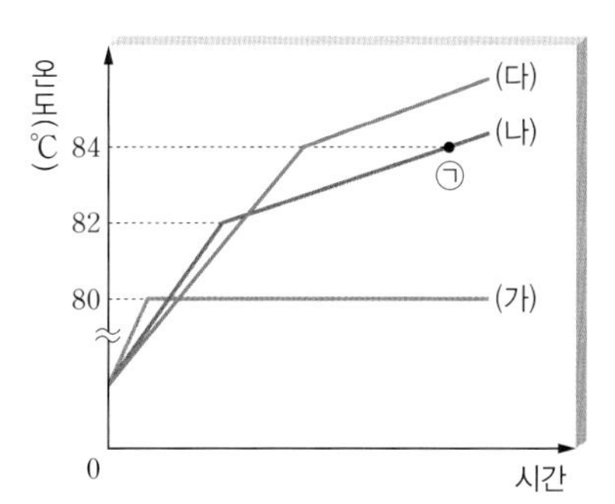

(1) X와 Y의 분자량을 비교하시오.

---

(2) 중간 계산 과정을 포함하여 ㉠에서 용액의 질량을 구하시오.

KEY WORDS
(1) 끓는점 오름, 몰랄 농도
(2) 끓는점 오름, 몰랄 농도

예시 문제

다음은 기체 분자의 운동에 대해 설명한 것이다.

(제시문 1) 기체 분자 운동론은 기체의 여러 가지 성질을 설명하는 이론이다. 기체 분자 운동론에 따르면 기체 분자는 기체가 담겨 있는 용기의 벽면과 끊임없이 충돌하며 벽면에 힘을 가한다. 기체 분자와 용기의 벽면과의 충돌은 충돌 전후 운동량과 운동 에너지의 변화가 없는 탄성 충돌이다. 기체 분자가 용기에 충돌할 때 용기의 단위 면적당 가해지는 평균적인 힘이 바로 그 기체의 압력이다.

(제시문 2) 그림과 같이 길이가 l이고 단면적이 A인 원통형 용기 내에 질량 m인 기체 분자가 속력 v로 오른쪽 벽면에 수직으로 운동하고 있다고 하자. 이 분자는 곧 오른쪽 벽면에 충돌할 것이며, 충돌 후에는 반대 반향으로 같은 속력으로 튀어 나올 것이다. 이 분자는 원통과 나란한 방향으로 운동하여 일정 시간 $\Delta t=\frac{2l}{v}$이 경과할 때마다 다시 오른쪽 벽면에 충돌한다. 이 분자의 충돌 전 운동량은 mv, 충돌 후 운동량은 $-mv$이다.

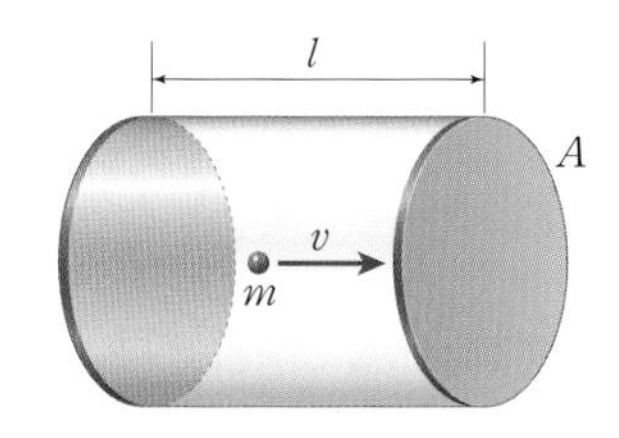

(제시문 3) 어떤 물체가 일정한 시간 Δt 동안 운동량의 변화가 mv라면, 이 물체의 힘은 $\frac{mv}{\Delta t}$이다.

(제시문 4) 일정한 온도의 기체 분자들은 다양한 속력을 가진다. 거의 정지 상태에 있는 분자들도 있고, 매우 빠른 속력으로 움직이는 분자들도 있다. 기체 분자 운동론을 이용하면 일정한 온도에서 기체 분자의 속력 분포를 구할 수 있다. 이 속력 분포로부터 절대 온도 T에서 기체 분자의 평균 속력을 구하면 $\sqrt{\frac{8kT}{\pi m}}$이다. 여기서 m은 분자의 질량이고, k는 상수이다.

1 (제시문 2)에서 기체 분자 1개가 벽면에 가하는 힘을 l을 포함한 식으로 나타내는 과정을 서술하시오.

2 (제시문 2)에서 기체 분자들의 절대 온도가 T이고, 기체 분자 수가 N일 때, 용기 오른쪽 벽면에 가해지는 압력 P_1을 (제시문 4)의 평균 속력을 이용하여 T를 포함한 식으로 나타내는 과정을 서술하시오.

3 (제시문 2)에서 기체 분자의 질량이 $\frac{1}{2}m$이고, 용기의 길이가 $2l$인 용기를 사용할 경우, 용기 오른쪽 벽면에 가해지는 압력을 P_1으로 나타내는 과정을 서술하시오.

출처
인하대학교 논술고사

출제 의도
기체 분자의 운동을 식으로 나타냄으로써 기체 분자 운동에 영향을 미치는 요소를 파악하고, 기체의 압력을 기체 분자 운동론으로 이해하고 적용할 수 있는지 평가한다.

문제 해결 과정

1 운동량 변화량과 시간을 이용하여 기체 분자 1개가 벽면에 가하는 힘을 구한다.

2 압력은 단위 면적당 힘이라는 정의를 이용하여 기체 분자 1개가 벽면에 가하는 압력을 구한 후, 기체 분자 수와 평균 속력을 이용하여 용기 속 기체 분자가 용기 오른쪽 벽면에 가하는 압력을 구한다.

3 분자량이 다른 기체 분자가 용기 오른쪽 벽면에 가하는 압력을 구한 후 **2**에서 구한 값과 비교한다.

문제 해결을 위한 배경 지식

- **압력:** 단위 면적당 가하는 힘으로, $\frac{\text{힘}}{\text{단위 면적}}$이다.
- **힘:** 시간 Δt 동안 운동량 변화가 mv이면 힘은 $\frac{mv}{\Delta t}$이다.
- **기체의 양과 용기 벽면에 가하는 힘:** 기체 분자 1개가 F의 힘으로 용기 벽면에 힘을 가했을 경우 기체 분자 N개가 벽면에 가하는 힘은 NF이다.

예시 답안

1 기체 분자가 용기 오른쪽 벽면에 충돌한 후 다시 되돌아와 충돌하는 시간 간격은 $\Delta t=\frac{2l}{v}$이고, 이 분자의 운동량 변화량은 $mv-(-mv)=2mv$이므로 기체 분자 1개가 벽면에 가하는 힘은 $\frac{2mv}{\Delta t}=\frac{mv^2}{l}$이다.

2 압력은 단위 면적당 힘이므로 기체 분자 1개가 오른쪽 벽면에 가하는 압력은 $P=\frac{\frac{mv^2}{l}}{A}$이다. 용기 속 기체 분자 수는 N이므로 $P_1=\frac{Nmv^2}{Al}$이다. (제시문 4)로부터 평균 속력은 $v=\sqrt{\frac{8kT}{\pi m}}$이므로
$P_1=\frac{Nm}{Al}\left(\sqrt{\frac{8kT}{\pi m}}\right)^2=\frac{8NkT}{\pi Al}$이다.

3 분자의 질량이 $\frac{1}{2}m$인 기체 분자 1개가 길이 $2l$인 용기 벽면에 충돌한 후 다시 되돌아와 충돌하는 시간 간격은 $\Delta t=\frac{2\times 2l}{v}$이고, 기체 분자 1개가 가하는 힘은 $\frac{2\left(\frac{1}{2}m\right)v}{\Delta t}=\frac{mv}{\frac{4l}{v}}=\frac{mv^2}{4l}$이다. 기체 분자 1개가 벽면에 가하는 압력은 $P=\frac{\frac{mv^2}{4l}}{A}=\frac{mv^2}{4Al}$이고, 기체 분자 N개가 오른쪽 벽면에 가하는 압력은 $\frac{Nmv^2}{4Al}$이다. 분자의 질량이 $\frac{1}{2}m$인 기체의 평균 속력은 $v=\sqrt{\frac{8kT}{\pi\times\frac{1}{2}m}}=\sqrt{\frac{16kT}{\pi m}}$이다.

이 기체가 오른쪽 벽면에 가하는 압력은 $\frac{Nm}{4Al}\left(\sqrt{\frac{16kT}{\pi m}}\right)^2=\frac{4NkT}{\pi Al}$이고, $\frac{1}{2}P_1$이다.

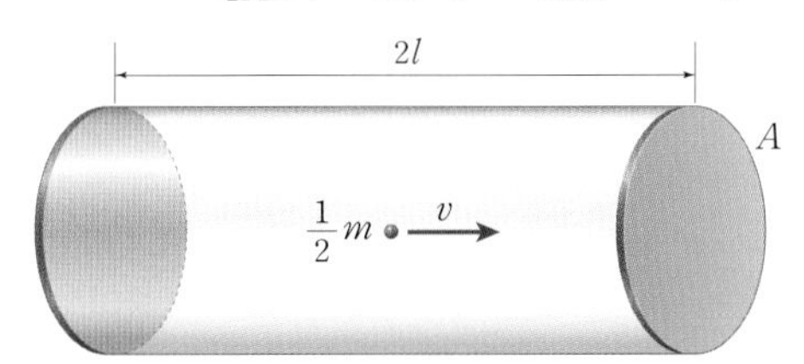

실전 문제

> 정답과 해설 148쪽

1 **다음은 기체 분자의 충돌 횟수에 대해 설명한 것이다.**

(가) 이상 기체 방정식은 보일 법칙, 샤를 법칙, 아보가드로 법칙을 이용하여 만든 식으로 다음과 같이 표현할 수 있다.

$$PV = nRT$$

(P: 압력, V: 부피, n: 기체의 양(mol), R: 기체 상수, T: 절대 온도)

(나) 대부분의 화학 반응은 분자 간 충돌에 의해 일어난다. 따라서 화학 반응의 속도는 충돌 횟수와 직접적으로 연관되어 있다. 화학 반응의 속도를 설명하는 이론인 충돌 이론에 의하면 일정한 온도에서 화학 반응의 속도는 반응하는 분자 간 충돌 횟수에 비례하며, 충돌 횟수는 각 반응물 분자의 몰 농도에 비례한다. 따라서 A 분자가 다른 A 분자와 충돌하여 생성물 B와 C를 생성하는 반응의 경우 충돌 횟수는 A 분자의 몰 농도의 제곱에 비례하게 된다. 또, 충돌 횟수는 충돌하는 분자의 평균 속력에 비례한다.

(다) 기체 분자 운동론에 의하면 기체 분자의 운동 에너지는 절대 온도에 비례하므로 기체의 평균 속력은 기체의 절대 온도의 제곱근에 비례한다. 즉, $v \propto \sqrt{T}$ 이다.

(1) **(나)와 같은 화학 반응의 경우 일정한 부피의 용기에서 기체의 온도를 100 K에서 400 K으로 높였을 때 압력 변화와 충돌 횟수 변화를 구하고, 충돌 횟수 증가만으로 압력 증가를 설명할 수 있는지 서술하시오.**

(2) **(나)와 같은 화학 반응의 경우 일정한 압력에서 기체의 온도를 100 K에서 400 K으로 높였을 때 충돌 횟수 변화를 구하고, 그 이유를 서술하시오.**

답안

출처

인하대학교 모의논술

출제 의도

일정한 부피와 압력에서 온도 변화에 따른 기체 분자의 운동을 이해하고 충돌 횟수를 구할 수 있는지 평가한다.

문제 해결을 위한 배경 지식

- 이상 기체 방정식에서 일정한 부피일 때 기체의 압력은 절대 온도에 비례한다.
- 기체의 농도는 기체의 부피에 반비례한다.
- 기체 분자 운동론에 의하면 기체 분자의 운동 에너지는 절대 온도에 비례하므로 $\frac{1}{2}mv^2 \propto T$ 이고, $v \propto \sqrt{T}$ 이다.

2 다음은 샤를 법칙에 대해 설명한 것이다.

1787년 프랑스의 화학자 샤를은 온도와 기체 부피의 관계를 연구했다. 기체를 일정 압력에서 냉각하면 부피가 감소하고 가열하면 부피가 증가한다. 즉, 온도와 기체의 부피는 정비례한다는 것이 샤를 법칙이라 불리는 현상이다. 그러나 일정 압력에서 기체 1 L를 100 ℃로부터 200 ℃로 가열하면 그 부피는 2배가 아니라 30 % 정도만 증가한다.
샤를은 섭씨온도를 점점 낮춰가며 기체의 부피를 측정하여 그 점들을 이으면 다음 그림의 실선 부분처럼 섭씨온도와 기체 부피의 그래프가 직선을 이루는 것을 확인하였다. −200 ℃ 이하로 온도를 낮추는 것이 쉽지 않았으므로 그 이하의 온도에 대한 부피는 실제 실험값으로부터 추정하여 확장하는 외삽(점선 부위)을 통해 추정하였고, 기체 부피 값이 0에 도달하는 온도는 −273.15 ℃이라는 것을 알게 되었다. 이렇게 기체의 부피가 비례하는 온도는 섭씨온도가 아니므로 절대 온도라는 새로운 온도 단위(K)를 도입하게 되었다. 기체의 부피는 절대 온도에 정비례하며, 이론상으로 절대 온도가 0 K (−273.15 ℃)일 때 어느 기체이든 그 부피는 0이 되고, 그때의 온도를 절대 영도라고 하였다.

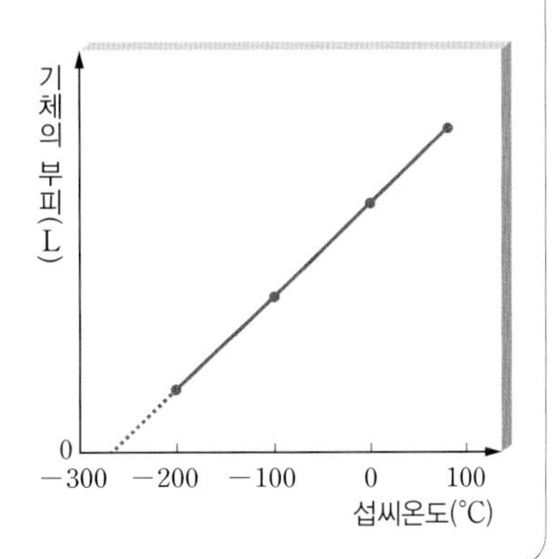

(1) 기체는 절대 온도가 0 K이 되는 것은 불가능하다. 그 이유를 서술하시오.

(2) 표는 2가지 기체 A와 B에 대한 자료이다. 이 자료를 이용하여 1기압에서 A와 B의 섭씨온도에 따른 물질의 부피를 그래프로 간략하게 나타내고 서술하시오.

기체	A	B
질량(g)	0.1	0.8
분자량	M	$4M$
기준 녹는점(℃)	−270	−260
기준 끓는점(℃)	−180	−160

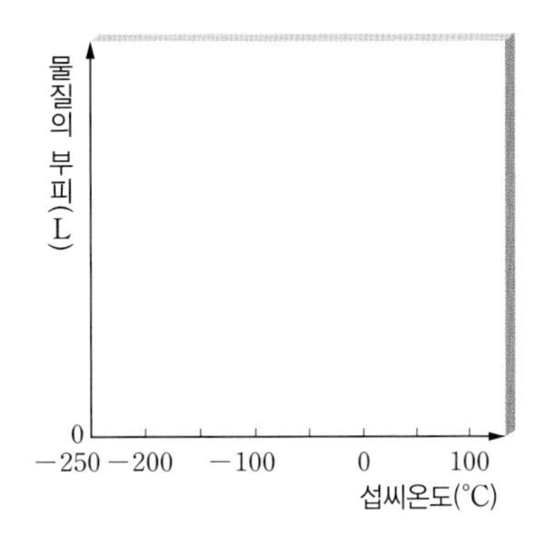

답안

• **출처**
건국대 논술 예시 문제

• **출제 의도**
기체의 온도가 계속 낮아질 때 어떤 현상이 나타날지 생각해 봄으로써 샤를 법칙에서 이상 기체와 실제 기체의 차이점을 이해하는지 평가한다.

• **문제 해결을 위한 배경 지식**
- **샤를 법칙**
  $V_t = V_0 + V_0 \times \frac{1}{273}t$
  (V_t: t ℃에서 기체의 부피, V_0: 0 ℃에서 기체의 부피)
  $V = kT$ (k: 상수, T: 절대 온도)
- 절대 온도(K) = 섭씨온도(℃)+273.15
- 고체와 액체는 온도 변화에 따른 부피 변화가 거의 없다.

HighTop

1권

Ⅰ 물질의 세 가지 상태와 용액

1. 물질의 세 가지 상태

01 분자 간 상호 작용

집중 분석 020쪽

유제 ④

유제 ㄱ. NH_3 분자에서 전기 음성도가 큰 N 원자에 결합한 H 원자와 다른 NH_3 분자의 N 원자 사이에 강한 정전기적 인력이 작용하여 수소 결합이 형성된다. 즉, NH_3는 수소 결합 물질이므로 다른 수소 화합물에 비해 끓는점이 높다.

ㄷ. 5주기 Sb의 수소 화합물인 SbH_3가 4주기 Ge의 수소 화합물인 GeH_4보다 분자량이 크다. 분자량이 클수록 분산력이 크므로 분산력은 SbH_3가 GeH_4보다 크다.

바로 알기 ㄴ. SnH_4은 무극성 분자이므로 쌍극자·쌍극자 힘이 작용하지 않고 PH_3은 극성 분자이므로 쌍극자·쌍극자 힘이 작용한다. 따라서 쌍극자·쌍극자 힘은 PH_3이 SnH_4보다 크다.

개념 모아 정리하기 022쪽

❶기체 ❷진동 ❸끓는점 ❹$q \times r$
❺유발 ❻편극 ❼커 ❽전기 음성도
❾분산력 ❿수소 결합

개념 기본 문제 023쪽

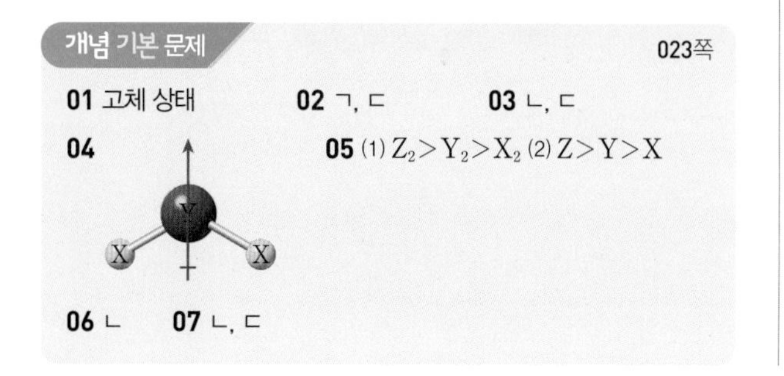

01 고체 상태는 분자들이 매우 규칙적으로 배열되어 있고, 고정된 위치에서 진동 운동만 하므로 일정한 부피와 모양을 가지고 있다. 또, 분자 사이의 거리가 매우 가까우므로 분자 간 상호 작용이 매우 강하다.

02 ㄱ. 쌍극자 모멘트는 (+)전하에서 (−)전하로 향하는 방향을 갖는 벡터량이다.

ㄷ. 극성 분자의 쌍극자 모멘트는 0보다 크고, 무극성 분자의 쌍극자 모멘트는 0이다.

바로 알기 ㄴ. 쌍극자 모멘트가 클수록 결합의 극성이 크고 결합의 이온성이 커진다.

03 ㄴ. HCl는 극성 분자이고 Cl_2는 무극성 분자이므로 분자의 극성은 HCl가 Cl_2보다 크다.

ㄷ. HCl는 쌍극자·쌍극자 힘이 작용하지만 Cl_2는 쌍극자·쌍극자 힘이 작용하지 않는다. 따라서 쌍극자·쌍극자 힘은 HCl가 Cl_2보다 크다.

바로 알기 ㄱ. 분자량이 클수록 분산력이 크므로 Cl_2의 분산력이 HCl의 분산력보다 크다.

04 전기 음성도가 큰 원자가 부분적인 음전하(δ^-)를 띠고, 전기 음성도가 작은 원자가 부분적인 양전하(δ^+)를 띤다. 전기 음성도는 $Y>X$이므로 X는 부분적인 양전하(δ^+)를 띠고 Y는 부분적인 음전하(δ^-)를 띤다. 쌍극자 모멘트는 (+)전하에서 (−)전하로 향하므로 각 공유 결합에서 쌍극자 모멘트는 X에서 Y로 향하고, 분자의 쌍극자 모멘트의 벡터 합은 위쪽을 향한다.

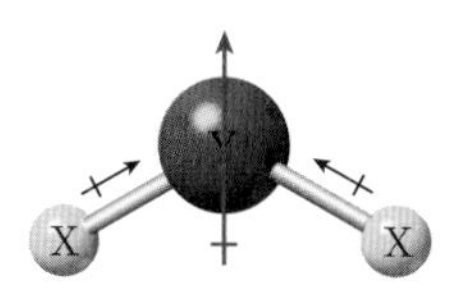

05 (1) 25 ℃에서 기체 상태의 물질은 끓는점이 25 ℃보다 낮다. 25 ℃에서 액체 상태의 물질은 녹는점이 25 ℃보다 낮고 끓는점이 25 ℃보다 높다. 25 ℃에서 고체 상태의 물질은 녹는점과 끓는점이 모두 25 ℃보다 높다. 따라서 끓는점은 $Z_2>Y_2>X_2$이다.

(2) X_2, Y_2, Z_2는 무극성 분자이고, 끓는점이 높을수록 분자량이 큰 분자이므로 원자량은 $Z>Y>X$이다.

06 ㄴ. 분자 구조가 구형일수록 표면적이 작으므로 표면적은 (나)가 (가)보다 크다.

바로 알기 ㄱ. (가)와 (나)는 무극성 분자이므로 쌍극자·쌍극자 힘이 작용하지 않는다.
ㄷ. 표면적이 넓을수록 분산력이 크므로 분자 사이의 힘은 (나)가 (가)보다 크다.

07 ㄴ. 단백질은 수소 결합 때문에 나선 구조를 가진다.
ㄷ. DNA에서 아데닌과 타이민, 구아닌과 사이토신은 수소 결합을 한다.
바로 알기 ㄱ. 수소 결합은 분자 사이의 힘 중에서는 강하지만 공유 결합보다는 약하다.

개념 적용 문제 024~025쪽

01 ③ **02** ③ **03** ② **04** ⑤

01 ㄱ. 수소 결합은 F, O, N 원자에 결합한 H 원자와 다른 분자의 F, O, N 원자 사이에서 일어난다. A는 수소 결합을 하므로 A에는 F, O, N 중 1개 이상의 원소가 포함되어 있고, H가 포함되어 있다.
ㄴ. B는 분자의 쌍극자 모멘트가 0이므로 무극성 분자이다.
바로 알기 ㄷ. B는 무극성 분자이므로 분산력만 작용한다. C는 극성 분자이므로 쌍극자·쌍극자 힘과 분산력이 모두 작용한다. B와 C는 분자량이 같으므로 쌍극자·쌍극자 힘이 작용하는 C가 B보다 분자 사이의 힘이 강하고 끓는점이 높다.

02 ㄷ. 분자 구조는 (나)가 (가)보다 구형이므로 (나)의 표면적이 (가)보다 작아 분산력이 작다. (가)는 무극성 분자, (다)는 극성 분자이므로 분자 사이의 힘은 (다)가 (가)보다 크다. 따라서 분자 사이의 힘이 (다)>(가)>(나)이므로 기준 끓는점은 (다)>(가)>(나)이다. 즉, ㉠은 -12보다 크고 56보다 작다.
바로 알기 ㄱ. 극성 분자와 무극성 분자 모두 분산력이 작용하므로 (가)~(다) 모두 분산력이 작용한다.
ㄴ. 분자 구조가 (나)가 (가)보다 구형이므로 표면적은 (가)가 (나)보다 크다.

03 ㄴ. 2~4주기 14족 원소의 수소 화합물은 중심 원자에 H 원자 4개가 정사면체로 결합하므로 무극성 분자이고, 2~4주기 15족 원소의 수소 화합물은 중심 원자에 H 원자 3개가 결합하고 비공유 전자쌍이 존재하므로 극성 분자이다.
2~4주기 14족 원소의 수소 화합물은 CH_4, SiH_4, GeH_4으로 모두 무극성 분자이고, 2~4주기 15족 원소의 수소 화합물은 NH_3, PH_3, AsH_3으로 모두 극성 분자이다.
같은 주기일 때 15족 원소의 수소 화합물이 14족 원소의 수소 화합물보다 기준 끓는점이 높으므로 A~C는 각각 NH_3, PH_3, AsH_3 중 하나이다. NH_3는 수소 결합을 하고, 분산력은 분자량이 큰 AsH_3가 PH_3보다 크므로 A~C는 각각 NH_3, AsH_3, PH_3이다.
또, 분산력은 $GeH_4>SiH_4>CH_4$이므로 D는 CH_4이고, 기준 끓는점이 낮은 순서대로 SiH_4, GeH_4이다. A의 중심 원자는 N, D의 중심 원자는 C이므로 모두 2주기 원소이다.
바로 알기 ㄱ. (가)는 15족, (나)는 14족이다.
ㄷ. 분자량은 B(AsH_3)가 C(PH_3)보다 크다.

04 ㄱ. ㉠과 ㉡은 분자량이 비슷하지만 기준 끓는점은 ㉠이 ㉡보다 높으므로 ㉠은 극성 분자인 HY이고, ㉡은 무극성 분자인 X_2이다.
ㄴ. HX는 분자량이 가장 작은데 기준 끓는점이 가장 높으므로 수소 결합을 한다.
ㄷ. 분자량은 Y_2가 X_2보다 크므로 원자량은 Y가 X보다 크다.

02 기체

탐구 확인 문제 039쪽

01 ㄴ, ㄷ **02** 아이소프로판올 기체의 질량이 크게 얻어지므로 아이소프로판올의 분자량은 이론값보다 커진다.

01 이상 기체 방정식으로부터 분자량을 구하는 식은 $M=\frac{wRT}{PV}$이므로 실험에서 구한 분자량이 이론값보다 크게 나오는 경우는 w, T가 크게 측정되거나, P, V가 작게 측정된 것이다. 실험의 과정 **3**에서 P_1이 작게 측정되거나 t_1이 크게 측정되면 실험에서 구한 분자량이 크게 구해진다. 또, 과정 **5**에서 둥근바닥 플라스크에 물을 가득 채우지 않으면 V_1이 작게 측정되어 실험에서 구한 분자량이 크게 구해진다.

02 아이소프로판올 기체가 들어 있는 플라스크의 질량 w_2가 크게 측정되었다면 아이소프로판올 기체의 질량 $w=w_2-w_1$(플라스크의 질량)의 측정값이 크게 얻어진다. 따라서 아이소프로판올 분자량을 구하는 식 $M=\frac{wRT}{PV}$에서 w가 커지므로 분자량(M)은 이론값보다 크게 얻어진다.

집중 분석 041쪽

유제 ㄱ

유제 ㄱ. 이상 기체 방정식 $PV=nRT$에서 기체의 온도가 같을 때 PV는 n에 비례한다. 온도는 (가)와 (나)가 같으므로 기체의 양(몰)은 (가)가 (나)의 2배이다.

바로 알기 ㄴ. $PV=nRT$에서 기체의 양(몰)이 같을 때 PV는 T에 비례한다. 기체의 양(몰)은 (가)와 (다)가 같으므로 기체의 절대 온도는 (가)가 (다)의 2배이다. 이때 (가)와 (나)의 절대 온도가 같으므로 기체의 절대 온도는 (나)가 (다)의 2배이다.

ㄷ. $PV=nRT$에서 기체의 양(몰)과 온도가 일정하면 PV는 일정하므로 (가)의 기체의 압력을 $2a$ atm으로 증가시켜도 (압력×부피)는 $2b$ atm·L로 같다.

개념 모아 정리하기 043쪽

❶압력 ❷압력 ❸비례 ❹증가 ❺인력 ❻절대 온도 ❼이상 기체 ❽실제 기체 ❾부분 압력 ❿전체 압력

개념 기본 문제 044~045쪽

01 (1) 보일 법칙 (2) 샤를 법칙 (3) 아보가드로 법칙 **02** (1) 아보가드로 법칙 (2) 샤를 법칙 (3) 보일 법칙 **03** 4.0 L **04** 2.4 **05** ㄱ, ㄷ **06** (1) 4 : 1 (2) 16 : 1 **07** (나) 기체 분자 사이에는 인력이나 반발력이 작용하지 않는다. (라) 기체 분자의 평균 운동 에너지는 절대 온도에만 영향을 받는다. **08** ㄴ, ㄹ **09** ㄱ, ㄴ, ㄷ **10** 0.075몰 **11** (1) 1.6기압 (2) $\frac{3}{4}$

01 (1) 보일 법칙에 따르면 일정한 온도에서 기체의 압력을 증가시키면 기체의 부피는 감소한다.

(2) 샤를 법칙에 따르면 일정한 압력에서 기체의 부피는 절대 온도에 비례한다.

(3) 아보가드로 법칙에 따르면 일정한 온도와 압력에서 기체의 부피는 기체의 양(몰)에 비례한다.

02 (1) 풍선에 바람을 불어 넣으면 풍선 속 기체의 양이 많아져서 풍선의 크기가 커진다. 기체의 양과 부피에 대한 내용이므로 아보가드로 법칙과 관계있다.

(2) 찌그러진 탁구공을 끓는 물에 넣으면 탁구공 속 공기의 온도가 높아지면서 부피가 증가하여 탁구공이 다시 펴진다. 기체의 온도와 부피에 대한 내용이므로 샤를 법칙과 관계있다.

(3) 물속에서 수면으로 올라갈수록 수압이 작아지므로 잠수부가 호흡할 때 내뿜는 기포의 크기는 커진다. 압력과 기체의 부피에 대한 내용이므로 보일 법칙과 관계있다.

03 보일 법칙에 의해 $P_1V_1=P_2V_2$이므로 1기압×5.0 L=1.25기압×V_2, V_2=4.0 L이다.

04 기체의 압력은 $P=\frac{nRT}{V}$이고 절대 온도와 부피는 실험 Ⅱ가 실험 Ⅰ의 2배이므로 실험 Ⅱ에서 기체의 압력(㉠)은 0.5기압이다. 기체의 부피는 $V=\frac{nRT}{P}$이고 절대 온도와 압력은 실험 Ⅲ이 실험 Ⅰ의 2배이므로 기체의 부피(㉡)는 4.8 L이다. 즉, ㉠과 ㉡은 각각 0.5, 4.8이므로 ㉠×㉡=0.5×4.8=2.4이다.

05 ㄱ. 추를 제거하면 실린더 속 기체의 압력은 1기압이 되므로 보일 법칙에 의해 기체의 부피는 2배가 된다.

ㄷ. 실린더 속에 X(g) w g을 더 넣어 주면 실린더 속 X(g)의 양(몰)이 2배가 되므로 아보가드로 법칙에 의해 기체의 부피는 2배가 된다.

바로 알기 ㄴ. 절대 온도가 2배가 되면 샤를 법칙에 의해 기체의 부피가 2배가 된다. 25 ℃는 절대 온도로 298 K이고 50 ℃는 절대 온도로 323 K이므로 기체의 온도를 50 ℃로 높여도 기체의 부피는 2배가 되지 않는다.

06 (1) 기체의 분자 수는 각 기체의 양(몰)을 구해 비교할 수 있다. $PV=nRT$에서 온도가 같으면 기체의 양(몰)은 PV값에 비례한다.

Y_2와 ZX_2의 PV값을 각각 구하면 2, 0.5이므로 Y_2 분자 수 : ZX_2 분자 수=2 : 0.5=4 : 1이다.

(2) $PV=\frac{w}{M}RT$이므로 같은 온도에서 M은 $\frac{w}{PV}$에 비례한다는 것을 알 수 있다. 따라서 X_2 분자량 : Y_2 분자량= $\frac{0.64}{0.5}:\frac{0.16}{2}=16:1$이다.

07 기체 분자 운동론에 의하면 기체 분자 사이에 작용하는 인력이나 반발력을 무시한다. 기체 분자의 평균 운동 에너지는 절대 온도에만 비례하고 분자량, 분자 크기 등에 영향을 받지 않는다.

08 ㄴ. (가)와 (나)에서 기체의 온도는 같고, 기체의 압력은 (나)가 (가)보다 크며, 기체의 부피는 (가)가 (나)보다 크다.
ㄹ. 일정한 시간 동안 충돌 횟수가 크면 기체의 압력이 크므로 일정한 시간 동안 충돌 횟수는 (나)가 (가)보다 크다.
바로 알기 ㄱ. 기체의 분자 수는 (가)와 (나)가 같다.
ㄷ. (가)와 (나)의 온도가 같으므로 운동 속도도 (가)와 (나)가 같다.

09 이상 기체는 기체 분자 사이에 인력이나 반발력이 작용하지 않는다. 분자량이 작고 온도가 높을수록 분자 사이의 힘이 작으므로 이상 기체에 가까워진다. 압력이 높아지면 기체 분자 사이의 거리가 가까워져 기체 분자가 차지하는 부피를 무시할 수 없으므로 이상 기체 방정식으로 계산된 값보다 부피가 커진다. 따라서 높은 압력에서 $\frac{PV}{RT}$ 값은 이상 기체보다 커진다.

10 $PV=nRT$에서 $n=\frac{PV}{RT}=\frac{1.23\times1.5}{0.082\times(273+27)}=0.075$이다. 따라서 이산화 탄소 기체의 양(몰)은 0.075몰이다.

11 (1) 온도는 일정하므로 보일 법칙 $P_1V_1=P_2V_2$가 성립한다. 꼭지를 열어 충분한 시간이 흘렀을 때, $N_2(g)$와 $He(g)$의 부피는 5 L이다. $N_2(g)$와 $He(g)$의 압력을 각각 P_{N_2}, P_{He}라고 하면 $N_2(g)$의 부분 압력은 $1\times2=P_{N_2}\times5$, $P_{N_2}=0.4$(기압)이고, $He(g)$의 부분 압력은 $2\times3=P_{He}\times5$, $P_{He}=1.2$(기압)이다. 따라서 용기 속 기체의 전체 압력은 $0.4+1.2=1.6$(기압)이다.
(2) 온도가 일정할 때 기체의 양(몰)은 PV값에 비례한다. $N_2(g)$와 $He(g)$의 몰비는 $1\times2:2\times3=1:3$이므로 $He(g)$의 몰 분율은 $\frac{3}{(1+3)}=\frac{3}{4}$이다.

개념 적용 문제 046~051쪽

01 ③	**02** ①	**03** ②	**04** ④	**05** ②	**06** ④
07 ①	**08** ③	**09** ③	**10** ⑤	**11** ②	**12** ④

01 ㄱ. $A(g)$의 압력과 38 cm의 수은 기둥이 누르는 힘을 합하면 대기압(1기압)이 누르는 힘과 같으므로 $A(g)$의 압력은 0.5기압이다.
ㄷ. $B(g)$의 압력은 $A(g)$의 압력과 19 cm의 수은 기둥이 누르는 힘의 합과 같으므로 $B(g)$의 압력은 0.5기압+0.25기압=0.75기압이다. $B(g)$의 압력이 0.75기압이므로 $h=76\times0.75=57$이다.
바로 알기 ㄴ. $A(g)$는 압력이 0.5기압이고 부피가 1 L이므로 양(몰)이 $n=\frac{PV}{RT}=\frac{0.5\times1}{RT}$이다. $B(g)$는 압력이 0.75기압이고 부피가 0.5 L이므로 양(몰)이 $\frac{0.75\times0.5}{RT}$이다.
용기 속 기체 분자 수비는 몰비와 같으므로 $A(g):B(g)=\frac{0.5\times1}{RT}:\frac{0.75\times0.5}{RT}=4:3$이다. 즉, $B(g)$의 분자 수는 $A(g)$의 분자 수의 $\frac{3}{4}$이다.

02 ㄱ. T K에서 기체의 부피는 $A(g)$가 $B(g)$의 2배이므로 기체의 양(몰)도 $A(g)$가 $B(g)$의 2배이다. 이때 기체의 질량이 같으므로 분자량은 B가 A의 2배이다.
바로 알기 ㄴ. ㉠과 ㉢에서 $A(g)$와 $B(g)$의 질량과 부피가 같으므로 기체의 밀도$\left(=\frac{질량}{부피}\right)$는 ㉠과 ㉢이 같다.
ㄷ. 기체 분자의 운동 에너지는 절대 온도에 비례한다. ㉡과 ㉢의 절대 온도가 같으므로 기체의 분자 운동 에너지는 ㉡과 ㉢이 같다.

03 (나)에서 $X(g)$의 압력을 P라고 하면 보일 법칙에 의해 1기압×8 L=P×5 L, P=1.6기압이다. 즉, 대기압+추 3개에 해당하는 압력=1.6기압이고, 대기압이 1기압이므로 추 3개에 해당하는 압력은 0.6기압이다. 따라서 추 1개에 해당하는 압력은 0.2기압이므로 (가)의 피스톤에 추 1개를 올려놓으면 $X(g)$의 압력은 1.2기압이다. 이때의 부피를 V라고 하면 1기압×8 L=1.2기압×V, $V=\frac{20}{3}$ L이다.

04 ㄴ. (가)와 (나)에서 기체의 온도를 계속 낮춰주었을 때 기체

가 액체로 상태 변화하면 부피가 크게 감소한다. 부피가 크게 감소하면서 온도가 일정하게 유지될 때의 온도가 끓는점이다. 기체의 부피가 크게 감소하는 온도는 (나)에서가 (가)에서보다 높으므로 끓는점은 (나)에서가 (가)에서보다 높다.
ㄷ. (나)에서 273 K(0 ℃)일 때 기체의 부피가 $3V$ L이다. 기체의 부피는 절대 온도에 비례하므로 기체의 부피가 $4V$ L일 때 온도는 $\frac{4}{3}\times273=364$(K)이다. 364 K을 섭씨온도로 나타내면 $364-273=91$(℃)이다.

바로 알기 ㄱ. (가)와 (나)에서 X의 양(몰)은 같으므로 0 ℃에서 부피가 큰 (가)가 (나)보다 기체의 압력이 더 작다. 따라서 $X(g)$의 압력은 (가)에서가 (나)에서보다 작다.

05 ㄴ. 일정한 압력에서 일정량의 기체의 부피는 절대 온도에 비례하므로 (가)와 (나)에서 절대 온도비 $T_1:T_2=2:3$이다. (나)와 (다)의 절대 온도는 같고, 기체 분자의 평균 운동 에너지는 절대 온도에만 비례하므로 (가) : (다)=2 : 3이다.

바로 알기 ㄱ. 일정량의 기체의 밀도는 부피에 반비례하므로 (가)와 (나)에서 기체의 밀도비는 $\frac{1}{2}:\frac{1}{3}=3:2$이다. 따라서 기체 밀도는 (가)에서가 (나)에서보다 크다.
ㄷ. 단위 시간당 기체 분자의 충돌 횟수가 클수록 압력이 크다. 기체의 압력은 (다)에서가 (나)에서보다 크므로 단위 시간당 기체 분자의 충돌 횟수는 (다)에서가 (나)에서보다 크다.

06 (가)에서 $X(g)$의 부피는 ㉠에서가 ㉡에서의 2배이므로 $X(g)$의 절대 온도는 ㉠에서가 ㉡에서의 2배이다. ㉡에서의 온도가 T K이므로 ㉠에서의 온도는 $2T$ K이다. (나)에서 $X(g)$의 부피는 ㉢에서가 ㉣에서의 2배이므로 $X(g)$의 양(몰)은 ㉢에서가 ㉣에서의 2배이다. ㉣에서 $X(g)$의 온도와 압력은 T K, P기압이고, 부피는 $2V$ L이다. ㉡에서 $X(g)$의 온도와 압력은 T K, P기압이고 부피와 양(몰)은 V L, n몰이므로 ㉣에서의 양(몰)은 ㉡에서의 2배이다. ㉠~㉣의 압력, 온도, 부피, 양(몰)은 다음과 같다.

구분	㉠	㉡	㉢	㉣
양(몰)	n	n	$4n$	$2n$
온도(K)	$2T$	T	T	T
압력(기압)	P	P	P	P
부피(L)	$2V$	V	$4V$	$2V$

ㄱ. ㉠에서 기체의 온도는 $2T$ K이다.
ㄷ. 기체의 양(몰)은 ㉠이 n몰, ㉢이 $4n$몰이므로 ㉢이 ㉠의 4배이다.

바로 알기 ㄴ. ㉡에서 기체의 온도를 $2T$ K으로 높인 기체의 부피는 $2V$ L이다. ㉣에서 기체의 양(몰)이 $\frac{1}{2}$인 기체의 부피는 V L이다. 즉, 2배이다.

07 이상 기체 방정식 $PV=nRT=\frac{w}{M}RT$를 변형하면 $M=\frac{wRT}{PV}$이다. w_1은 (페트병의 질량+공기의 질량)이고 w_2는 (페트병의 질량+이산화 탄소의 질량)이므로 이산화 탄소의 질량$=w_2-w_1+$공기의 질량이다. 페트병의 부피가 1 L이고 공기의 밀도가 a g/L이므로 페트병을 채운 공기의 질량은 a g이다. 이산화 탄소의 질량=(c−b+a) g이므로 이산화 탄소의 분자량은 $M=\frac{(c-b+a)\times300R}{1\times1}=(c-b+a)\times300R$이다.

08 이상 기체 방정식 $PV=nRT$를 변형하면 $T=\frac{PV}{nR}$이고, 분자량과 밀도를 이용한 식 $PM=dRT$를 변형하면 $T=\frac{PM}{dR}$이다. 따라서 $X(g)$와 $Y(g)$의 절대 온도비는
$\frac{PV}{nR}:\frac{PM}{dR}=\frac{V}{n}:\frac{M}{d}=\frac{2}{\frac{1.6}{4}}:\frac{20}{3}=3:4$이다.

09 이상 기체 방정식 $PV=nRT$에서 기체의 양(몰)은 $n=\frac{PV}{RT}$이다. $A(g)$의 양(몰)은 $\frac{3\times1}{300R}=\frac{1}{100R}$이고, $B(g)$의 양(몰)은 $\frac{1\times2}{400R}=\frac{1}{200R}$이다. $A(g)$와 $B(g)$를 혼합하면 전체 기체의 양(몰)은 $\frac{1}{100R}+\frac{1}{200R}=\frac{3}{200R}$이다. 기체의 압력은 $P=\frac{nRT}{V}$이므로 혼합 기체의 압력은 $\frac{\frac{3}{200R}\times400R}{1+2}=2$(기압)이다.

10 ㄱ. 온도가 일정하므로 기체의 양(몰)은 PV(압력×부피) 값에 비례한다. (가)에서 X와 Y의 분자 수비는 $3\times2:3\times4=1:2$이다.
ㄴ. (나)에서 오른쪽 실린더에 있는 $Y(g)$의 압력을 P라고 하면 (가)와 (나)에서 보일 법칙에 의해 $3\times4=P\times3$,

$P=4$(기압)이다. 피스톤 양쪽 기체의 압력은 같으므로 (나)에서 왼쪽 실린더와 오른쪽 실린더에 들어 있는 기체의 압력은 4기압이다.

ㄷ. (나)의 왼쪽 실린더에 들어 있는 기체의 압력은 4기압이므로 (나)의 왼쪽 실린더에 들어 있는 X(g), Y(g)의 전체 기체의 양(몰)은 PV값인 $4\times3=12$에 비례한다. (가)에서 왼쪽 실린더에 들어 있는 X(g)의 양(몰)은 $3\times2=6$에 비례하므로 (나)의 왼쪽 실린더에서 X(g)와 Y(g)의 몰비는 1 : 1이고, X의 몰 분율은 $\frac{1}{2}$이다. (나)에서 왼쪽 실린더에 들어 있는 기체의 압력은 4기압이므로 X(g)의 부분 압력은 4기압$\times\frac{1}{2}$=2기압이다.

11 A(g)의 양(몰)은 $PV=2\times2=4$에 비례하고, B(g)의 양(몰)은 $PV=1\times1=1$에 비례한다. A(g)와 B(g)의 양(몰)을 각각 4몰, 1몰이라 하고 화학 반응에서 양적 관계를 구하면 다음과 같다.

	2A(g)	+	B(g)	⟶	2C(g)
반응 전(몰)	4		1		
반응(몰)	−2		−1		+2
반응 후(몰)	2		0		2

반응 후 실린더 속 전체 기체가 4몰(=A 2몰+C 2몰)에 비례하고, 꼭지를 열었을 때 피스톤에 의해 용기와 실린더 속 기체의 압력이 1기압이 되므로 전체 부피를 V라 하면 $1\times V=4$, $V=4$(L)이다. 이때 왼쪽 용기의 부피가 2 L이므로 실린더의 부피는 $4-2=2$(L)이다.

12 ㄱ. 반응 후 (가)에서 A(g)의 몰 분율이 $\frac{1}{2}$이므로 (가)에 들어 있는 기체의 양(몰)은 A(g)가 n몰, C(g)가 n몰이다. 반응 후 (나)에서 A의 몰 분율이 $\frac{2}{3}$이므로 (나)에 들어 있는 기체의 양(몰)은 A(g)가 $2n$몰, C(g) n몰이다. 반응 후 (가)와 (나)에 들어 있는 기체의 양(몰)은 각각 $2n$몰, $3n$몰이고, 실린더 속 기체의 부피는 기체의 양(몰)에 비례하므로 실린더 속 기체의 부피비는 (가) : (나)=2 : 3이다.

ㄷ. (가)와 (나)에서 화학 반응의 양적 관계를 구하면 다음과 같다.

(가)	A(g)	+	2B(g)	⟶	C(g)
반응 전(몰)	$2n$		$2n$		
반응(몰)	$-n$		$-2n$		$+n$
반응 후(몰)	n		0		n

(나)	A(g)	+	2B(g)	⟶	C(g)
반응 전(몰)	$3n$		$2n$		
반응(몰)	$-n$		$-2n$		$+n$
반응 후(몰)	$2n$		0		n

반응 전 (가)와 (나)의 기체의 부피비는 $(2n+2n):(3n+2n)=4:5$이다. 반응 후 (가)와 (나)의 부피를 각각 $2V$ L, $3V$ L라고 하면 반응 전 (가)의 부피는 $(2V+3V)\times\frac{4}{9}=\frac{20}{9}V$(L)이고 (나)의 부피는 $(2V+3V)\times\frac{5}{9}=\frac{25}{9}V$(L)이다. 이상 기체 방정식 $PV=nRT$에서 $P=\frac{nRT}{V}$이다. (나)에서 반응 전 기체의 압력을 P_1, 반응 후 기체의 압력을 P_2라고 하면 $P_1:P_2=\frac{5nRT}{\frac{25}{9}V}:\frac{3nRT}{3V}=9:5$이다. 따라서 실린더 (나)에서 기체의 압력은 반응 전이 반응 후의 $\frac{9}{5}$배이다.

바로 알기 ㄴ. 반응 전 B(g)의 양(몰)이 (가)에서 $2n$몰, (나)에서 $2n$몰이므로 반응 전 B(g)의 질량은 (가)에서와 (나)에서가 같다.

03 액체와 고체

탐구 확인 문제 064쪽

01 ④ **02** (가), 표면 장력은 물이 비눗물보다 크므로 물이 가득 찬 컵에 동전이 더 많이 들어간다.

01 표면 장력이 클수록 액체 방울의 모양이 동그랗다. 물은 수소 결합을 하므로 표면 장력이 크다. 물의 표면 장력이 비눗물보다 크므로 액체 방울의 모양은 물이 비눗물보다 더 동그랗다.

바로 알기 ④ 바늘이 물보다 밀도가 크므로 바늘을 컵에 넣고 물을 부으면 바늘이 수면 위로 뜨지 않는다.

02 물의 표면 장력이 비눗물보다 크기 때문에 물이 흘러 넘칠 때까지 넣은 동전의 수는 비눗물이 가득 찬 컵보다 물이 가득 찬 컵에서 더 많다.

집중 분석

066쪽

유제 ㄱ, ㄴ

유제 ㄱ. 비누를 물에 녹이면 표면 장력이 작아지므로 물 대신 비눗물로 실험하면 액체 방울의 모양이 납작해진다.
ㄴ. 물의 온도가 높을수록 표면 장력이 작아지므로 25 ℃보다 높은 온도에서 실험하면 액체 방울의 모양이 납작해진다.
바로 알기 ㄷ. 물과 기름의 부착력이 물과 유리의 부착력보다 작으므로 유리판 위에 기름을 칠한 후 실험하면 액체 방울은 더 둥근 모양이 된다.

개념 모아 정리하기

068~069쪽

❶수소 결합 ❷기화 ❸밀도 ❹낮
❺올라 ❻부착력 ❼동적 평형 ❽크다
❾외부 압력(대기압) ❿높 ⓫크
⓬분자 ⓭공유(원자) 결정 ⓮자유 전자
⓯체심

개념 기본 문제

070~071쪽

01 ㄱ, ㄴ, ㄷ **02** (1) 결합 A (2) ㄱ, ㄷ, ㄹ **03** ㄴ, ㄷ
04 (1) (나) (2) (라) (3) (다) (4) (가) (5) (나) **05** ㄴ, ㄷ **06** ㄱ, ㄷ **07** ㄴ, ㄷ **08** (가) ㉡, (나) ㉢, (다) ㉠ **09** ㄴ, ㄷ

01 ㄱ. 전기 음성도는 산소 원자(O)가 수소 원자(H)보다 크다. 따라서 물(H_2O) 분자 내에서 산소 원자는 부분적인 음전하를 띠고, 수소 원자는 부분적인 양전하를 띤다.
ㄴ. 물은 수소 결합을 하므로 분자량이 비슷한 다른 물질보다 분자 사이의 힘이 강하다.
ㄷ. 물이 얼음으로 될 때는 빈 공간이 많은 육각형의 고리 구조를 이루므로 부피가 증가하고 밀도가 감소한다.
바로 알기 ㄹ. 물은 극성 분자이므로 무극성 분자인 H_2, N_2, O_2가 잘 용해되지 않는다.

02 (1) 결합 A는 공유 결합이고, 결합 B는 수소 결합이다. 원자 사이의 결합인 공유 결합이 분자 사이의 힘에 해당하는 수소 결합보다 강하다.
(2) ㄱ. 물을 전기 분해하면 H와 O 사이의 공유 결합이 끊어져 H_2와 O_2가 발생한다.
ㄷ, ㄹ. 물은 수소 결합에 의해 분자 사이의 힘이 강하므로 비열과 표면 장력이 크다. 비열이 크면 가열할 때 온도가 쉽게 변하지 않는다.
바로 알기 ㄴ. 공유 결합은 가열해도 길이가 변하지 않는다.

03 ㄴ. 물의 온도가 4 ℃ 이상에서는 온도가 높아지면 열팽창에 의해 부피가 증가하고 밀도가 감소한다. 따라서 물의 밀도는 20 ℃에서가 25 ℃에서보다 크다.
ㄷ. 물의 온도가 높아지면 물 분자 사이의 거리가 멀어져 수소 결합 수가 감소한다. 따라서 물 분자의 평균 수소 결합 수는 20 ℃에서가 25 ℃에서보다 많다.
바로 알기 ㄱ. 질량 보존 법칙에 의해 얼음이 물로 변해도 얼음과 물의 전체 질량은 변하지 않는다.

04 (1) 물은 표면 장력이 커서 소금쟁이가 물에 가라앉지 않고 물 위에 뜰 수 있다.
(2) 종이나 천에 물을 적시면 섬유질과 섬유질 사이의 작은 틈으로 물이 스며들어가는 모세관 현상이 일어난다.
(3) 물이 얼면 부피가 증가하고 밀도가 작아진다. 겨울철 호수의 수면 온도가 4 ℃ 이하로 내려가면 표면 쪽 물의 밀도가 아래쪽 물의 밀도보다 작아져 대류가 일어나지 않는다. 따라서 물 표면의 온도가 0 ℃까지 내려가 표면부터 물이 언다.
(4) 물은 비열이 크므로 낮에는 육지가 바다보다 온도가 높아 바다에서 육지로 해풍이 불고, 밤에는 바다가 육지보다 온도가 높아 육지에서 바다로 육풍이 분다.
(5) 물은 표면 장력이 크므로 물이 가득 든 유리컵에 동전을 넣어도 물의 표면이 볼록해질 뿐 물이 쉽게 넘치지 않는다.

05 일정한 온도에서 에탄올의 증발 속도는 일정하다. 에탄올을 용기에 넣으면 에탄올 증기가 생성되고, 에탄올 증기가 많아지면 에탄올의 응축 속도가 빨라지게 된다. 시간에 따른 에탄올의 증발 속도와 응축 속도는 다음과 같다.

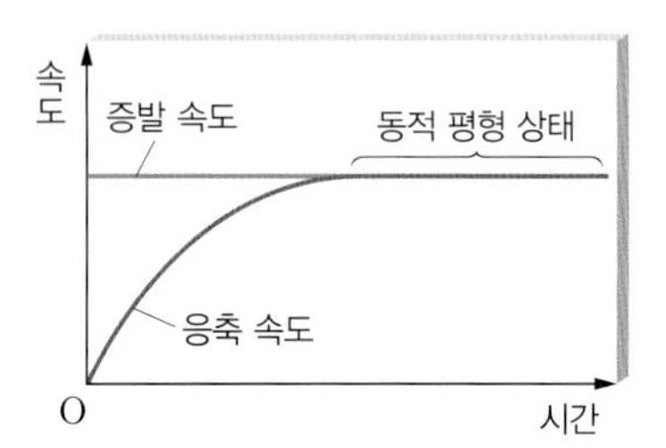

ㄴ, ㄷ. 에탄올의 응축 속도는 (나)에서가 (가)에서보다 크고, (가)에서 에탄올의 증발 속도는 응축 속도보다 크다.

바로 알기 ㄱ. 에탄올의 증발 속도는 일정하므로 (가)에서와 (나)에서가 같다.

ㄹ. (나)는 동적 평형 상태이므로 (나)에서 에탄올의 증발 속도와 응축 속도는 같다.

06 ㄱ. 일정한 온도에서 증기 압력은 A가 B보다 크므로 25 ℃에서 증기 압력은 A가 B보다 크다.

ㄷ. 끓는점은 외부 압력과 증기 압력이 같을 때의 온도이다. 일정한 압력에서 끓는점은 B가 A보다 높고, 같은 온도에서 증기 압력은 A가 B보다 크므로 액체 분자 사이의 인력은 B가 A보다 크다.

바로 알기 ㄴ. 기준 끓는점은 외부 압력이 1기압일 때의 끓는점이므로 기준 끓는점은 B가 A보다 높다.

07 ㄴ. (가)와 (나)의 구성 원소는 비금속 원소이므로 (가)와 (나)는 공유 결합을 하는 공유(원자) 결정, 분자 결정 중 하나에 해당한다.

ㄷ. (다)의 구성 원소는 금속 원소와 비금속 원소이므로 (다)는 이온 결합을 한다. 이온 결합을 하는 이온 결정의 구성 입자는 양이온과 음이온이므로 전하를 띤다.

바로 알기 ㄱ. (가)는 녹는점이 다른 결정보다 매우 높으므로 공유 결정이고, (나)는 녹는점이 낮으므로 분자 결정이다.

08 (가) 금실은 금을 가는 선으로 뽑아 낸 것이므로 금속의 연성(㉡)을 이용한 것이다.

(나) 알루미늄박은 알루미늄을 얇게 편 것이므로 금속의 전성(㉢)을 이용한 것이다.

(다) 구리는 전기 전도성이 커서 전선으로 사용하므로 금속의 전기 전도성(㉠)을 이용한 것이다.

09 ㄴ. 단위 세포 속의 입자 수는 $N=N_{체심}+\frac{N_{면심}}{2}+\frac{N_{모서리}}{4}+\frac{N_{꼭짓점}}{8}$으로 구할 수 있다. 주어진 결정 구조는 단위 세포 중심에 원자 1개, 꼭짓점에 원자 8개가 있으므로 단위 세포에 들어 있는 원자 수는 $1+\frac{1}{8}\times8=2$이다.

ㄷ. 단위 세포 중심에 있는 원자를 기준으로 가장 가까이 있는 원자 수(배위수)가 8이다.

바로 알기 ㄱ. 이 격자 구조는 입방체의 각 꼭짓점과 중심(체심)에 입자가 놓여 있으므로 체심 입방 구조이다.

개념 적용 문제 072~077쪽

01 ①	02 ④	03 ⑤	04 ③	05 ③	06 ②
07 ①	08 ⑤	09 ④	10 ①	11 ⑤	12 ②

01 ㄱ. (가)는 물 분자 사이에 일부분만 수소 결합이 형성되어 뭉쳐 있으므로 액체 상태이고, (나)는 물 분자 사이에 육각형 고리가 있으므로 고체 상태이다. (가)와 (나)는 온도가 같으므로 (가)는 0 ℃ 물, (나)는 0 ℃ 얼음이다. 일정량의 부피는 얼음이 물보다 크므로 H_2O의 부피는 (나)에서가 (가)에서보다 크다.

바로 알기 ㄴ. 얼음이 물로 상태 변화하면 빈 육각형 고리를 이루는 물의 수소 결합 일부가 끊어진다. 따라서 1 g에 포함된 수소 결합 수는 (가)에서가 (나)에서보다 작다.

ㄷ. 얼음의 온도를 높이면 열팽창에 의해 부피가 증가하고 밀도가 감소하며, 온도를 낮추면 부피가 감소하고 밀도가 증가한다.

02 ㄱ. (가)에서 A는 (나)에서 밀도가 가장 작은 0 ℃ 얼음에 해당하고, B는 0 ℃ 물에 해당하며, C는 물이 수증기로 기화하기 직전에 해당한다. 얼음이 녹아 물이 되면 부피가 감소하므로 밀도는 B가 A보다 크다.

ㄷ. ㉠ 10 mL와 ㉡ 10 mL를 혼합하면 온도가 ㉠과 ㉡의 중간이 된다. (나)에서 ㉠과 ㉡의 중간 온도인 물은 밀도가 ㉠과 ㉡인 물보다 크다. 밀도와 부피는 반비례하므로 ㉠ 10 mL에 ㉡ 10 mL를 혼합하면 부피가 감소하여 20 mL보다 작아진다.

바로 알기 ㄴ. A~C 중 B에서 밀도가 가장 크고 부피가 가장 작다. 따라서 1 L에 들어 있는 분자 수는 B가 가장 크다.

03 각 구간에서의 상태는 다음과 같다.

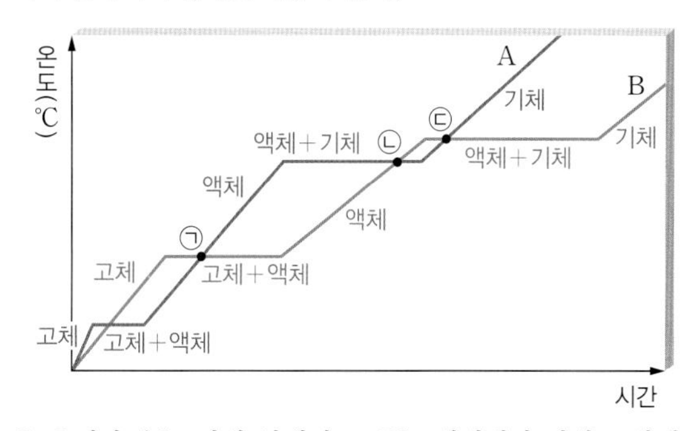

⑤ ㉢에서 A는 기체 상태이고, B는 액체에서 기체로 상태 변화한다. 부피는 기체가 액체보다 크므로 ㉢에서 A의 부피가 B보다 크다.

바로 알기 ① 융해열은 첫 번째로 온도가 일정(고체에서 액체로 상태 변화하는 구간)할 때 가로축의 길이에 비례하므로 B가 A보다 크다.

② 비열은 그래프의 기울기에 반비례한다. 액체 상태에서 그래프의 기울기가 A가 B보다 크므로 비열은 B가 A보다 크다.

③ 액체 분자 사이의 인력이 클수록 끓는점이 높다. 끓는점(액체가 기체로 변할 때의 온도)은 B가 A보다 높으므로 액체 분자 사이의 인력은 B가 A보다 크다.

④ 물질에 가해 준 열에너지는 가로축의 길이에 비례한다. ㉠에서 ㉡까지 가해 준 열에너지는 A와 B가 같다.

04 ㄱ. 액체 방울이 더 둥근 모양일수록 표면 장력이 크다. 표면 장력은 물이 A 수용액보다 크므로 A는 물 분자 사이의 표면 장력을 감소시키는 것을 알 수 있다.

ㄷ. 온도가 같은 물을 유리판과 X판에 떨어뜨렸을 때 물방울의 모양이 X판에서보다 유리판에서 더 납작한 것은 물과 유리 사이의 인력이 물과 X 사이의 인력보다 크기 때문이다.

바로 알기 ㄴ. 온도가 높을수록 물의 표면 장력이 감소한다. 표면 장력은 t_1 ℃ 물이 t_2 ℃ 물보다 크므로 온도는 t_2 ℃가 t_1 ℃보다 높다.

05 ㄱ. 실험 Ⅰ에서 액체 A를 적신 종이를 물에 띄우면 액체 A를 적신 부분에는 액체 A의 표면 장력이 작용하고, 나머지 부분은 물의 표면 장력이 작용한다. 종이는 액체 A를 적신 반대 쪽으로 움직였으므로 물의 표면 장력이 액체 A의 표면 장력보다 큰 것을 알 수 있다.

ㄴ. 실험 Ⅱ의 (나)에서 ㉡ 부분에 액체 A를 떨어뜨리면 액체 A가 종이를 적시면서 퍼져 나간다. ㉠ 부분에는 수정액을 칠했으므로 액체 A가 ㉠ 부분 쪽으로 이동하지 못하고 ㉢ 부분 쪽으로 이동한다.

바로 알기 ㄷ. 실험 Ⅱ의 (나)에서 ㉡ 부분에 액체 A를 떨어뜨리면 ㉠ 부분에는 수정액에 묻은 물 분자 사이에서 물의 표면 장력이 작용하고 ㉢ 부분에는 액체 A의 표면 장력이 작용한다. 표면 장력은 물이 액체 A보다 크므로 바람개비는 시계 방향으로 회전한다.

06 ㄷ. 관의 지름이 작은 모세관으로 실험하면 모세관 내에서 올라간 물 분자의 양만큼 관의 지름이 작은 모세관 내에서 물 분자가 올라가야 하므로 모세관 내 수면이 더 높아진다.

바로 알기 ㄱ. 모세관 내 수면의 모양이 오목하므로 물 분자와 유리 사이의 부착력이 물 분자 사이의 응집력보다 크다.

ㄴ. 온도가 높아지면 물 분자 사이의 인력이 작아지고 표면 장력이 작아지므로 25 ℃보다 높은 온도에서 실험하면 모세관 내 수면이 낮아진다.

07 ㄱ. A와 B의 증기 압력이 a mmHg일 때 일정하게 유지되므로 이때 A와 B는 끓고 있는 상태이다. 끓음은 외부 압력과 증기 압력이 같을 때 일어나므로 a는 760 mmHg(1기압)이다.

바로 알기 ㄴ. 0분에서의 증기 압력은 25 ℃에서 A와 B의 증기 압력이다. 0분에서부터 액체가 끓을 때까지 증기 압력은 A가 B보다 크므로 같은 온도에서 증발은 A가 B보다 잘 되고, 액체 분자 사이의 인력은 B가 A보다 크다.

ㄷ. t_1분에서 A의 온도는 A의 끓는점이고, t_2분에서 B의 온도는 B의 끓는점이다. 끓는점은 분자 사이의 인력이 큰 B가 A보다 높으므로 두 온도는 서로 다르다.

08 ㄱ. (다)에서 찬물을 부으면 온도가 낮아져서 플라스크 속 수증기가 응축되어 물로 된다.

ㄴ. (가) 과정 후 플라스크 속 물의 외부 압력은 대기압인 1기압이다. (다) 과정 후 플라스크 속 물의 외부 압력은 플라스크 속 수증기의 압력이다. (다)에서 플라스크 속 수증기가 일부 응축되어 압력이 감소하므로 플라스크 속 물의 외부 압력은 (가) 과정 후가 (다) 과정 후보다 크다.

ㄷ. (나) 과정 후 플라스크 속 물의 외부 압력은 플라스크 속 수증기의 압력이다. 플라스크 속 수증기의 압력은 (나) 과정 후가 (다) 과정 후보다 크므로 물의 끓는점은 (나) 과정 후가 (다) 과정 후보다 높다.

09 ㄱ. (가)는 비금속 원소인 A(C)로만 이루어져 있으므로 공유(원자) 결정이고, (나)는 비금속 원소인 A(C)와 B(O)로 이루어져 있으므로 분자 결정이다. (다)는 금속 원소인 C(Na)로만 이루어져 있으므로 금속 결정이고, (라)는 금속 원소인 C(Na)와 비금속 원소인 D(Cl)로 이루어져 있으므로 이온 결정이다. 녹는점은 공유 결정인 (가)가 가장 높다.

ㄷ. 금속 결정인 (다)와 이온 결정인 (라)는 액체 상태에서 전하를 띤 입자들이 자유롭게 움직일 수 있으므로 전기 전도성이 있다.

바로 알기 ㄴ. (나)의 결정은 분자 결정이다.

10 ㄱ. (가)는 이온 결정, (나)는 금속 결정이다. (가)의 구성 입자는 양이온 X^+과 음이온 Y^-이므로 구성 입자 사이에 전기적 인력이 작용한다. (나)의 구성 입자는 양이온 Z^+과 자유 전자 e^-이므로 구성 입자 사이에 전기적 인력이 작용한다.

바로 알기 ㄴ. 이온 결정 (가)는 힘을 가하면 같은 전하를 띤 이온 사이의 반발력 때문에 쉽게 부서지지만, 금속 결정 (나)는 힘을 가하면 연성과 전성 때문에 잘 부서지지 않는다. 따라서 힘을 가하면 (가)는 (나)보다 쉽게 부서진다.

ㄷ. 고체 상태에서 전원을 연결하면 이온 결정 (가)는 이온들이 이동할 수 없어 전기 전도성이 없지만, 금속 결정 (나)는 자유 전자 e^-가 이동하여 전기 전도성이 있다.

11 ㄱ. 단순 입방 구조는 정육면체의 8개의 꼭짓점에 원자가 있고, 체심 입방 구조는 정육면체의 8개의 꼭짓점과 중심에 원자가 있으며, 면심 입방 구조는 정육면체의 8개의 꼭짓점과 6개의 면심에 원자가 있다. 따라서 (가)는 단순 입방 구조, (나)는 체심 입방 구조, (다)는 면심 입방 구조이다.

결정 구조에서 꼭짓점에 있는 원자는 $\frac{1}{8}$이 단위 세포에 포함되고, 모서리에 있는 원자는 $\frac{1}{4}$이 단위 세포에 포함되며, 면 중심에 있는 원자는 $\frac{1}{2}$이 단위 세포에 포함된다. 따라서 단위 세포에 들어 있는 원자 수는 (가)가 $\frac{1}{8}\times8=1$, (나)가 $1+\frac{1}{8}\times8=2$, (다)가 $\frac{1}{2}\times6+\frac{1}{8}\times8=4$이다. 즉, (나)가 (가)의 2배이다.

ㄴ. 한 원자에 가장 인접한 원자 수는 (가)가 6, (나)가 8, (다)가 12이다. 즉, (다)가 (가)의 2배이다.

ㄷ. 입자 점유율은 최밀 구조인 면심 입방 구조와 육방 밀집 구조가 가장 크다. 따라서 단위 세포 내 가장 빈 공간이 작은 결정 구조는 (다)이다.

12 (가)에서 A 이온은 면심, B 이온은 모서리에 있으므로 단위 세포에 들어 있는 A 이온 수는 $6\times\frac{1}{2}=3$, B 이온 수는 $12\times\frac{1}{4}=3$이다. (가)를 구성하는 이온 수비는 A 이온 : B 이온=3 : 3=1 : 1이므로 (가)의 화학식은 AB이다.

(나)에서 C 이온은 꼭짓점, D 이온은 모서리에 있으므로 단위 세포에 들어 있는 C 이온 수는 $8\times\frac{1}{8}=1$, D 이온 수는 $12\times\frac{1}{4}=3$이다. (나)를 구성하는 이온 수비는 C 이온 : D 이온=1 : 3이므로 (나)의 화학식은 CD_3이다.

2. 용액

01 용액의 농도

탐구 확인 문제 085쪽

01 ㄱ, ㄴ **02** ②

01 ㄱ. 몰랄 농도를 구하기 위해 용질인 NaOH의 양(mol)을 알아야 하고, 질량을 알고 있으므로 NaOH의 화학식량을 알면 양(mol)=$\frac{\text{질량}}{\text{화학식량}}$으로 구할 수 있다.

ㄴ. 과정 **4**에서 비커를 씻어 낸 용액에 NaOH이 소량 녹아 있을 수 있으므로 이 용액을 플라스크에 넣지 않으면 용질의 질량이 감소하여 수용액의 몰랄 농도가 감소할 수 있다.

바로 알기 ㄷ. 수용액에 들어 있는 NaOH의 양(mol)은 0.1 mol이고, 수용액의 부피가 100 mL이므로 몰 농도는 $\frac{0.1\text{ mol}}{0.1\text{ L}}=1\text{ M}$이다.

02 포도당 9.0 g의 양(mol)은 $\frac{9.0}{180}=0.05$(mol)이고, 실험으로 만든 포도당 수용액의 질량은 109 g이므로 수용액에 들어 있는 물의 질량은 100 g(=109 g−9 g)이다. 따라서 수용액의 몰랄 농도는 $\frac{0.05\text{ mol}}{0.1\text{ kg}}=0.5\ m$이다.

탐구 확인 문제 086쪽

01 ㄱ, ㄴ **02** 400 g

01 ㄱ. 18 % 포도당 수용액 100 g에 들어 있는 포도당의 질량(g)은 18 g이다. 따라서 물의 질량은 100 g−18 g=82 g이다.

ㄴ. 0.5 M 포도당 수용액 100 mL 속 포도당의 양(mol)=0.5 M×0.1 L=0.05 mol이고, 포도당의 분자량이 180이므로 포도당의 질량은 0.05×180=9(g)이다. 0.5 M 포도당 수용액 100 mL의 질량(g)=밀도×부피=1.1 g/mL×100 mL=110 g이므로 물의 질량=포도당 수용액의 질량−포도당의 질량=110 g−9 g=101 g이다.

바로 알기 ㄷ. 온도가 높아지면 수용액의 부피는 증가하므로 수용액의 몰 농도는 감소한다.

02 0.5 M 포도당 수용액 800 mL에 들어 있는 포도당의 양(mol)은 $0.5\times0.8=0.4$(mol)이고, 포도당의 질량은 $180\times0.4=72$(g)이다. 18 % 포도당 수용액 100 g에는 포도당 18 g이 녹아 있으므로 포도당 수용액 400 g에는 포도당 72 g이 녹아 있다. 즉, 18 % 포도당 수용액 400 g이 필요하다.

집중 분석 088쪽

유제 ㄱ, ㄴ, ㄷ

유제 ㄱ. 1 m NaOH(aq) 1040 g에는 NaOH 40 g과 물 1000 g이 있다. 1 m NaOH(aq) 100 g에 들어 있는 NaOH의 질량을 x라고 하면 $40:1040=x:100$, $x=\frac{50}{13}$(g)이다.

ㄴ. 1 m NaOH(aq) 100 g에서 용액의 질량은 100 g, 용질의 질량은 $\frac{50}{13}$ g이므로 퍼센트 농도는 $\frac{\frac{50}{13}}{100}\times100=\frac{50}{13}$(%)이다.

ㄷ. 1 m NaOH(aq) 1040 g의 부피(L)는 $\frac{1040\text{ g}}{1.3\text{ g/mL}\times1000\text{ mL/L}}\fallingdotseq0.8$ L이므로 NaOH(aq)의 몰 농도는 $\frac{1\text{ mol}}{0.8\text{ L}}=1.25$ M이다.

개념 모아 정리하기 090쪽

❶혼합물 ❷화합물 ❸용매 ❹용질 ❺산소 ❻무극성 ❼100 ❽$10^6$ ❾몰(mol) ❿용매

개념 기본 문제 091쪽

01 (가) ㄷ, (나) ㄴ, (다) ㄱ **02** ㄱ **03** (1) 0.1 M (2) 0.7 % **04** 퍼센트 농도: 일정, 몰 농도: 증가, 몰랄 농도: 일정 **05** (1) (가) (2) (가), (라) **06** 몰랄 농도

01 NaCl은 이온 결합 물질이고, 나머지 물질은 공유 결합 물질이다. 공유 결합 물질 중 H_2O, HCl는 극성 분자이고, I_2과 CCl_4는 무극성 분자이다.
(가)의 구성 물질이 잘 섞이는 이유는 NaCl을 구성하는 양이온과 음이온이 전하를 띠고, H_2O은 부분적인 양전하와 부분적인 음전하를 띠므로 서로 끌어당기는 힘이 작용하기 때문이다. (나)는 I_2과 CCl_4가 무극성이므로 구성 물질이 잘 섞이고, (다)는 H_2O과 HCl가 극성이므로 구성 물질이 잘 섞인다.

02 ㄱ. 수용액의 농도는 그 수용액의 질량과 상관없이 일정한 값을 가지므로 수용액 1 g에서 A의 농도는 40 ppm이다. 따라서 수용액 1 g에 포함된 A의 질량은 $\frac{40}{10^6}=4\times10^{-5}=0.04\times10^{-3}=0.04$(mg)이다.

바로 알기 ㄴ. 수용액 1 g에 포함된 A의 질량은 4×10^{-5} g이므로 이 수용액의 퍼센트 농도는 4×10^{-3} %이다.

ㄷ. ppm 농도는 $\frac{\text{용질의 질량}}{\text{용액의 질량}}\times10^6$이다. 질량은 온도에 따라 변하지 않으므로 온도가 높아져도 ppm 농도는 변하지 않는다.

03 (1) H_2SO_4 4.90 g의 양(mol)은 $\frac{4.90}{98}=0.05$(mol)이다. 따라서 (가)에서 $H_2SO_4(aq)$의 몰 농도는 $\frac{0.05\text{ mol}}{0.5\text{ L}}=0.1$ M이다.

(2) (가)에서 용액의 질량은 $500\text{ mL}\times1.4\text{ g/mL}=700$ g이고, 용질의 질량은 4.9 g이므로 $H_2SO_4(aq)$의 퍼센트 농도는 $\frac{4.9}{700}\times100=0.7$(%)이다.

04 수용액의 온도를 낮출 때 수용액의 부피가 감소하였다. 퍼센트 농도와 몰랄 농도는 질량을 기준으로 나타낸 농도이므로 부피가 변하더라도 값이 일정하다. 몰 농도는 부피를 기준으로 나타낸 농도로, 부피가 감소하면 값이 증가한다.

05 (1) 진한 황산의 농도가 99 %이므로 진한 황산 100 g 속에 포함된 황산의 질량은 99 g이고 물은 1 g이다. 몰랄 농도는 $\frac{\text{용질의 양(mol)}}{\text{용매의 질량(kg)}}$이므로 용질의 양(mol)과 용매의 질량을 알아야 몰랄 농도를 구할 수 있다. 용질의 양(mol)은 $\frac{\text{용질의 질량}}{\text{화학식량}}$으로 구할 수 있다. 따라서 반드시 필요한 자료는 H_2SO_4의 분자량이다.

(2) 몰 농도$=\frac{\text{용질의 양(mol)}}{\text{용액의 부피(L)}}$이므로 용질의 양(mol)과 용액의 부피를 알아야 몰 농도를 구할 수 있다. 용질의 양(mol)은 $\frac{\text{용질의 질량}}{\text{화학식량}}$으로 구할 수 있다. H_2SO_4의 퍼센트 농도를 이용하여 몰 농도를 구할 때 $H_2SO_4(aq)$ 100 g이 있다고 가정하고 몰 농도를 구하면 $H_2SO_4(aq)$ 100 g의 부피는 $100\times\frac{1}{\text{밀도}}$이다. 따라서 반드시 필요한 자료는 H_2SO_4의 분자량, $H_2SO_4(aq)$의 밀도이다.

06 $MgCl_2$ 19 g의 양(mol)은 $\frac{19}{24+2\times35.5}=0.2$(mol)이다. 따라서 몰 농도와 몰랄 농도는 다음과 같다.

$MgCl_2(aq)$의 몰 농도$=\frac{\text{용질의 양(mol)}}{\text{용액의 부피(L)}}=\frac{0.2}{0.2}=1$(M)

$MgCl_2(aq)$의 몰랄 농도$=\frac{\text{용질의 양(mol)}}{\text{용매의 질량(kg)}}$

$=\frac{\text{용질의 양(mol)}}{\frac{\text{용액의 질량(g)}-\text{용질의 질량(g)}}{1000}}=\frac{0.2}{\frac{200-19}{1000}}=\frac{0.2}{0.181}$

$\fallingdotseq1.1(m)$

즉, $MgCl_2(aq)$에서 몰랄 농도가 몰 농도보다 크다.

개념 적용 문제

092~095쪽

01 ① **02** ④ **03** ⑤ **04** ③ **05** ② **06** ②
07 ③ **08** ④

01 ㄱ. (가)에서 물 층이 아래쪽에 위치하고 사이클로헥세인 층이 위쪽에 위치하므로 밀도는 물이 사이클로헥세인보다 크다.

바로 알기 ㄴ. 물은 극성 분자이므로 물에 녹을 수 있는 물질은 극성 분자로 이루어진 물질과 이온 결정이다. 사이클로헥세인은 무극성 분자이므로 사이클로헥세인에 녹을 수 있는 물질은 무극성 분자로 이루어진 물질이다. X와 Y는 각각 분자 결정, 이온 결정 중 하나이므로 물에 녹은 X는 이온 결정, 사이클로헥세인에 녹은 Y는 분자 결정이다.

ㄷ. Y는 무극성 분자이므로 쌍극자 모멘트가 0이다. 물은 극성 분자이므로 쌍극자 모멘트가 0보다 크다. 따라서 쌍극자 모멘트는 물이 Y보다 크다.

02 ㄴ. 용액 A에 들어 있는 에탄올의 양(mol)은 $\frac{92}{46}=2$(mol)이고, 물의 양(mol)은 $\frac{9}{18}=0.5$(mol)이다. 따라서 용액 A에서 에탄올의 몰 분율은 $\frac{2}{2+0.5}=\frac{4}{5}$이다.

ㄷ. 용액 A에 물 129 g을 혼합하면 에탄올의 질량은 92 g, 물의 질량은 9 g+129 g=138 g이다. 이 용액에서 용매는 질량이 큰 물, 용질은 질량이 작은 에탄올이 된다. 따라서 이 용액의 퍼센트 농도는 $\frac{92}{138+92}\times100=40$(%)이다.

바로 알기 ㄱ. 용액 A에서 에탄올의 질량이 물보다 크므로 에탄올이 용매, 물이 용질이다.

03 ㄱ. 음료수 240 mL에 들어 있는 Na^+의 질량은 48 mg, 바이타민 C의 질량은 240 mg이므로 음료수 1 mL에 녹아 있는 Na^+의 질량은 0.2 mg, 바이타민 C의 질량은 1 mg이다. 따라서 음료수 1 L에 들어 있는 Na^+과 바이타민 C의 질량의 합은 200 mg+1000 mg=1200 mg=1.2 g이다.

ㄴ. 음료수의 밀도가 1 g/mL이므로 음료수 240 mL의 질량은 240 g이다. 음료수 240 g에 들어 있는 Na^+의 질량은 48×10^{-3} g이므로 Na^+의 ppm 농도는 $\frac{48\times10^{-3}\text{ g}}{240\text{ g}}\times10^6$ $=200$(ppm)이다.

ㄷ. 바이타민 C의 퍼센트 농도는 $\frac{240\times10^{-3}\text{ g}}{240\text{ g}}\times100=$ 0.1(%)이다.

04 ㄱ. 퍼센트 농도를 다른 농도로 환산할 때 보통 용액의 질량을 100 g으로 가정하여 용질과 용매의 질량을 구한다. 20 % NaOH 수용액 100 g 속 NaOH의 질량은 20 g이고 물의 질량은 80 g이다. 즉, ㉠과 ㉡은 각각 100, 80이므로 ㉠+㉡=180이다.

ㄴ. NaOH 20 g의 양(mol)은 $\frac{20}{40}$=0.5(mol)이다. 즉, ㉢ =0.5이다.

바로 알기 ㄷ. 몰랄 농도는 $\frac{\text{용질의 양(mol)}}{\text{용매의 질량(kg)}}=\frac{0.5\text{ mol}}{0.08\text{ kg}}=$ 6.25(m)이다. 따라서 ㉣은 6.25이다.

05 ㄴ. (가)의 질량은 1000 mL×1 g/mL=1000 g이고, (가)에 녹아 있는 NaOH의 질량은 0.004×1000=4(g)이다. (나)에 녹아 있는 NaOH의 질량을 a g이라고 하면 물의 질량은 (1000−a) g이므로

몰랄 농도=$\frac{\text{용질의 양(mol)}}{\text{용매의 질량(kg)}}=\frac{\frac{a}{40}}{\frac{1000-a}{1000}}=0.1$, $a=\frac{1000}{251}$ (g)이다. a는 4보다 작으므로 NaOH의 질량은 (가)가 (나)보다 크다.

NaOH 수용액의 질량은 (가)와 (나)가 같지만, 녹아 있는 NaOH의 질량은 (가)가 (나)보다 크므로 퍼센트 농도는 (가)가 (나)보다 크다.

바로 알기 ㄱ. 수용액에 녹아 있는 NaOH의 질량은 (가)가 4 g, (나)가 $\frac{1000}{251}$ g이므로 (가)가 (나)보다 크다.

ㄷ. 온도를 높여도 질량은 변하지 않으므로 퍼센트 농도와 몰랄 농도는 변하지 않는다.

06 ㄴ. 몰랄 농도=$\frac{\text{용질의 양(mol)}}{\text{용매의 질량(kg)}}$이므로 용질의 양(mol)에 비례하고 용매의 질량에 반비례한다. (나)는 용질의 양(mol)이 (가)의 2배이고, 용매의 질량이 3배이므로 몰랄 농도는 (나)가 (가)의 $\frac{2}{3}$이다. 즉, 몰랄 농도는 (가)가 (나)의 $\frac{3}{2}$배이다.

바로 알기 ㄱ. (가)의 퍼센트 농도는 $\frac{w\text{ g}}{(w+25)\text{ g}}\times100$이고, (나)의 퍼센트 농도는 $\frac{2w\text{ g}}{(2w+75)\text{ g}}\times100=\frac{w\text{ g}}{\frac{2w+75}{2}\text{ g}}\times$ 100이다. (가)의 퍼센트 농도가 (나)의 2배가 되기 위해서는 $\frac{2w+75}{2}$ g이 $2\times(w+25)$ g, 즉 $(2w+50)$ g이 되어야 하는데 $\frac{2w+75}{2}$ g이 $(2w+50)$ g보다 항상 작으므로 퍼센트 농도는 (가)가 (나)의 2배가 아니다.

ㄷ. 몰 농도=$\frac{\text{용질의 양(mol)}}{\text{용액의 부피(L)}}$이므로 용질의 양(mol)에 비례하고, 용액의 부피에 반비례한다. (나)는 용질의 양(mol)이 (가)의 2배이므로 (가)의 몰 농도가 (나)의 $\frac{3}{2}$배가 되기 위해서는 용액의 부피가 (나)가 (가)의 3배이어야 한다.

(가)와 (나)에서 용액의 밀도를 각각 d_1 g/mL, d_2 g/mL라고 하면 (가)의 부피는 $\frac{w+25}{d_1}$ mL, (나)의 부피는 $\frac{2w+75}{d_2}$ mL이다. (가)의 부피의 3배는 $\frac{3w+75}{d_1}$ mL인데 (나)의 부피는 $\frac{2w+75}{d_2}$ mL이고, $d_1<d_2$이므로 (나)의 부피는 (가)의 3배보다 작다. 따라서 몰 농도는 (가)가 (나)의 $\frac{3}{2}$배보다 작다.

07 ㄱ. (가)에 들어 있는 포도당의 질량은 0.09×200=18(g)이므로 (가)에 들어 있는 물의 질량은 200−18=182(g)이다.

ㄷ. (다)에 들어 있는 포도당의 양(mol)은 0.5 M×1 L =0.5(mol)이고 포도당의 질량은 180×0.5=90(g)이다.

바로 알기 ㄴ. (가)와 (나)에 들어 있는 포도당의 질량의 합은 (다)에 들어 있는 포도당의 질량과 같으므로 (나)에 들어 있는 포도당의 질량은 90−18=72(g)이고, 양(mol)은 $\frac{72}{180}$= 0.4(mol)이다.

(나)의 몰랄 농도는 $\frac{\text{용질의 양(mol)}}{\text{용매의 질량(kg)}}$이므로 $\frac{0.4}{\frac{x-72}{1000}}=1$, $x=472$(g)이다.

08 ㄱ. 염산의 퍼센트 농도는 36.5 %이므로 염산 100 g에 포함된 HCl의 질량은 36.5 g이다. HCl의 화학식량이 36.5이므로 HCl의 양(mol)은 1 mol이다.

ㄷ. 염산의 밀도가 1 g/mL이므로 염산 100 mL의 질량은 100 g이다. 36.5 % 염산 100 g에는 HCl 36.5 g과 물 63.5 g이 들어 있다. 이 염산에 물 936.5 g을 넣으면 물의 질량은 63.5 g+936.5 g=1000 g이 되고, 녹아 있는 HCl의 양은 1 mol이므로 염산의 몰랄 농도는 1 m이 된다.

바로 알기 ㄴ. 36.5 % 염산 36.5 g에 들어 있는 HCl의 질량은 36.5×0.365 g이므로 염산 36.5 g을 플라스크에 넣고 용액의 부피가 1 L가 되도록 물을 넣으면 염산의 농도는 1 M이 되지 않는다.

02 묽은 용액의 총괄성

탐구 확인 문제 102쪽

01 ㄱ, ㄴ **02** 삼투압은 1.0 M 포도당 수용액이 0.5 M 포도당 수용액보다 크므로 감자의 질량이 9.52 g보다 더 작아진다.

01 **바로 알기** ㄷ. 증류수에 감자를 넣으면 물이 감자 내부로 이동하므로 감자 내부 액체의 농도가 작아진다. 따라서 삼투압이 감소한다.

02 0.5 M 포도당 수용액 대신 1.0 M 포도당 수용액을 사용하면 감자 내부 액체와 1.0 M 포도당 수용액의 농도 차가 더 커져서 감자 내부의 물이 1.0 M 포도당 수용액으로 더 많이 이동하므로 0.5 M 포도당 수용액을 사용했을 때보다 감자의 질량이 더 많이 감소한다.

집중 분석 104쪽

유제 ㄱ, ㄴ, ㄷ

유제 ㄱ, ㄴ. 동적 평형 상태에 도달했을 때 a M 설탕 수용액의 부피는 감소하고, b M 설탕 수용액의 부피는 증가하므로 물의 증발 속도는 a M 설탕 수용액이 b M 설탕 수용액보다 크다. 물의 증발 속도는 농도가 작을수록 크므로 $b>a$이다.
ㄷ. 충분한 시간이 지났을 때 두 설탕 수용액의 농도가 같고, 수용액의 부피가 같으므로 수용액에 들어 있는 설탕의 질량은 같다.

개념 모아 정리하기 106쪽

❶라울 ❷묽을 ❸몰랄 ❹몰랄
❺반투막 ❻반투막 ❼삼투 ❽몰

개념 기본 문제 107쪽

01 ㄷ **02** (1) (가)>(나)>(다) (2) (가)<(나)<(다) (3) (가)>(나)>(다) **03** 20 mmHg **04** (1) 0.026 ℃ (2) −0.093 ℃ **05** ㄴ

01 ㄷ. (가)에서 물의 증발 속도는 1 M 설탕 수용액이 2 M 설탕 수용액보다 크지만, 충분한 시간이 흐르면 비커 A와 B에 들어 있는 설탕 수용액의 증발 속도가 같아진다. (나)에서 비커 A와 B에 들어 있는 설탕 수용액의 농도가 같아지므로 비커 A에 들어 있는 설탕 수용액의 농도는 증가하고, 비커 B에 들어 있는 설탕 수용액의 농도는 감소한다. 따라서 비커 A에 들어 있는 설탕 수용액의 농도는 (나)에서가 (가)에서보다 크므로 물의 증발 속도는 (가)에서가 (나)에서보다 크다.
바로 알기 ㄱ. 용액의 증기 압력은 용액의 농도가 작을수록 크므로 (가)에서 증기 압력은 1 M 설탕 수용액이 2 M 설탕 수용액보다 크다.
ㄴ. 물의 응축 속도는 밀폐된 용기에 들어 있는 수증기압이 클수록 크다. 비커 A의 수용액과 비커 B의 수용액은 수증기압이 같으므로 물의 응축 속도가 같다.

02 (1) 용액의 농도가 클수록 증기 압력 내림이 커지므로 용액의 증기 압력은 (가)>(나)>(다)이다.
(2) 용액의 농도가 클수록 끓는점 오름이 커지므로 용액의 끓는점은 (가)<(나)<(다)이다.
(3) 용액의 농도가 클수록 어는점 내림이 커진다. 어는점 내림이 커지면 어는점이 내려가므로 용액의 어는점은 (가)>(나)>(다)이다.

03 용액의 증기 압력은 $P_{용액}=P_{용매}\times X_{용매}$
$=20.2\times\dfrac{\frac{180}{18}}{\frac{180}{18}+\frac{6}{60}}=20(\text{mmHg})$이다.

04 (1) 설탕 수용액의 몰랄 농도 $m=\dfrac{\frac{3.42}{342}}{0.2}=0.05(m)$이다. 따라서 설탕 수용액의 끓는점 오름 $\Delta T_b=K_b\times m=0.52\times 0.05=0.026(℃)$이다.
(2) 설탕 수용액의 어는점 내림 $\Delta T_f=K_f\times m=1.86\times 0.05=0.093(℃)$이다. 1기압에서 물의 어는점은 0 ℃이므로 설탕 수용액의 어는점은 $0-0.093=-0.093(℃)$이다.

05 ㄴ. 용액의 농도가 클수록 반투막을 통과하는 물 분자 수가 작으므로 반투막을 통과하는 물 분자 수는 a M 포도당 수용액이 b M 포도당 수용액에서보다 크다.
바로 알기 ㄱ. 반투막은 용질인 포도당 분자를 통과시키지 않는다.

ㄷ. (나)에서 U자관 양쪽에 있는 포도당 수용액의 수면이 일정하게 유지되는 것은 U자관 양쪽에서 반투막을 통과하는 물 분자 수가 같기 때문이다.

개념 적용 문제 108~111쪽

01 ③ **02** ① **03** ⑤ **04** ② **05** ② **06** ① **07** ④ **08** ④

01 ㄱ. 용액의 농도가 작을수록 증기 압력이 커서 증발이 잘 일어난다. (나)에서 비커 속 포도당 수용액의 부피는 비커 B>비커 C>비커 A이고 포도당 수용액의 농도가 같으므로 (가)에서 비커 속 포도당 수용액의 농도는 비커 B>비커 C>비커 A이다. 따라서 (가)에서 포도당이 가장 많이 녹아 있는 수용액은 비커 B이다.

ㄴ. 비커 A에 들어 있는 포도당 수용액의 부피는 (가)에서가 (나)에서보다 크므로 포도당 수용액의 농도는 (나)에서가 (가)에서보다 크다. 용액의 농도가 클수록 증기 압력이 작아지므로 비커 A에 들어 있는 포도당 수용액의 증기 압력은 (가)에서가 (나)에서보다 크다.

바로 알기 ㄷ. (나)에서는 동적 평형 상태에 도달하므로 비커 속 포도당 수용액의 농도는 모두 같다. 따라서 포도당 수용액의 증기 압력 내림은 비커 B에서와 비커 C에서가 같다.

02 ㄱ. a M 포도당 수용액과 b M 포도당 수용액 사이의 수은 기둥은 오른쪽 부분이 왼쪽 부분보다 19 cm만큼 더 높으므로 증기 압력은 a M 포도당 수용액이 b M 포도당 수용액보다 크다. 용액의 농도가 작을수록 증기 압력이 크므로 몰 농도는 $b>a$이다.

바로 알기 ㄴ. 증류수와 a M 포도당 수용액 사이의 수은 기둥 높이 차가 9.5 cm이므로 물의 증기 압력은 a M 포도당 수용액보다 $0.125\left(=\frac{9.5}{76}\right)$기압만큼 더 크다. 따라서 a M 포도당 수용액의 증기 압력 내림은 0.125기압이다.

ㄷ. a M 포도당 수용액과 b M 포도당 수용액 사이의 수은 기둥의 높이 차가 19 cm이므로 a M 포도당 수용액의 증기 압력은 b M 포도당 수용액보다 $0.25\left(=\frac{19}{76}\right)$기압만큼 더 크다. 물의 증기 압력이 0.5기압이므로 a M 포도당 수용액의 증기 압력은 $0.5-0.125=0.375$(기압)이고, b M 포도당 수용액의 증기 압력은 $0.375-0.25=0.125$(기압)이다.

03 ㄱ. (가)에서 수은 기둥 높이 차 h가 일정해질 때의 압력은 액체의 증기 압력에 해당한다. (나)에서 h는 요소 수용액 A가 요소 수용액 B보다 크므로 증기 압력은 요소 수용액 A가 요소 수용액 B보다 크다.

ㄴ. 수용액의 농도가 작을수록 증기 압력이 크고, 물의 증발 속도가 크다. 증기 압력은 요소 수용액 A가 요소 수용액 B보다 크므로 농도는 요소 수용액 B가 요소 수용액 A보다 크고, 물의 증발 속도는 요소 수용액 A가 요소 수용액 B보다 크다.

ㄷ. 시간 t_1에서 요소 수용액 A와 요소 수용액 B는 각각 용기에서 동적 평형 상태에 있다. 동적 평형 상태에서는 물의 증발 속도와 응축 속도가 같으므로 물의 응축 속도는 농도가 작은 요소 수용액 A에서가 요소 수용액 B에서보다 크다.

04 (가)에 들어 있는 물의 양(몰)을 x, 요소의 양(몰)을 y라고 하면 t_1 ℃에서 용매인 물의 증기 압력은 P_1 mmHg이고, (가)의 증기 압력은 $0.8P_1$ mmHg이므로 $P_{용액}=P_{용매}\times X_{용매}$에 의해 $0.8P_1=P_1\times\frac{x}{x+y}$, $x=4y$이다. 따라서 (가)의 퍼센트 농도는 $\frac{y\times60}{x\times18+y\times60}\times100=\frac{60y}{72y+60y}\times100=\frac{5}{11}\times100$(%)이다.

05 용액의 온도가 높아지면 증기 압력이 커진다. 온도는 ㉡이 ㉠보다 크므로 증기 압력은 ㉡이 ㉠보다 크다. ㉡에서 용액이 끓으므로 ㉡의 증기 압력은 대기압인 1기압과 같다. ㉢은 용액이 끓고 있는 상태이므로 ㉢의 증기 압력은 ㉡과 같이 대기압인 1기압이다. 따라서 ㉠~㉢의 증기 압력은 ㉡=㉢>㉠이다.

06 ㄱ. 끓는점 오름은 A 수용액이 B 수용액의 2배이므로 몰랄 농도는 A 수용액이 B 수용액의 2배이다. A 수용액과 B 수용액에서 용매인 물의 질량과 용질의 질량이 같으므로 분자량은 B가 A의 2배이다.

바로 알기 ㄴ. 어는점 내림은 몰랄 농도에 비례하므로 A 수용액이 B 수용액보다 크다. 따라서 어는점은 B 수용액이 A 수용액보다 높다.

ㄷ. ㉠과 ㉡에서 A 수용액과 B 수용액이 끓으므로 ㉠과 ㉡에서 증기 압력은 대기압인 1기압과 같다. 따라서 증기 압력은 ㉠에서와 ㉡에서가 같다.

07 ㄴ. A의 분자량이 M이고, A w g을 녹였을 때 A 수용액의 어는점 내림이 $3t$ ℃이므로 $3t=K_f\times\frac{\frac{w}{M}}{0.1}$, $K_f=\frac{3Mt}{10w}$(℃/m)이다.

ㄷ. 어는점 내림은 용액의 총괄성 중 하나이므로 용질의 종류와는 관계없고 용질 입자의 농도에만 영향을 받는다. 물 100 g에 A w g을 녹인 수용액의 어는점 내림이 $3t$ ℃이고, 물 100 g에 B w g을 녹인 수용액의 어는점 내림이 t ℃이므로 물 100 g에 A w g과 B w g을 녹인 수용액의 어는점 내림은 $4t$ ℃이다. 1기압에서 물의 어는점은 0 ℃이므로 이 수용액의 어는점은 $-4t$ ℃이다.

바로 알기 ㄱ. B 수용액은 A 수용액과 용매, 용질의 질량이 같지만 어는점 내림이 A 수용액의 $\frac{1}{3}$이므로 몰랄 농도는 B 수용액이 A 수용액의 $\frac{1}{3}$이다. 따라서 분자량은 B가 A의 3배이므로 B의 분자량은 $3M$이다.

08 ㄴ. 삼투압은 $\pi=CRT$(C: 몰 농도, R: 기체 상수, T: 절대 온도)이므로 온도가 높을수록 커진다. (나)에서 온도를 높이면 삼투압이 커져서 수면의 높이 차 h_2는 증가한다.

ㄷ. (가)에서 충분한 시간이 흘렀을 때, 수용액의 부피는 U자관 오른쪽이 왼쪽보다 크므로 처음 농도는 B가 A보다 크다. (나)에서 충분한 시간이 흘렀을 때 수용액의 부피는 U자관 오른쪽이 왼쪽보다 크므로 처음 농도는 C가 B보다 크다. 처음 농도는 C>B>A이므로 A와 C 사이의 농도 차가 A와 B 사이보다 크다. 따라서 (가)에서 B 대신 C를 사용하여 실험하면 수면의 높이 차 h_1은 증가한다.

바로 알기 ㄱ. (가)에서 A의 부피는 감소하고 포도당은 반투막을 통과하지 못하므로 A의 몰 농도는 증가한다.

통합 실전 문제

112~117쪽

01 ③	02 ②	03 ④	04 ⑤	05 ②	06 ①
07 ⑤	08 ②	09 ③	10 ③	11 ⑤	12 ④

01 ㄷ. 분자식과 중심 원자의 주기로부터 (가)와 (다)는 각각 CH_4, SiH_4이고, (나)와 (라)는 각각 NH_3, PH_3인 것을 알 수 있다. (라)는 극성 분자이므로 쌍극자·쌍극자 힘이 작용하지만, (다)는 무극성 분자이므로 쌍극자·쌍극자 힘이 작용하지 않는다. 따라서 쌍극자·쌍극자 힘은 (라)가 (다)보다 크다.

바로 알기 ㄱ. 분자량은 (다)가 (나)보다 크므로 분산력은 (다)가 (나)보다 크다.

ㄴ. (가)는 CH_4이므로 수소 결합을 하지 않는다.

02 ㄴ. 대기압이 1기압이므로 증기 압력이 1기압일 때의 온도가 끓는점이다. 끓는점은 C>B>A이므로 분자 사이의 힘은 C>B>A이다. C는 구성 원소가 N, H이고, A, B보다 분자량이 작지만 끓는점이 높으므로 수소 결합을 한다.

바로 알기 ㄱ. 액체 분자 사이의 힘은 끓는점이 높은 B가 A보다 크다.

ㄷ. 끓는점에서 증기 압력은 모두 1기압이다.

03 (가)와 (나)의 He(g)의 양(몰)은 같으므로 이상 기체 방정식 $PV=nRT$에서 $\frac{PV}{T}$는 일정하다. (가)와 (나)에서 He(g)의 압력은 각각 1.5기압$\left(=1\text{기압}+\frac{38}{76}\text{기압}\right)$, 2기압$\left(=1\text{기압}+\frac{76}{76}\text{기압}\right)$이므로 $\frac{1.5\times0.040}{250}=\frac{2\times0.001\times x}{300}$, $x=36$(mL)이다.

04 ㄱ. 이상 기체 방정식 $PV=nRT$를 변형하면 $PM=dRT$이고, 이 식에서 분자량은 $M=\frac{dRT}{P}$이다. A와 C의 분자량비는 $\frac{3R\times(t+273)}{P}:\frac{4R\times(t+200+273)}{P}=1:2$, $t=127$이다.

ㄴ. $PM=dRT$에서 밀도 d는 절대 온도 T에 반비례한다. A(g)의 온도는 127+273=400(K)이므로 온도를 (127+200)+273=600(K)으로 높이면 밀도는 $3\times\frac{2}{3}=2$이다.

ㄷ. $M=\frac{dRT}{P}$이므로 A와 B의 분자량비는 A : B= $\frac{3R\times(127+273)}{P}:\frac{2.1R\times(227+273)}{P}=8:7$이다.

05 일정한 온도에서 기체의 양(몰)은 (압력×부피)에 비례한다. 꼭지를 열기 전 A(g)의 양(몰)을 $2N$이라고 하면 B(g)와 C(g)의 양(몰)은 각각 $6N$, $2N$이다.

꼭지 a를 열고 화학 반응이 완전히 일어날 때 양적 관계는 다음과 같다.

	$A(g)$	+	$2B(g)$	$\longrightarrow$	$cC(g)$
반응 전(몰)	$2N$		$6N$		
반응(몰)	$-2N$		$-4N$		$+2cN$
반응 후(몰)	0		$2N$		$+2cN$

그 다음 꼭지 b를 열면 $B(g)$의 양(몰)은 $2N$, $C(g)$의 양(몰)은 $2cN+2N$이므로 C의 몰 분율은 $\frac{(2cN+2N)}{2N+(2cN+2N)}=\frac{2}{3}$, $c=1$이다. 즉, 꼭지 b를 열었을 때, 전체 기체의 양(몰)은 $6N$이고, 전체 기체의 압력은 1기압이므로 전체 부피는 6 L이다. 2개의 용기의 부피가 각각 1 L이므로 실린더의 부피는 4 L이고, $V=4$이다. 따라서 $c\times V=1\times 4=4$이다.

06 ㄱ. 밀도는 부피와 반비례하므로 H_2O의 밀도는 B에서가 A에서보다 크다.

바로 알기 ㄴ. ㉠ 결합은 수소 결합이고 ㉡ 결합은 공유 결합이다. 온도가 높을수록 수소 결합 수는 감소하므로 ㉠ 결합의 수는 온도가 높은 D에서가 B에서보다 적다.

ㄷ. 공유 결합 수는 온도와 관계없이 일정하므로 ㉡ 결합의 수는 B에서와 C에서가 같다.

07 ㄱ. (가)에서 에탄올 수용액의 농도가 클수록 에탄올 수용액의 표면 장력이 작아지므로 표면 장력은 물이 에탄올보다 크다. 따라서 (나)에서 ㉠은 물, ㉡은 에탄올이다.

ㄴ. (나)에서 온도가 높아지면 물과 에탄올의 표면 장력이 감소한다.

ㄷ. 같은 온도에서 표면 장력은 물이 에탄올보다 크므로 액체의 표면적은 물이 에탄올보다 작다. 액체의 표면적이 작을수록 액체 방울의 모양은 더 둥근 모양이므로 물 1 mL의 액체 방울은 에탄올 1 mL의 액체 방울보다 더 둥근 모양이다.

08 ㄷ. (가)에서 Cl^-은 입방체의 꼭짓점에 위치하여 단순 입방 구조를 이루고 있으므로 Cl^-과 가장 인접한 Cl^-의 수는 6이다. (나)에서 Cl^-은 입방체의 면심과 꼭짓점에 위치하여 면심 입방 구조를 이루고 있으므로 Cl^-과 가장 인접한 Cl^-의 수는 12이다.

바로 알기 ㄱ. Cs^+과 Cl^-이 같은 입자라면 (가)는 체심 입방 구조이지만, 두 입자가 다르므로 체심 입방 구조가 아니다.

ㄴ. (나)에서 Na^+과 Cl^-은 각각 면심 입방 구조를 이루므로 단위 세포에 들어 있는 Na^+, Cl^-의 수는 각각 4이다.

따라서 (나)에서 단위 세포에 들어 있는 이온 수는 8이다.

09 ㄱ. (가)는 체심 입방 구조, (나)는 면심 입방 구조이다.

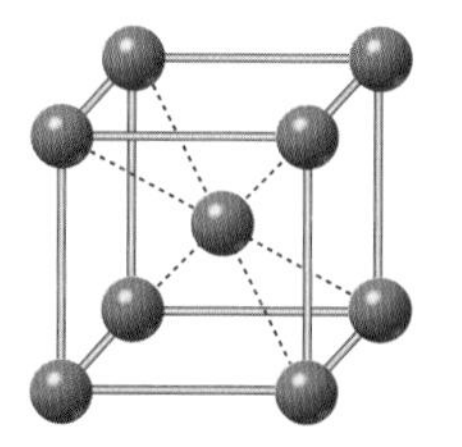
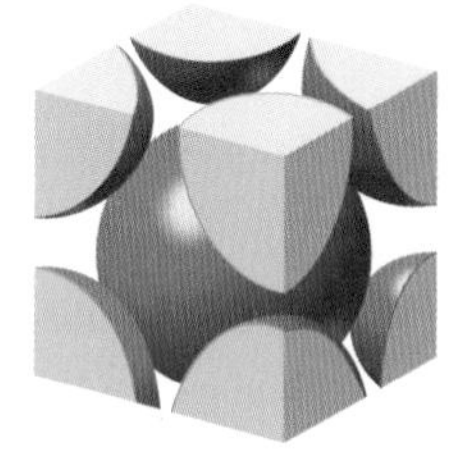

▲ 체심 입방 구조의 단위 세포 모형

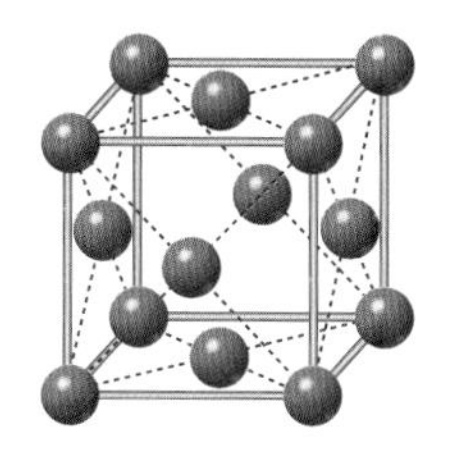
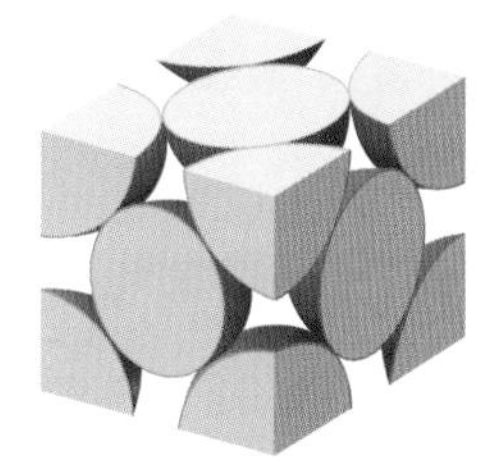

▲ 면심 입방 구조의 단위 세포 모형

ㄴ. 단위 세포에 포함된 입자 수는 (가)가 1(체심)+8(꼭짓점)$\times\frac{1}{8}=2$, (나)가 6(면심)$\times\frac{1}{2}$+8(꼭짓점)$\times\frac{1}{8}=4$이다. 따라서 단위 세포에 포함된 입자 수비는 (가) : (나)=2 : 4=1 : 2이다.

바로 알기 ㄷ. 한 원자에 가장 인접한 원자 수는 (가)가 8, (나)가 12이므로 한 원자에 가장 인접한 원자 수비는 (가) : (나)=2 : 3이다.

10 4 % $NaOH(aq)$ 200 g에 녹아 있는 NaOH의 질량은 $0.04\times 200=8$(g)이다.

1 m $NaOH(aq)$ 260 g에 녹아 있는 NaOH의 질량을 x g이라고 하면

$$\text{몰랄 농도}(m)=\frac{\text{용질의 양(mol)}}{\text{용매의 질량(kg)}}=\frac{\frac{\text{용질의 질량}}{\text{용질의 화학식량}}}{\text{용액의 질량}-\text{용질의 질량}}$$

$$=\frac{\frac{x}{40}}{\frac{260-x}{1000}}=1,\ x=10(\text{g})$$이다. 1 M NaOH 50 mL에 녹아 있는 NaOH의 질량을 y g이라고 하면

$$\text{몰 농도(M)}=\frac{\text{용질의 양(mol)}}{\text{용액의 부피(L)}}=\frac{\frac{y}{40}}{\frac{50}{1000}}=1,\ y=2(\text{g})$$이다.

따라서 혼합 용액에 녹아 있는 NaOH의 질량은 $8+10+2=20$(g)이다.

11 ㄱ. ㉠은 물이고, ㉡은 A 수용액이므로 끓는점은 ㉡이 ㉠보다 높다.

ㄴ. ㉡의 증기 압력 내림은 $41a-40a=a$이므로 $\Delta P=P_{용매}\times X_{용질}=41a\times X_{용질}=a$, $X_{용질}=\frac{1}{41}$이다.

ㄷ. ㉠에서 물의 질량이 360 g이므로 ㉡에서 녹아 있는 A의 질량은 390 g−360 g=30 g이다. A의 분자량을 M이라고 하면 $X_{용질}=\frac{용질의\ 양(mol)}{용매의\ 양(mol)+용질의\ 양(mol)}$

$=\frac{\frac{30}{M}}{\frac{360}{18}+\frac{30}{M}}=\frac{1}{41}$, $M=60$이다.

12 ㄱ. A와 B의 분자량을 각각 M_A, M_B라고 하면 끓는점 오름은 몰랄 농도에 비례하므로 (가)와 (나)의 끓는점 오름비는

(가) : (나)$=\frac{\frac{5}{M_A}+\frac{15}{M_B}}{\frac{W}{1000}}:\frac{\frac{10}{M_A}+\frac{20}{M_B}}{\frac{2W}{1000}}=10a:7a$, $M_A=3M_B$이다. 따라서 분자량은 A가 B의 3배이다.

ㄷ. 물 $4W$ g에 A 5 g과 B 5 g을 녹인 수용액을 (다)라고 하면 (가)와 (다)의 끓는점 오름비는 (가) : (다)$=\frac{\frac{5}{M_A}+\frac{15}{M_B}}{\frac{W}{1000}}$

$:\frac{\frac{5}{M_A}+\frac{5}{M_B}}{\frac{4W}{1000}}$이고, 여기에 $M_A=3M_B$를 대입하면 끓는점 오름비는 (가) : (다)=10 : 1이다. (가)의 끓는점 오름이 $10a$ ℃이므로 (다)의 끓는점 오름은 a ℃이다.

바로 알기 ㄴ. 끓는점 오름이 클수록 어는점 내림이 크다. 어는점 내림은 (가)가 (나)보다 크므로 어는점은 (나)가 (가)보다 높다.

사고력 확장 문제

118~121쪽

01 (1) (가)에서 X_2, Y_2, Z_2는 무극성 분자이므로 분자 간 상호 작용은 분산력뿐이다. 이때 분산력이 클수록 끓는점이 높아지므로 분산력은 $Y_2>X_2>Z_2$이다. 즉, 원자량은 Y>X>Z이다. 따라서 주기는 Y>X>Z이다.

(2) 주기가 가장 작은 Z의 수소 화합물의 끓는점이 가장 높으므로 HZ는 수소 결합을 하는 HF인 것을 알 수 있다. 원자량은 Y>X이므로 분자량은 HY>HX이고, 분산력은 HY>HX이다.

모범 답안 (1) Y>X>Z

(2) HZ는 수소 결합을 하므로 분자 사이의 힘이 가장 크고, 분자량이 큰 HY는 HX보다 분산력이 크므로 분자 사이의 힘이 두 번째로 크다. 따라서 분자 사이의 힘이 HZ>HY>HX이므로 끓는점은 HZ>HY>HX이다.

	채점 기준	배점(%)
(1)	X~Z의 주기를 옳게 비교한 경우	30
(2)	수소 결합과 분산력을 모두 이용하여 옳게 서술한 경우	70
	수소 결합과 분산력 중 1가지만 이용하여 옳게 서술한 경우	30

02 꼭지 왼쪽에 있는 실린더 속 He(g)의 양(mol)을 a mol이라고 하면 Ne(g)의 양(mol)도 a mol이다. 꼭지 오른쪽에 있는 실린더 속 Ne(g)의 양(mol)을 b mol이라고 하면 Ar(g)의 양(mol)도 b mol이다. 꼭지를 열면 Ne(g)이 혼합되면서 He(g), Ne(g), Ar(g)의 압력이 같아지는 지점까지 피스톤이 움직인다. 아보가드로 법칙에 의해 일정한 온도와 압력에서 기체의 부피는 양(mol)에 비례한다. 꼭지를 연 후 Ar(g) b mol의 부피가 3 L이므로 Ne(g) b mol의 부피도 3 L이고, 2개의 실린더 전체 부피는 8 L이므로 He(g) a mol과 Ne(g) a mol의 부피는 각각 1 L이다.

따라서 $\frac{Ne(g)의\ 전체\ 양(mol)}{Ar(g)의\ 양(mol)}=\frac{3+1}{3}=\frac{4}{3}$이다.

모범 답안 꼭지를 열면 실린더 속 기체의 압력이 모두 같아지므로 He(g), Ne(g), Ar(g)의 부피는 각각 1 L, 4 L, 3 L이다. 아보가드로 법칙에 의해 일정한 온도와 압력에서 기체의 부피는 양(mol)에 비례하므로 $\frac{Ne(g)의\ 전체\ 양(mol)}{Ar(g)의\ 양(mol)}=\frac{4}{3}$이다.

채점 기준	배점(%)
기체의 부피를 이용한 중간 과정을 옳게 제시하고 $\frac{Ne(g)의\ 전체\ 양(mol)}{Ar(g)의\ 양(mol)}$을 옳게 구한 경우	100
$\frac{Ne(g)의\ 전체\ 양(mol)}{Ar(g)의\ 양(mol)}$만 옳게 구한 경우	40

03 (1) 온도가 일정할 때 기체의 양(mol)은 (압력×부피)에 비례하므로 꼭지를 열기 전 A(g)의 양(mol)을 $4N$이라고 하면 B(g)의 양(mol)은 $6N$이다. 꼭지를 열었을 때 용기 ㉠에 들어 있는 A(g)의 양(mol)은 $2N(=4N-2N)$, B(g)의 양(mol)은 $5N(=6N-N)$이다.

(가) 과정 후 B(g)의 부분 압력이 $\frac{5}{4}$기압이고, 온도가 일정할 때 기체의 양은 (압력×부피)에 비례하므로 $(2\times2):4N=\left(x\times\frac{5}{4}\right):5N$, $x=4$이다. 즉, 용기 ㉠의 부피(x)는 4 L이다.

(2) 용기 ㉠에 들어 있는 B(g)의 양(mol)이 $5N$이고, B(g)의 부분 압력이 $\frac{5}{4}$기압이므로 기체의 양(mol)이 N일 때, 기체의 압력은 $\frac{1}{4}$기압이다. 용기 ㉠에 들어 있는 기체를 반응시켰을 때 화학 반응에서 양적 관계를 구하면 다음과 같다.

	A(g)	+ bB(g)	⟶ 2C(g)
반응 전(mol)	$2N$	$5N$	
반응(mol)	$-2N$	$-2bN$	$+4N$
반응 후(mol)	0	$(5-2b)N$	$4N$

반응 후 B(g)의 부분 압력이 $\frac{1}{4}$기압이므로 $(5-2b)\times\frac{1}{4}=\frac{1}{4}$, $b=2$이다. 반응 후 용기 ㉠ 속 기체의 양(mol)은 B(g) N, C(g) $4N$이므로 용기 ㉠ 속 기체의 압력은 $\frac{1}{4}+4\times\frac{1}{4}=\frac{5}{4}$(기압)이다.

모범 답안 (1) 꼭지를 열기 전 A(g)의 양(mol)을 $4N$이라고 하면 용기 ㉠에 들어간 B(g)의 양(mol)은 $5N$이고, 부분 압력이 $\frac{5}{4}$기압이므로 용기 ㉠의 부피는 4 L이다.

(2) 기체의 양(mol)이 N일 때의 기체의 압력이 $\frac{1}{4}$기압이고, 반응 후 B(g)의 부분 압력이 $\frac{1}{4}$기압이므로 B(g)의 양(mol)은 N이고, 반응 계수 b는 2이다. 용기 ㉠ 속 기체의 양(mol)은 B(g)가 N, C(g)가 $4N$이므로 용기 ㉠ 속 기체의 압력은 $\frac{5}{4}$기압이다.

	채점 기준	배점(%)
(1)	중간 계산 과정을 옳게 제시하고 용기 ㉠의 부피를 옳게 구한 경우	40
	용기 ㉠의 부피만 옳게 구한 경우	20
(2)	중간 계산 과정을 옳게 제시하고, b와 용기 ㉠ 속 기체의 압력을 모두 옳게 구한 경우	60
	b와 용기 ㉠ 속 기체의 압력 중 1가지만 옳게 구한 경우	20

04 (1) 액체 방울이 둥근 모양일수록 표면적이 작아 표면 장력이 크므로 (가)에서 표면 장력은 B가 A보다 크다. 기체의 양(mol)은 A(g)가 B(g)보다 크므로 용기 속 증기 압력은 A가 B보다 크다. 증기 압력이 클수록 응축 속도가 크므로 응축 속도는 A가 B보다 크다.

(2) t ℃에서 증발 속도는 A가 B보다 크므로 증발 속도와 응축 속도가 같아지는 동적 평형 상태에서 응축 속도는 A가 B보다 크다. 응축 속도는 기체의 증기 압력에 비례하므로 t ℃에서 증기 압력은 A가 B보다 크다.

모범 답안 (1) (가)에서 표면 장력은 B가 A보다 크고, (나)에서 응축 속도는 A가 B보다 크다.

(2) t ℃에서 증발 속도는 A가 B보다 크므로 증기 압력은 A가 B보다 크다.

	채점 기준	배점(%)
(1)	표면 장력과 응축 속도를 모두 옳게 비교한 경우	40
	표면 장력과 응축 속도 중 1가지만 옳게 비교한 경우	20
(2)	증발 속도의 크기로 증기 압력을 옳게 비교한 경우	60
	증기 압력만 옳게 비교한 경우	20

05 (1) (가)의 단위 세포에 들어 있는 A의 양이온 수는 $8\times\frac{1}{8}+6\times\frac{1}{2}=4$이고, B의 음이온 수는 $8\times1=8$이다. 즉, (가)의 단위 세포에 들어 있는 이온 수는 12이다. (나)의 단위 세포에 들어 있는 X의 양이온 수는 $8\times\frac{1}{8}=1$이고, Y의 양이온 수는 1이며, Z의 음이온 수는 $6\times\frac{1}{2}=3$이다. 즉, (나)의 단위 세포에 들어 있는 이온 수는 5이다. 따라서 (가)와 (나)의 단위 세포에 들어 있는 이온 수비는 (가) : (나)=12 : 5이다.

(2) (가)의 단위 세포에 들어 있는 A와 B의 이온 수비는 A : B=4 : 8=1 : 2이므로 (가)의 화학식은 AB_2이다. (나)의 단위 세포에 들어 있는 X～Z의 이온 수비는 X : Y : Z=1 : 1 : 3이므로 (나)의 화학식은 XYZ_3이다.

모범 답안 (1) 단위 세포에 들어 있는 이온 수가 (가)는 $\left(8\times\frac{1}{8}+6\times\frac{1}{2}\right)+(8\times1)=12$이고 (나)는 $\left(8\times\frac{1}{8}\right)+1+\left(6\times\frac{1}{2}\right)=5$이므로 (가)와 (나)의 단위 세포에 들어 있는 이온 수비는 (가) : (나)=12 : 5이다.

(2) (가)는 구성 이온 수비가 A : B=1 : 2이므로 화학식이 AB_2이고, (나)는 구성 이온 수비가 X : Y : Z=1 : 1 : 3이므로 화학식이 XYZ_3이다.

	채점 기준	배점(%)
(1)	중간 계산 과정을 포함하여 이온 수비를 옳게 구한 경우	60
	이온 수비만 옳게 구한 경우	30
(2)	2가지 화학식을 모두 옳게 구한 경우	40
	2가지 화학식 중 1가지만 옳게 구한 경우	20

06 (가)와 (나)에서 물의 질량을 각각 W_1 kg, W_2 kg이라고 하면 (가)의 몰랄 농도는 $\dfrac{\frac{6w}{60}}{W_1}=1$이므로 $W_1=\dfrac{w}{10}$(kg)이고, (나)의 몰랄 농도는 $\dfrac{\frac{9w}{60}}{W_2}=3$이므로 $W_2=\dfrac{w}{20}$(kg)이다.

(가)와 (나)에서 물의 질량의 합은 $(W_1+W_2)\times1000=150w$(g)이다. (가)와 (나)에서 X의 질량의 합은 $6w+9w=15w$(g)이다.

(가)와 (나)를 혼합한 용액의 퍼센트 농도(%)는 $\dfrac{15w}{150w+15w}\times100=\dfrac{100}{11}$(%)이다.

모범 답안 (가)와 (나)에서 물의 질량을 각각 W_1 kg, W_2 kg이라고 하면 (가)에서 $W_1=\dfrac{w}{10}$(kg)이고, (나)에서 $W_2=\dfrac{w}{20}$(kg)이다. (가)와 (나)를 혼합한 용액에서 물의 질량의 합은 $(W_1+W_2)\times1000=150w$(g)이고, X의 질량의 합은 $6w+9w=15w$(g)이므로 혼합 용액의 퍼센트 농도(%)는 $\dfrac{15w}{150w+15w}\times100=\dfrac{100}{11}$(%)이다.

채점 기준	배점(%)
중간 계산 과정을 옳게 제시하고 용액의 퍼센트 농도를 옳게 구한 경우	100
용액의 퍼센트 농도만 옳게 구한 경우	30

07 (1) X w g을 녹인 X(aq)의 증기 압력과 Y $2w$ g을 녹인 Y(aq)의 증기 압력이 같으므로 X w g의 양(mol)과 Y $2w$ g의 양(mol)이 같다. 따라서 분자량은 Y가 X의 2배이다.

(2) X(aq)과 Y(aq)에 들어 있는 물의 양(mol)을 N이라 하고, X(aq)에서 X w g의 양(mol)을 x라고 하면 Y(aq)에서 Y w g의 양(mol)은 $\dfrac{1}{2}x$이다.

구분	용질의 질량(g)	용질의 양(mol)	용매의 양(mol)	증기 압력
X(aq)	w	x	N	b
	$2w$	$2x$	N	$49a$
Y(aq)	w	$\frac{1}{2}x$	N	$52a$
	$2w$	x	N	b

용액의 증기 압력은 용매의 몰 분율에 비례하므로 X $2w$ g이 녹아 있는 X(aq)과 Y w g이 녹아 있는 Y(aq)의 증기 압력비는 $49a:52a=\dfrac{N}{N+2x}:\dfrac{N}{N+\frac{1}{2}x}$, $x=\dfrac{1}{24}N$이다.

따라서 X w g이 녹아 있는 X(aq)의 증기 압력은 $b=P_{용매}\times X_{용매}=P_{용매}\times\dfrac{N}{N+\frac{1}{24}N}=P_{용매}\times\dfrac{24}{25}$, $P_{용매}=\dfrac{25}{24}b$이다.

모범 답안 (1) 분자량은 Y가 X의 2배이다.

(2) X w g의 양(mol)은 물의 양(mol)의 $\dfrac{1}{24}$이고, X w g이 녹은 X(aq)의 증기 압력은 b이다. 따라서 t ℃에서 물의 증기 압력은 $\dfrac{25}{24}b$이다.

	채점 기준	배점(%)
(1)	X와 Y의 분자량을 옳게 비교한 경우	20
(2)	용질과 물의 몰비를 계산하는 과정을 옳게 제시하고 b를 이용하여 물의 증기 압력을 옳게 구한 경우	80
	용질과 물의 몰비를 계산하는 과정이 미흡하나, b를 이용하여 물의 증기 압력을 옳게 구한 경우	40

08 (1) (가)로부터 A의 끓는점은 80 ℃인 것을 알 수 있다. (나)와 (다)의 끓는점 오름은 각각 2 ℃, 4 ℃이므로 몰랄 농도비는 (나) : (다)=1 : 2이다.

X와 Y의 분자량을 각각 M_X, M_Y라고 하면 몰랄 농도는 (나)가 $\dfrac{\frac{w}{M_X}}{0.1}=\dfrac{10w}{M_X}$이고, (다)가 $\dfrac{\frac{w}{M_Y}}{0.15}=\dfrac{20w}{3M_Y}$이다. 몰랄 농도비는 (나) : (다)$=\dfrac{10w}{M_X}:\dfrac{20w}{3M_Y}=1:2$, $M_X=3M_Y$이다.

분자량은 X가 Y의 3배이다.

(2) (나)가 끓으면 물이 증발하여 물의 질량이 감소한다. ㉠에서 용액은 끓는점 오름이 4 ℃이므로 끓는점 오름이 2 ℃일 때보다 몰랄 농도가 2배이다. 용질 X는 비휘발성이므로 ㉠에서 용액에 녹아 있는 X의 질량은 w g으로 일정하고, 용매인 A의 질량이 100 g의 $\dfrac{1}{2}$인 50 g이다. 따라서 ㉠에서 용액의 질량은 $(50+w)$ g이다.

모범 답안 (1) 분자량은 X가 Y의 3배이다.

(2) ㉠에서 용액은 몰랄 농도가 끓는점 오름이 2 ℃일 때의 2배이므로 A의 질량이 50 g, X의 질량이 w g이다. 따라서 ㉠에서 용액의 질량은 $(50+w)$ g이다.

	채점 기준	배점(%)
(1)	X와 Y의 분자량을 옳게 비교한 경우	30
(2)	용매와 용질의 질량을 계산하는 과정을 옳게 제시하고 용액의 질량을 옳게 구한 경우	70
	용매와 용질의 질량을 계산하는 과정을 옳게 제시하지 않고 용액의 질량만 옳게 구한 경우	30

논구술 대비 문제

I 물질의 세 가지 상태와 용액

실전 문제 1 124쪽

예시 답안 (1) 이상 기체 방정식으로부터 일정한 부피에서 기체의 압력과 절대 온도는 비례한다. 기체의 온도를 100 K에서 400 K으로 높이면 압력은 4배가 된다. 충돌 횟수는 평균 속력에 비례하고 분자들의 평균 속력은 온도의 제곱근에 비례하므로 400 K에서의 충돌 횟수는 100 K에서의 $2\left(=\sqrt{\frac{400\text{ K}}{100\text{ K}}}\right)$배이다. 즉, 압력은 4배가 되지만, 충돌 횟수는 2배가 되므로 일정한 부피에서 온도 증가에 따른 압력 증가는 충돌 횟수의 증가만으로 설명할 수 없다.

(2) (나)로부터 충돌 횟수는 A의 몰 농도의 제곱에 비례하므로 부피의 제곱에 반비례한다. 압력이 일정할 때 기체의 부피는 절대 온도에 비례하므로 일정한 압력에서 충돌 횟수는 절대 온도의 제곱에 반비례한다. 또, 충돌 횟수는 평균 속력에 비례하므로 절대 온도의 제곱근에 비례한다. 따라서 일정한 압력에서 충돌 횟수는 $\frac{\sqrt{T}}{T^2}\left(=T^{-\frac{3}{2}}\right)$에 비례한다. 400 K에서의 충돌 횟수는 100 K에서의 $\left(\frac{400\text{ K}}{100\text{ K}}\right)^{-\frac{3}{2}}=\frac{1}{8}$이다. 즉, 충돌 횟수는 100 K에서가 400 K에서의 8배이다. 이처럼 온도를 높일 때 충돌 횟수가 감소하는 것은 온도 증가에 따른 기체의 부피 증가가 속도 증가보다 더 큰 영향을 미치기 때문이다.

실전 문제 2 125쪽

예시 답안 (1) 기체의 온도가 내려가면 기체 분자 사이의 거리가 가까워지면서 분자 사이의 인력이 작용한다. 분자 사이의 인력이 작용하면 기체는 액체로 상태 변화하기 때문에 기체의 온도가 0 K으로 내려가는 것은 불가능하다.

(2) 기체의 질량은 B가 A의 8배이고, 분자량은 B가 A의 4배이므로 기체의 양(mol)은 B가 A의 2배이다. 기체일 때에는 샤를 법칙이 적용되므로 기체 상태에서 온도에 따른 물질의 부피 그래프는 기울기가 B가 A의 2배이다. A와 B의 기준 끓는점이 각각 −180 ℃, −160 ℃이므로 −180 ℃와 −160 ℃에서 A와 B의 부피는 거의 0에 가깝지만 0은 아니다.

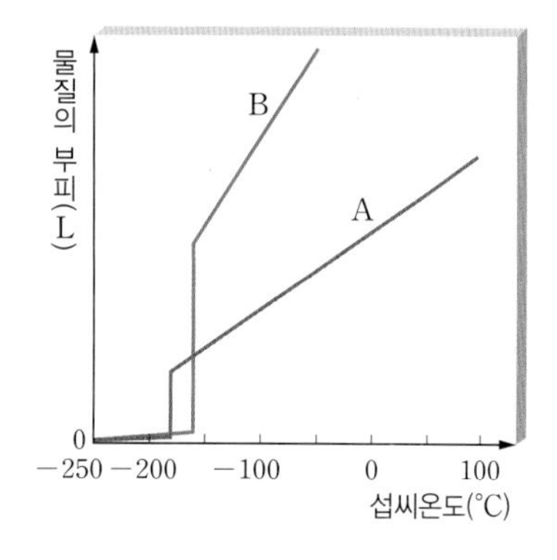

화학 용어 찾아보기

ㅅ

ㅇ

ㅈ

ㅊ

memo